W9-AWW-127

Виктор Суворов

ОЧИЩЕНИЕ

Москва
2000

УДК 882
ББК 84(2Рос-Рус)6-4
С 89

Художник Ю.Д. Федичкин

Суворов В.

С89 Очищение: Зачем Сталин обезглавил свою армию? – М.: ООО "Фирма "Издательство АСТ", 2000.— 480 с.

ISBN 5-237-00764-3.

Зачем Сталин обезглавил свою армию накануне Второй мировой войны? Почему был уничтожен высший командный состав РККА? Вопреки общепринятому мнению Виктор Суворов доказывает, что Сталин действовал правильно, точно и решительно, очищая армию от "гениальных" полководцев.

УДК 882
ББК 84(2Рос-Рус)6-4

ISBN 5-237-00764-3

ОЧИЩЕНИЕ

Зачем Сталин обезглавил свою армию?

Посвящаю памяти моего отца

Вместо предисловия

ОТРЕЗВЛЕНИЕ

> Сталин имеет все основания чествовать, прямо как кинозвезд, советских маршалов, которые проявили выдающиеся военные способности.
>
> *Й. Геббельс*, 15 марта 1945 года

В первые дни февраля 1945 года войска Красной Армии вышли к Одеру, форсировали его и захватили плацдармы на западном берегу. До Берлина оставалось 60 километров. Для последнего броска вперед надо было подтянуть тылы, подвезти сотни тысяч тонн боеприпасов, запасных частей, горюче-смазочных материалов, продовольствия, следовало пополнить войска, перебросить командные пункты ближе к фронту, развернуть новые узлы связи, базы снабжения, аэродромы, перебазировать авиацию, восстановить в тылах мосты, дороги, линии связи, перешить колею основных железнодорожных магистралей на широкий советский стандарт, чтобы подавать грузы без перевалки. А еще следовало обезопасить себя от удара с фланга — двинуть в Померанию 1-ю и 2-ю гвардейские танковые армии, 1-ю армию Войска Польского,

3-ю ударную, 19, 47, 49, 61, 65 и 70-ю общевойсковые армии. А это, в свою очередь, требовало пополнения соединений личным составом прямо в ходе боевых действий, развертывания тылов без всякой паузы вслед за наступающими войсками. Все это делалось четко, быстро, решительно и смело, и было ясно, что конец войны близок и ее результат давно предрешен.

Что думали в эти последние месяцы, недели и дни высшие руководители Германии? Что думал Гитлер и его приспешники: Геббельс, Геринг, Гиммлер, Борман, Риббентроп?

Вне сомнений, они снова и снова вспоминали войну с самого ее первого дня и все, что войне предшествовало, и каждый для себя искал ту роковую ошибку, которая в конце концов привела Третий рейх к разгрому. Мы знаем, о чем они думали, благодаря тому, что Геббельс вел дневник, и часть этого дневника не попала в руки тех, у кого горячее сердце, холодная голова и чистые руки. Все, что в те чистые руки попало, сгинуло в недоступных тайниках-хранилищах и, может быть, лет через двести — триста обнаружится. Но то, что валялось в развалинах Министерства пропаганды и было подобрано любопытным немецким собирателем, опубликовано на Западе. По понятным причинам нам, людям советским, такие вещи читать запрещалось. Дневники Геббельса — ни те, что попали в руки наших компетентных органов, ни те, что были опубликованы на Западе, — в Советском Союзе не печатались. Надо было дождаться крушения советской власти, чтобы эти свидетельства стали доступны и нашему народу. Теперь часть дневников Геббельса опубликована в России (Последние записи. Смоленск: Русич, 1993).

Дневники Геббельса не предназначались для публикации. В том их ценность. В эфир министр пропаганды Третьего рейха кричал одно, в дневник писал другое. Ценность дневников и в том, что Геббельс в последние месяцы, недели и дни существования Третьего рейха выдвинулся на второе после Гитлера место. На заключительном этапе Гитлер отстранял от власти многих: расстреливал, снимал с должностей, исключал из партии, отправлял в отпуск. Многие сами изменили Гитлеру. Геббельс остался с ним до конца. В своем завещании Гитлер назначил Геббельса канцлером Германии вместо себя. Геббельс единственный раз не подчинился своему фюреру — не принял пост канцлера. Он последовал за фюрером — разделил его судьбу: убил своих детей и вместе с женой покончил жизнь самоубийством. Геббельс — самый главный свидетель краха, никто из главарей Третьего рейха в те дни не был так близок к Гитлеру.

Итак, империя накануне своего позорного и бесславного конца. Откроем последние дневники Геббельса, вникнем. Начинаются записи 28 февраля 1945 года, обрываются 10 апреля. До самого последнего момента Геббельс верил в победу Германии и боролся. Что же его волнует больше всего? Недостаток танков, пушек, самолетов? Наступление Красной Армии? Нехватка металла, угля, нефти, энергии? Ужасающее продовольственное положение? Нехватка хлеба? Может быть, мало снарядов, мин, патронов? Изводят воздушные бомбардировки?

Да. Все это волнует Геббельса. Все это он видит, знает, принимает меры и фиксирует в дневнике.

Но больше всего Геббельса тревожит-волнует-раздражает, сводит с ума слабость высшего руководящего состава германской армии и государства.

Сразу на второй странице: «Если кто-нибудь вроде Геринга идет совсем не в ногу, то его нужно образумить. Увешанные орденами дураки и некоторые надушенные фаты не должны быть причастны к ведению войны. Либо они исправятся, либо их надлежит устранить».

Тут речь не только о Геринге. Геринг — пример. Речь о таких же, как Геринг, увешанных орденами, то есть весьма заслуженных руководителях, которые оказались дураками. Как назло, это качество проявилось под самый конец войны, под занавес, в момент, когда на карту поставлена судьба империи и десятков миллионов ее подданных.

И звучит в словах Геббельса мечта об очищении армии от заслуженных дураков: их надлежит устранить!

Ах, поздно герр Геббельс вспомнил об очищении. Этим надо было заниматься раньше.

Всех записей не перескажешь. Это надо читать. Но суть передать просто: у Гитлера полководцев нет. Запись 3 марта 1945 года: «Дитрих подвергает довольно откровенной критике мероприятия фюрера. Он жалуется, что фюрер дает слишком мало свободы своим военным соратникам и это уже-де привело к тому, что теперь фюрер решает вопрос о введении в действие каждой отдельной роты. Но Дитрих не вправе судить об этом. Фюрер не может положиться на своих военных советников. Они его так часто обманывали и подводили, что теперь он должен заниматься каждым подразделением. Слава Богу, что он этим занимается, ибо иначе дело обстояло бы еще хуже».

Как дико все это звучит для нас! Геббельс сообщает, что военные советники Гитлера часто его обманывали... Посмел бы кто обманывать товарища Сталина! И еще: если фюрер все делает сам, значит, он не фюрер. Искусство руководителя, командира, полководца, вождя, фюрера только в том, чтобы найти таких помощников, на которых можно положиться. Кстати, именно на неумении руководить, а не на русской зиме в свое время сломал шею Бонапарт. Однажды он горестно воскликнул: «В моем отсутствии творятся только одни глупости». А кто виноват? Сам виноват: подобрал себе таких маршалов, которые сами ни на что не способны. В присутствии Бонапарта — гении, в отсутствие... Вот и Гитлер попал в ситуацию, когда некому доверить руководство войсками, положиться не на кого, приказ о вводе в бой чуть ли не каждой роты фюрер вынужден отдавать лично.

Нам кремлевская пропаганда десятилетиями, как кол в печень, вбивала мысль: Сталин обезглавил свою армию и остался один без умных генералов. А вы, товарищи, на Гитлера посмотрите! Уж чего-чего, а толковых генералов в Германии всегда хватало. Задача Гитлера как германского фюрера заключалась не в том, чтобы самому командовать каждой группой армий, каждой армией, корпусом (а их десятки), дивизией (а их сотни), полком (их тысячи), батальоном и ротой (их десятки тысяч), а в том, чтобы среди германских командиров еще в мирное время выбрать толковых, грамотных и храбрых, а потом в ходе войны возвышать достойных и отстранять от власти не оправдавших надежд. Гитлер со своими обязанностями не справился. Пока все шло прекрасно, вокруг него табунами толпились гениальные полководцы, но вот Германия в кризисе, и куда те гении подевались? Вот вам поистине обезглавленная армия: верховный главнокомандующий никому не доверяет, все делает сам, своей стратегией уже довел страну до края пропасти, но если допустить к делам кого-либо еще, то будет хуже.

Геббельс так и пишет: таланты есть, только их надо выявить. До полного крушения — пара месяцев. Неполных. Не поздно ли опомнились? Отвоевали всю войну, а теперь вспомнили, что неплохо бы поискать толковых генералов. Геббельс спешит, а сам Гитлер пока не торопится менять руководителей, которые доказали свою полную непригодность. Записи в тот же день, 3 марта 1945 года: «Гауляйтеры в отчаянии от проявляемой фюрером нерешительности в важнейших кадровых вопросах, и они убедительнейшим образом просят меня неустанно добиваться того, чтобы побудить фюрера произвести изменения по крайней мере в руководстве военной авиацией и в руководстве немецкой внешней политикой». «Верховное командование Вермахта и Главное командование сухопутных сил вместе заказали в Тюрингии достаточное количество квартир для размещения 54 тысяч человек. Как может аппарат военного командования такой численности вообще командовать! Эти раздутые штаты настолько мешают ему, что оно вообще не способно более выполнять какую-либо работу...» А ведь это не все. Кроме Верховного командования Вермахта (ОКВ) и Главного командования сухопутных войск (ОКХ) в Берлине находятся Главное командование флота (ОКМ) и ведомство Геринга — Главное командование военно-воздушных сил (ОКЛ). И там тоже многие тысячи военных бюрократов. А кроме всего — бюрократия СС, Гестапо и еще многое, многое, многое. Итак, Гитлер командует сам, не доверяя никому, а у него только в ОКВ и в ОКХ сидят 54 тысячи дармоедов в полковничьих эполетах, в горделивых аксельбантах Генерального штаба, в генеральских лампасах. Чем же эти бездельники занимаются?

5 марта: «Я не понимаю, почему фюрер, имея такой трезвый ум, не может одержать верх над Генштабом, ибо, в конце концов, он ведь фюрер, и он обязан приказывать».

7 марта: «В полдень я провел совещание с компетентными лицами военно-призывных учреждений о радикальном упрощении нашего порядка призыва. Офицеры этих учреждений производят на меня впечатление совершенно неспособных и усталых старцев. И подобные типы в течение всей войны заправляли призывом!»

8 марта: «Кейтель уже приказал держать наготове 110 поездов для эвакуации из Берлина Верховного командования Вермахта и Главного командования сухопутных войск. Эти беглецы никогда не поумнеют. Хотел бы я знать, когда же они примут решение стоять на месте и защищаться». «У нас нет ни в военном, ни в гражданском секторах сильного центрального руководства: все требуется докладывать фюреру, а сделать это вообще бывает возможно лишь в незначительном количестве случаев». Гитлер отдает приказы сам, но между командиром и подчиненными должна быть двусторонняя связь. Командир может отдавать приказы, которые соответствуют обстановке, только в случае, если он обстановку знает. Но может ли каждый командир корпу-

са, дивизии, бригады, полка, батальона и т.д. добраться-дорваться-дозвониться-достучаться до своего фюрера и обстановку доложить? Возможно ли это?

10 марта: «Рундштедт слишком постарел и очень часто действует по шаблонам Первой мировой войны, а потому вряд ли может совладать с ситуацией, складывающейся на западе». «Как огромен наш руководящий военный аппарат! При такой его численности нет осязаемых творческих решений». «Генерал-полковник Фромм за трусость перед противником приговорен к смерти».

12 марта: «Значительную долю вины фюрер возлагает на Гиммлера». «Гиммлер не оправдал пока доверия как военачальник. Фюрер весьма недоволен им». (За четыре дня до этого, 8 марта, была запись: «Гиммлер держится очень хорошо. Он принадлежит к нашим сильнейшим деятелям».) «Я спрашиваю фюрера, почему он по таким важным вопросам ведения войны просто не отдает приказы. Фюрер отвечает, что в этом мало пользы, ибо, даже когда он отдает четкие приказы, их выполнение постоянно приостанавливается путем скрытого саботажа».

Вот она разница! Мы привыкли считать себя разгильдяями. Но можем ли мы представить ситуацию, чтобы кто-то не выполнил приказ Сталина? В самое трудное время, в критическое, в сверхкритическое, когда войска Гитлера стояли у ворот Москвы, когда Москва могла вполне пасть, все равно любые приказы Сталина беспрекословно выполнялись. Повторяю: любые! А немцев мы считаем самой дисциплинированной нацией. Не то что дисциплинированной, но педантичной. И вот ситуация: никто приказов Гитлера не выполняет. Да он их и не отдает, наперед зная, что их все равно никто выполнять не будет. На войне нужен светлый ум на самой вершине власти и непререкаемая дисциплина на всех нижестоящих ступенях. В том и разница между Красной Армией и Вермахтом: у немцев с дисциплиной проблемы. У них порядка нет. Каждый генерал делает то, что ему нравится, верховной власти не подчиняясь.

Геббельс продолжает: «Фюрер намерен бороться с растущим неповиновением генералов путем создания летучих трибуналов под руководством генерала Хюбнера, задачей которых будет немедленно расследовать любое проявление неповиновения в среде командования Вермахта, судить и расстреливать виновных по закону военного времени. Нельзя, чтобы в этой критической фазе войны каждый мог позволять себе делать что захочет. Но я думаю, что фюрер все же не берется за корень проблемы. Следовало бы провести чистку верхушки Вермахта, ибо если в верхушке нет порядка, то нечего удивляться, что и подчиненные органы идут своими путями».

Вот так: следовало бы провести чистку верхушки Вермахта! Правильно. Но поздно. Надо было перед войной перестрелять сотню-другую генералов, тогда остальные в критический момент не ввергли бы германскую армию в пучину анархии. Победить без дисциплины нельзя. Приказ начальника — закон для подчиненного! Вот этого-то немцы и не понимали, вот тут-то у них слабина. А Гитлер хорош. Это действительно небывалое достижение: загнать самую дисциплинированную армию мира в ситуацию, когда генералы не выполняют приказы верховной власти.

Геббельс настаивает: необходима чистка высшего командного состава. «Фюрер возражает мне на это, что у него нет человека, который, например, мог бы сейчас возглавить наши сухопутные войска. Он прав, говоря, что если бы он назначил на этот пост Гиммлера, то катастрофа была бы еще большей, чем нынешняя».

Достукались господа национал-социалисты. Нужен новый командующий сухопутными войсками, но кандидатуры генералов и фельдмаршалов даже не обсуждаются. Названо только одно имя, и это вовсе не военный, не генерал и не фельдмаршал, а это рейхсфюрер СС Гиммлер, оберпалач, глава всех палачей и начальник всех лагерей смерти, у него нет никаких военных заслуг и никаких военных наград. Но его и назначать не стоит, ибо будет еще хуже.

13 марта: «В приемной фюрера ожидают наши генералы. Вид этого сборища усталых

людей действует прямо удручающе. Позорно, что фюрер имеет так мало авторитетных военных сотрудников». «Насколько ничтожно большинство военных советников фюрера!»

14 марта: «Мой сотрудник Лизе занимается проверкой Вермахта в Голландии. Он находит там премилую обстановку. В Голландии разместилось немало штабов, которые перебрались туда из Франции и Бельгии и ведут теперь в голландских деревнях мирную жизнь, потягивая пиво».

21 марта: «От генералов, направленных на саарский фронт, толку никакого».

22 марта: «Рундштедт слишком стар и слишком неповоротлив».

24 марта: «Указаний у нас предостаточно. Чего нам не хватает, так это энергичных людей».

26 марта: «Нужна коренная реформа — сверху донизу». Чуть ниже мы увидим, что имеется в виду под термином «реформа».

27 марта: «Наши гауляйтеры слишком стары. Надо было еще несколько лет назад произвести персональные изменения, потому что люди в возрасте от 60 до 70 лет уже не в состоянии справляться с ужасающими требованиями».

28 марта: «Фюрер собрал вокруг себя только слабохарактерных людей, на которых он в критическую минуту не может положиться». «Наши гауляйтеры во многих случаях оказываются совершенно беспомощными людьми». «Просто страшно видеть фюрера — величайшего революционера — в окружении подоб-

ных посредственных личностей. Он подобрал себе такое военное окружение, которое подвергается постоянным нападкам со всех сторон. Он и сам-то называет Кейтеля и Йодля папашками, которые устали и израсходовали себя настолько, что в нынешней тяжелой обстановке уже не способны ни на какие действительно большие решения».

31 марта: «В истекшие сутки фюрер спал всего два часа. Это можно объяснить только тем, что у него нет таких помощников, которые взяли бы на себя основную часть черновой работы. Так, ему пришлось отправить Гудериана в отпуск, ибо тот стал совершенным истериком и трясущимся неврастеником». «Доктор Дитрих — явный трус, он не справляется с задачами, вызванными нынешним кризисом. В подобные моменты нужны сильные личности... А доктор Дитрих к такой категории не относится...» «У Гудериана нет твердости в характере. И он слишком нервный». «Разумеется, в Вермахте найдется еще немало оперативных талантов, но отыскать-то их очень трудно».

О флоте Геббельс ничего не пишет. Потому как флота уже нет. А в военно-воздушных силах — полное разложение.

5 марта: «В командовании военной авиации ничего не изменилось, чем и объясняется ее развал».

8 марта: «Гиммлер в резких выражениях отзывается о Геринге и Риббентропе, которых считает повинными во всех ошибках в нашем

общем руководстве войной, и здесь он абсолютно прав. Но он не знает, как побудить фюрера расстаться с ними обоими и заменить их новыми сильными личностями». «Если Геринг останется, то это угрожает привести, если еще не привело, к государственному кризису». «Успешному военному руководству повсюду мешают Геринг и Риббентроп».

11 марта: «Военно-воздушный флот не стоит и ломаного гроша».

12 марта: «Как личность Геринг совершенно опустился и впал в летаргию. Фюрер говорит об этом весьма недвусмысленно... Какая трагедия для нашей авиации! Она пришла в полный упадок».

14 марта: «Управление военной авиацией — это совершенно коррумпированное учреждение, и поэтому можно понять предложение Кербера просто-напросто распустить его или свести до минимума, поскольку оно, так или иначе, не может больше выполнять свои задачи». «Военная авиация — позор для партии и всего государства».

15 марта: «Не стоит больше говорить о военной авиации как о едином организме и роде войск, ибо коррупция и дезорганизация в этой составной части Вермахта достигли невероятных размеров».

21 марта: «В составе ВВС в настоящее время все еще находятся полтора миллиона человек. Я считаю, что тут вполне достаточно 300 — 400 тысяч».

22 марта: «Геринг абсолютно некомпетентен и бездарен, но ему невозможно найти преемника».

26 марта: «Рахитическая структура военно-воздушных сил».

Кто виноват? Геббельс отвечает и на этот вопрос.

22 марта: «Все, что фюрер рассказывает о ВВС, звучит как сплошное обвинение Геринга. И тем не менее он не может отважиться на решение вопроса о самом рейхсмаршале. Потому его обвинения совершенно беспредметны, так как не влекут за собой никаких выводов».

28 марта: «Фюрер склонен в известной мере оправдывать Геринга: тот, по его словам, технически недостаточно грамотен, чтобы суметь вовремя разглядеть тенденции развития авиационной техники. Кроме того, его собственный главный штаб без зазрения совести обманывает его. А теперь этот самый штаб обманывает и фюрера, например, в отношении скорости новых истребителей, подсовывая ему совершенно неверные цифры. Но теперь фюрер будет жесточайшим образом наказывать за каждую ложь в важнейших военных вопросах. Он будет беспощадно вмешиваться во все дела и даже в организационные вопросы ВВС». Тут не знаешь над чем смеяться. Завершается Вторая мировая война, побеждает тот, у кого господство в воздухе. Германия проиграла воздушную войну. Причина: вели-

колепно подготовленные военно-воздушные силы с опытным и храбрым личным составом, действительно гениальные немецкие авиаконструкторы, образцовая авиационная промышленность, укомплектованная талантливыми инженерами и мастерами ювелирного класса, а над ними — полуграмотный солдафон Геринг. Гитлер сообразил, что Геринг «недостаточно технически грамотен», в момент, когда ему и его империи оставался только один месяц жизни. Но и сообразив, что Геринг не соответствует занимаемой должности, Гитлер ничего не делает, чтобы поправить положение. Наоборот, техническая неграмотность Геринга служит оправданием и защитой в глазах фюрера. Гитлер знает, что штаб военно-воздушных сил обманывает и Геринга, и самого Гитлера, то есть занимается самым обыкновенным очковтирательством, чернуху разбрасывает, туфту раскидывает, лапшу на уши вешает, но и это не обвинение Герингу, а оправдание: его, бедного, собственный штаб обманывает. Эх, если бы товарищ Сталин не то что узнал, а просто заподозрил бы, что ему кто-то мозги пудрит...

В свете этих заявлений министра гитлеровской пропаганды следовало бы пересмотреть сводки штаба гитлеровских военно-воздушных сил о великих победах в воздухе. Сам Геббельс — величайший (после Ленина) обманщик XX века и всех предыдущих веков — сообщает нам, что штаб германских ВВС врет без зазрения совести. А нас приучили этому вранью верить...

И вот Адольф Гитлер грозит: уж я вас, обманщиков, уж я доберусь... В том и разница: Сталин никогда никому не грозил. Повторяю: НИКОГДА НИКОМУ. Правило: виновного — прости. Или убей. Угроза — проявление глупости, слабости и бессилия. Грозят обиженные. Вот этим фюрер и занимается: спрятался в бетонном каземате, сжимает костлявые кулачки и брызжет слюной — теперь-то он будет жесточайшим образом... Гитлер у власти 12 лет. Время истекло. Часы отбили все 12 ударов. А он спохватился порядок наводить.

В развале авиации виноват он сам. Гитлер персонально отвечает за то, что поставил во главе авиации увешанного орденами полуграмотного дурака, и за то, что держал Геринга на этом посту до самого последнего дня. Именно до последнего. 29 апреля 1945 года Гитлер написал свое политическое завещание и на следующий день покончил с собой. Так вот, в политическом завещании он Геринга со всех постов снял, лишил званий и наград, исключил из партии (которой уже не было). И раз уж дотянул до последнего дня, то за все, что творилось в авиации, Гитлер несет ответственность.

Тем более он несет полную ответственность за все, что творилось в сухопутных войсках. Структура подчинения была такой: на самом верху — фюрер германского народа Адольф

Гитлер. Ему подчиняется Верховный главнокомандующий Вермахта. Это тоже — Адольф Гитлер. А ему подчиняется главнокомандующий сухопутными войсками. Но и это все тот же Адольф Гитлер.

Вот еще кое-что из дневников Геббельса о том, как Гитлер командовал.

15 марта: «Фюреру следовало бы не держать перед своими сотрудниками длинных речей, а отдавать короткие приказы и потом со всей жестокостью требовать выполнения этих приказов».

28 марта: «Фюрер, как правило, бывает близок к истине в своих суждениях, но в то же время редко делает из этого правильные выводы». «Порой складывается впечатление, будто он витает в облаках». «Фюрер в принципе все понимает правильно, но не делает никаких выводов».

И когда Геббельс говорил про 54 тысячи бездельников в ОКВ и ОКХ, то это камешки в гитлеровский огород. Командир-то там кто? Сам Гитлер. Это он лично возглавляет и ОКВ, и ОКХ. И никто не смел в его вотчину вторгаться. Это он лично расплодил бестолковых генералов-бюрократов.

В дневнике 400 страниц, и все — о том же: «Чрезвычайно запутанная субординация в Вермахте». «В партии нет руководства». «От Бормана снова поступает громадное количество предписаний и распоряжений». «В Германии нет сильной руки». Общий вывод Геббельса: талантливые полководцы, конечно, в Германии есть, но никто их в свое время не искал, а где их сейчас найти?

Одна Геббельсу отрада: «Англо-американцы оказались исключительно бесплодными и негибкими в достижении своих военных целей. Они ничего не смыслят ни в военной психологии, ни в военном управлении» (20 марта 1945 г.).

«Черчилль — это старый преступник» (25 марта 1945 г.).

И взгляд на Сталина.

8 марта: «Сталин кажется мне бо́льшим реалистом, чем англо-американские безумцы».

22 марта: «Сталин — реалист до мозга костей».

4 апреля: «Сталин обращается с Рузвельтом и Черчиллем как с глупыми мальчишками».

Геббельс смотрит на Сталина с завистью. И, кажется мне, с обожанием. Подготовка к войне слагается из множества элементов. Самый важный из них — очищение высшего руководства от дураков, тупиц, мерзавцев и проходимцев. Сталин этим вопросом занимался серьезно, хотя и недостаточно. Сталин частично очистил командный состав своей армии. И вот Геббельс на пороге смерти вдруг понимает, что Сталин в 1937 году был прав. А Гитлер...

Отрезвление пришло слишком поздно. 16 марта 1945 года: «Генштаб предоставляет мне книгу с биографическими данными и портретами советских генералов и маршалов. Из этой книги нетрудно почерпнуть различные сведения о том, какие ошибки мы совершили в прошедшие годы. Эти маршалы и генералы в среднем исключительно молоды, почти никто из них не старше 50 лет. Они являются... чрезвычайно энергичными людьми, а на их лицах можно прочитать, что они имеют хорошую народную закваску... Короче говоря, я вынужден сделать неприятный вывод о том, что руководители Советского Союза являются выходцами из более хороших народных слоев, чем наши собственные».

Эта запись — самая высокая оценка действиям Сталина в 1937—1938 годах.

Мысль о превосходстве советских генералов не покидает Геббельса. Через пару страниц он возвращается к той же теме: «Я сообщаю фюреру о предоставленной мне для просмотра книге Генштаба о советских маршалах и генералах, добавляя, что у меня сложилось впечатление, будто мы вообще не в состоянии конкурировать с такими руководителями. Фюрер полностью разделяет мое мнение. Наш генералитет слишком стар, изжил себя...» Завершается это заявлением «о колоссальном превосходстве советского генералитета».

Запели, голубчики. А ведь раньше были другие песни.

На совещании 5 декабря 1940 года (цитирую по служебному дневнику генерал-полковника Ф. Гальдера. — *В.С.*) Гитлер заявил: «Русский человек — неполноценен. Армия не имеет настоящих командиров». Теперь выясняется, что русский человек полноценен и Красная Армия имеет таких командиров, которых у Гитлера нет.

16 января 1941 года Гитлер заявил своим генералам о советских генералах: «Командование безынициативно. Не хватает широты мышления». Выяснилось: вполне хватает.

Иногда отрезвление приходило и в более короткие сроки. 5 марта 1945 года Геббельс пишет: «Сталин имеет целый ряд выдающихся военачальников, но ни одного гениального стратега: ибо если бы он имел его, то советский удар наносился бы, например, не по барановскому плацдарму, а в Венгрии. Если бы нас лишили венгерской и австрийской нефти...»

Геббельс ошибся. В тот самый день, 5 марта 1945 года, когда он писал, что гениального среди них нет ни одного... два Маршала Советского Союза — Родион Яковлевич Малиновский, командующий 2-м Украинским фронтом, и Федор Иванович Толбухин, командующий 3-м Украинским фронтом, завершили подготовку наступательной операции, главная цель которой — лишить Германию ее последних источников нефти в Венгрии и Австрии. И не будем думать, что двум Маршалам Советского Союза одновременно пришла в голову идея такой операции. Вовсе нет. Просто над ними стоял еще один Маршал Советского Союза — Верховный Главнокомандующий Иосиф Виссарионович Сталин. Идея отрезать противника от источников нефти была официально высказана Сталиным давно — 3 декабря 1927 года: «Кто имеет преимущество в деле нефти, тот имеет шансы на победу в грядущей войне».

Сталин задолго до войны понимал, что надо отрезать от Германии Румынию, затем Венгрию и Австрию. Именно этим и заняты его маршалы. Для отражения советского наступления в Венгрию были брошены лучшие соединения Германии: 6-я танковая армия СС, вооруженная самыми лучшими танками. Во главе ее — лучший на тот момент немецкий танкист З. Дитрих, кавалер Рыцарского креста с бриллиантами. В составе ударной группировки элита элит — Лейбштандарт «Адольф Гитлер», то есть личная гитлеровская дивизия СС. Красота: на черных пилотках с белым кантом — серебряные черепа, на рукавах по черному сукну — серебряная нашивка с именем фюрера.

Геббельс с немецкой аккуратностью фиксирует события: «На венгерском участке фронта обстановка принимает очень критический характер». «В Венгрии обстановка стала ужасной. Здесь мы оказались в серьезнейшем кризисе, который, как уже говорилось, чреват угрозой потери венгерского нефтедобывающего района». «Наши соединения войск СС показали себя очень неважно. Фюрер решил проучить войска СС. Гиммлер по его поручению вылетел в Венгрию, чтобы отобрать у этих частей нарукавные нашивки». «Войска СС в

Венгрии не только не сумели осуществить собственное наступление, но и отступали, а частично даже разбежались». «Когда я представляю себе, как сейчас Гиммлер снимает шевроны у личного состава дивизий СС, у меня темнеет в глазах».

Читаю это со злорадством: наши неполноценные унтерменши, недочеловеки, высшей расе морду расквасили! И если удар в Венгрию — это проявление стратегической гениальности, то гениальность товарищем Сталиным проявлена. В нужный момент в нужном месте. Гениальный замысел на вершине — беспрекословное подчинение на всех нижестоящих ступенях. Операция великолепна и в замысле, и в исполнении. А все потому, что Сталин навел в армии и государстве такой порядок, которому завидует не только Геббельс, но и сам Гитлер. Запись 5 марта: «Фюрер прав, говоря, что... Сталин своевременно провел эту реформу и поэтому пользуется сейчас ее выгодами. Если такая реформа будет навязана нам сегодня нашими поражениями, то для окончательного успеха она слишком запоздала». Под реформой и Геббельс, и Гитлер понимают очищение армии путем расстрелов. 28 марта: «Я подробно излагаю фюреру мысль о том, что в 1934 году мы, к сожалению, упустили из виду необходимость реформирования Вермахта, хотя для этого у нас была возможность. То, что хотел Рем, было, по существу, правильно, разве что нельзя было допустить, чтобы это делал гомосексуалист и анархист. Был бы Рем психически нормальным человеком и цельной натурой, вероятно, 30 июня были бы расстреляны не несколько сотен офицеров СА, а несколько сотен генералов. На всем этом лежит печать глубокой трагедии, последствия которой мы ощущаем и сегодня. Тогда как раз был подходящий момент для революционизирования Рейхсвера. Этот момент из-за определенного стечения обстоятельств не был использован фюрером. И вопрос сейчас в том, сумеем ли мы вообще наверстать то, что было нами тогда упущено».

Даже Гитлер с Геббельсом сообразили, что Сталин действовал правильно, а наши агитаторы твердят: обезглавил, обезглавил, обезглавил, трагедия, трагедия, трагедия...

А не пора ли задуматься над странным обстоятельством? Перед войной Сталин уничтожал гениальных полководцев, но завершил войну с несокрушимой армией и целым ансамблем не менее выдающихся генералов и маршалов: Рокоссовский, Василевский, Драгунский, Малиновский, Говоров, Жадов, Конев, Ватутин, Черняховский, Новиков, Кузнецов, Малинин, Баданов, Богданов, Антонов, Мерецков, Крейзер, Ротмистров, Рыбалко, Лелюшенко, Катуков, Берзарин, Пухов, Пуркаев, Голованов. Да всех разве перечислишь! А Гитлер свою армию не обезглавливал, но завершил войну с разгромленным государством, с разбитой и безголовой армией. Так почему же про «обезглавленную» Красную Армию написаны тысячи научных трудов, книг и статей, а про безголовую армию Гитлера никто трудов не пишет? Хотел бы я знать, почему все смеются над кадровой политикой Сталина, но никто не смеется над кадровой политикой Гитлера? А ведь трагедия германской армии налицо. И заключалась она в том, что Гитлер к войне не готовился, генералов сотнями перед войной не стрелял, потому войну проиграл, потому был вынужден застрелиться сам.

О величии и ничтожестве стратегов судят по результатам войны. Так давайте же судить по конечным результатам, давайте же цыплят по осени считать!

Хорошо иметь козырные карты в начале игры. Но лучше — в конце. Оценим ситуацию. У Сталина к концу войны — плеяда выдающихся и даже гениальных полководцев. У Гитлера — никого. Так кто же из них умнее? И не пора ли дурацкий колпак надеть на того, кто его действительно заслужил?

Нас учили оценивать результаты кадровой политики Сталина на чисто эмоциональном уровне. Нас учили мыслить так, как мыслит пьяный, которым движет чувство, а не рассудок. Но не пора ли посмотреть на события 1937 года трезвым взглядом, а не через пьяные слезы?

Глава 1

ДРУГАЯ ПРИЧИНА

> В ходе мобилизации практически весь командный состав Вооруженных Сил получает повышение.
>
> Маршал Советского Союза
> *В.Д. Соколовский*

1

Нас учили мыслить блоками. Для каждой проблемы идеологи составляли программу из коротких, как бы стреляющих фраз. Этими фразами-истинами заряжали наши головы. Мыслить следовало так, как ходят зеки в колонне, — единообразно. Шаг в сторону считался за побег. Конвой стрелял без предупреждения.

Программа-истина об очищении Красной Армии в 1937—1938 годах была отработана при Хрущеве и вбита в наши головы. Выглядела она так:

1. Тухачевский — чуть ли не великий стратег.

2. Тухачевский еще в 1935 году предвидел войну с Германией и предупреждал.

3. Тухачевский настаивал на перевооружении армии, а глупый Сталин и его прихвостень Ворошилов предложения Тухачевского отвергали, не поняв и не оценив.

4. Блюхер, Якир, Уборевич, Путна, Алкснис, Вацетис, Дыбенко и все прочие были гигантами мысли и дела. Никакого заговора они, понятно, не замышляли.

5. Гитлеровская разведка решила обезглавить Красную Армию накануне войны, извести Тухачевского и других гениев. Немцы подбросили документ, а болезненно подозрительный Сталин фальшивке поверил...

6. Очищение армии приняло катастрофические размеры. Из пяти Маршалов Советского Союза были истреблены трое. Из пяти командармов 1 ранга — пятеро. Из двух армейских комиссаров 1 ранга — оба. Из двенадцати командармов 2 ранга — двенадцать. И т.д. Всего было истреблено 40 000 великих полководцев.

7. Сталин убивал гениев, дураков оставлял. Разгром Красной Армии в 1941 году — прямое следствие очищения 1937—1938 годов. В 1941 году из-за чисток советские командиры в подавляющем большинстве не имели соответствующего опыта, ибо находились на своих постах менее одного года...

Кто же все это придумал?

2

Придумал это недобитый гитлеровский шпион В. Шелленберг: вот, мол, какие мы умные, вот, мол, какие операции проворачивали! Самого Сталина вокруг пальца обвели, обманули, одурачили! Красную Армию сталинской рукой без войны обезглавили!

Когда гитлеровцы рассказывали удивительные истории про подброшенные документы, то им никто не возражал. Выдумки гитлеровских социалистов недостойны ответа. Беда в том, что марксисты подхватили гитлеровский бред, повторили и усилили многократно. И Запад подхватил, и гремит над миром марксистско-гитлеровский вымысел про обезглавленную Красную Армию. И многие его бездумно повторяют.

А наши агитаторы поддакивают-подпевают: так оно и было, ужасно глуп был Сталин, гениев не ценил. Вот выступает советник президента России генерал-полковник Д.А. Волкогонов и объясняет причину ликвидации Маршала Советского Союза В.К. Блюхера: это был «сильный военачальник», он обладал «аналитическим умом». К этому генерал Волкогонов добавляет: «А Сталину едва ли такие были нужны». (Триумф и трагедия. Кн. 1. Ч. 2. С. 270). Из заявления генерала Волкогонова однозначно следует, что Сталин был не очень умным человеком и стратегии не понимал. Если бы понимал, то сделал бы наоборот: дураков перестрелял, а гениев приберег. Это одна только фраза, но у генерала Волкогонова все книги, все публикации об этом: Сталин армию обезглавил, способные мыслить Сталину не нужны, ему больше придурки нравились.

Сдается мне, что подобные заявления Волкогонова и прочих кремлевских идеологов оскорбительны для нашего народа и армии. Дурацкий колпак, который пытаются надеть на Сталина, покрывает всех нас, всех, кто родился при Сталине и после. С любым иностранцем начинаю говорить о войне, а мне в ответ: да вы же идиоты — гениев не уберегли, параноики — фальшивке поверили! Рассказы про истребленных гениев и оставшихся идиотах смазывают всю нашу военную историю, перечеркивают все подвиги, жертвы и страдания народа. О какой военной истории речь, если оказывается, что во главе государства и армии стоял кретин Сталин, который не нуждался в умных полководцах?

Разговоры о погубленных стратегах, глупом Сталине и умственно неполноценных сталинских соратниках оскорбительны и для народов Центральной Европы. Выходит, что Эстония, Литва, Латвия, Польша, Чехословакия, Венгрия, Болгария, Румыния, Восточная Германия покорились дуракам, не понимавшим стратегии... Да ведь и Китай Сталину достался, и Монголия, и Северная Корея...

А кремлевские идеологи не унимались: Сталин погубил титанов стратегической мысли... обескровил... обезглавил... в 1941 году командиры занимали свои посты менее года...

И однажды я не выдержал.

3

Поднимаю трубку. Звоню советнику президента России, доктору исторических наук и доктору философских наук (марксистско-ленинских), члену-корреспонденту Российской академии наук, депутату Государственной Думы, бывшему заместителю начальника Главпура и начальнику Управления спецпропаганды, бывшему начальнику Института военной истории (наша военная история — это по линии спецпропаганды), профессору, генерал-полковнику Дмитрию Антоновичу Волкогонову. Представляюсь:

— Агент всех империалистических разведок, враг рода человеческого В. Суворов, он же — Резун. Здравствуйте, Дмитрий Антонович!

— Здравствуйте, — отвечает. — Опять ниспровергать будем?

— Опять, Дмитрий Антонович. Вот вы книгу написали, а такого не могло быть.

— Это еще почему?

— Не могло быть потому, — отвечаю, — что не могло быть никогда.

Он мне мягко напоминает, что имеет доступ ко всем секретам бывшего Советского Союза. Его одного допустили ко всем особым папкам Политбюро. Вежливо интересуется, есть ли у меня доступ к особым папкам, к архивам Ленина, Сталина, Троцкого, Молотова...

Подумал я, прикинул, припомнил, посмотрел в потолок, сказал «э-э-э», выдохнул глубоко и признался:

— Нет у меня доступа к секретам Политбюро.

— Чем же, батенька, крыть будем? Как всегда, логикой разведывательной?

— Обойдемся без разведлогики. Обыкновенной крестьянской логики в данном случае вполне хватит.

— И логикой можно опровергнуть исторические факты и совершенно секретные архивные документы?

— Факты и документы опровергать незачем. А вот выводы... Могли же вы, Дмитрий Антонович, не понять написанного, истолковать превратно...

Тут что-то скрипнуло. Скрипнуло в Москве, а меня в Бристоле перекосило. Один — ноль.

Нужно Дмитрию Антоновичу должное отдать. Был он человеком вежливым. Сцепились мы с ним однажды на газетных страницах... Было в его статьях несогласие с моими дикими заявками, но злобы не было. Готовность выслушивать противника тоже была. Я ему и звонил потому, что был уверен: согласится или нет, но выслушает.

— Излагай, — говорит. — Слушаю.

И я изложил: марксистско-гитлеровская легенда про «обезглавленную» армию состоит из семи разделов. Начнем с последнего, с седьмого. Этот раздел гласит, что к началу войны из-за сталинских чисток советские командиры опыта набраться не успели, потому как на должностях своих меньше года находились. Так?

— Так, — отвечает.

— Ну и чудесно. Я принимаю вашу точку зрения, Дмитрий Антонович. На пять минут.

4

Для начала я согласился с Дмитрием Антоновичем. Это прием такой: соглашаться. Как бы. А потом надо от позиции противника танцевать. Вот и допустим, что Дмитрий Антонович Волкогонов прав на сто процентов. На двести. На триста. Давайте даже представим, что Сталин летом 1937 года перестрелял вообще всех командиров. Всех до одного. От взводных до Маршалов Советского Союза. Согнал всех в брошенные карьеры и порезал из пулеметов. А на их место назначил новых командиров. Полная смена командного состава. Что должно было получиться в этой ситуации? А вот что: к лету 1941 года у всех вновь назначенных командиров должен был набраться стаж по четыре года.

Как же случилось, что смена произошла в 1937 году, а к 1941 году у подавляющего числа командиров стаж работы на занимаемых должностях вдруг оказался меньше года?

Произнес я это, и у меня в трубке снова скрипнуло. Два — ноль. Но этот скрип я уже предвидел — отстранился от трубки, отшатнулся.

Скрипнуло, словно железом по железу, но не сдается генерал Волкогонов: стреляли ведь не только в 1937 году, но и в 1938-м.

Я и с этим соглашаюсь. Полностью. На сто процентов. На двести и триста. Допустим, что всех командиров, назначенных в 1937 году, на следующий год тоже в карьеры загнали и тоже пулеметами порезали. Длинными очередями. И поставили командовать третий состав. В этом случае у третьего состава, выдвинутого в 1938 году, к лету 1941 года должно набраться по три года стажа. При полной смене командования служебного роста у большинства командиров быть не могло — некуда расти. Понятно, кто-то за три года спился, кто-то в речке утонул. Сотню, другую, третью перестреляли в 1939-м, 1940-м, в первой половине 1941 года. Перестановки, перетасовки могли быть. Но все же большинство должно оставаться на своих местах. Как же получилось, что смена составов была в 1937—1938 годах, а у новых командиров через три-четыре года после смены не набирается одного года пребывания на должностях?

5

На эту проблему можно посмотреть и с другой стороны. Армия-то у нас большая. И 40 тысяч для нас — не очень много. Численность начальствующего (в переводе на современный язык — офицерского) состава Красной Армии на февраль 1937 года известна — 206 тысяч. Источник — член Политбюро, нарком обороны СССР, Маршал Советского Союза К.Е. Ворошилов, совершенно секретная речь на февральско-мартовском пленуме ЦК. Стенограмма опубликована в «Военно-историческом журнале» (1993. № 1. С. 60—63).

Допустим, что из 206 тысяч расстреляли 40 тысяч. Это меньше 20 процентов.

Вопрос тот же, только в другом звучании: как могло случиться, что расстреляли менее 20 процентов, а в 1941 году у БОЛЬШИНСТВА командиров не набралось по одному году работы на занимаемой должности?

6

— Так в чем же дело?

В генеральском голосе интерес, интерес профессионала, интерес исследователя. Нотки неприязни погасли, а интерес прозвучал. Все личные обиды забыты, теперь генерал-полковник Волкогонов ищет ответ на вопрос, почему у командиров Красной Армии в 1941 году не набиралось года стажа на занимаемых постах, если очищение было за три-четыре года до германского вторжения. Расшевелил я Дмитрия Антоновича. А потом и убедил. Если мне никого больше убедить не удастся, то я все равно спокоен, ибо одного человека я своими вопросами смутил, а смутив, подсказал другое решение, которое он принял. Чем я и горжусь.

Переубедить мне выпало того единственного, кого допустили ко всем секретам Ленина, Сталина, Троцкого, к особым папкам Политбюро.

Переубедить можно любого, если есть примеры для сравнения, ибо все познается в сравнении. Для того чтобы понять этот вопрос, мы должны сравнить положение командного состава Красной Армии... С чем? Да хотя бы с гитлеровским Вермахтом. Ведь у нас так много общего. У нас победила социалистическая революция. Ленин — социалист. И Гитлер — социалист. И не будем гитлеровцев называть коричневыми. Рубахи у них были коричневыми, но знамя-то — красное. У Ленина рубаха белая, мы же его не относим к лагерю белых. А у Троцкого — серо-зеленый френч. Мы же не называем его серо-зеленым. Ленин, Гитлер, Бухарин, Гиммлер, Троцкий выступали под красным знаменем, потому всех и надо называть красными. Называть кого-то красно-коричневым неправильно. Что за мода, одних называть по цвету знамени, других — по цвету рубах? Не проще ли тех и других называть по цвету их кровавой идеологии? Если мы желаем подчеркнуть, что имеем в виду обе породы социалистов, почему бы не назвать их по именам отцов-основоположников? Социалисты-ленинцы, социалисты-гитлеровцы — этим выражено все. Идеология у нас и у гитлеровцев почти та же самая. И цели те же. Они считали, что у них правильный социализм, а у нас — искаженный, но и мы также считали: у нас — правильный, а у них — с отклонениями. У них все стояло на ненависти. И у нас тоже. Только у них ненависть расовая, а у нас классовая. Они считали себя высшей расой, а мы — высшим классом. Велика ли разница? И не забудем — идеологическим отцом Гитлера был

Готфрид Федер, который призывал к мировой революции под весьма знакомым нам лозунгом: «Пролетарии всех стран, соединяйтесь!»

Возразят: Гитлер не всегда сохранял верность марксовым догмам и не во всем следовал Марксу. Отклонялся. Согласен. А разве сам Маркс всегда сохранял верность своим догмам? Разве Маркс во всем следовал своему учению? Разве сам Маркс не противоречил себе? Разве он не дошел в конце жизни до полного отрицания своего учения? «Я больше не марксист!» — не Марксом ли сказано?

Об идеологии разговор впереди. Сейчас мы говорим только об армии с такой похожей стратегией, с таким похожим красным знаменем, с такими знакомыми целями. Как же обстояло дело с командным составом Вермахта накануне и в первом периоде Второй мировой войны?

Обстояло так же, как и у нас. Только хуже.

Официальное начало Второй мировой войны — 1 сентября 1939 года. В этот день соединения германского Вермахта вломились в Польшу. В операции участвовали пять армий, сведенные в две группы: «Юг» и «Север». ВСЕ командующие германскими армиями и группами армий, ВСЕ их заместители и начальники штабов со своими заместителями имели стаж на занимаемых должностях меньше года. Скажу больше — меньше месяца. Если и этого мало, добавлю — меньше десяти дней.

Любопытные, возьмите биографию любого именитого гитлеровского генерала и проверьте.

В мае 1940 года — вторжение во Францию. И опять в подавляющем большинстве высшие командиры и вообще весь офицерский состав Вермахта — на своих должностях не более года.

22 июня 1941 года — нападение на Советский Союз. А картина та же самая: снова не только генералы, но и весь офицерский состав Вермахта в большинстве — на своих должностях не более года.

Марксисты и гитлеровцы приучили нас смеяться над собой.

Вещь похвальная — замечать собственные промахи. Но перед тем как смеяться, почему бы не обратить свой просветленный взор на противника? Гитлер упустил столь важный элемент подготовки к войне, как очищение армии от проходимцев и разгильдяев, Гитлер свою армию не чистил в те годы, но ситуация у него такая же, как и у нас. Так не пора ли задать вопрос: а почему так?

И пора понять: иначе быть не могло.

Глава 2

ПРО ПЕРВУЮ ДЕСЯТКУ

Всякие борзописцы за границей из понятных для нас с вами соображений пытаются изобразить дело так, что из-за того, что мы с вами уничтожили кучу всякой дряни — тухачевских, гамарников, уборевичей и им подобную сволочь, — у нас в Красной Армии нет хорошего командного состава.

Комкор *Г. Штерн*. Выступление на XVIII съезде ВКП(б) 18 марта 1939 года

1

Высшее воинское звание в 30-х годах — Маршал Советского Союза.

Чуть ниже — командарм 1 ранга.

Нас учили, что в первой десятке высшего военного руководства было пять Маршалов Советского Союза и пять командармов 1 ранга. Из пяти маршалов Сталин уничтожил троих, а из пяти командармов 1 ранга — всех пятерых. И еще нас учили, что изводил Сталин не кого попало, но самых лучших: три маршала-гения — Тухачевский, Егоров и Блюхер — пошли под топор, а два маршала-идиота — Ворошилов и Буденный — остались здравствовать.

На первый взгляд — ужасно.

На второй — не очень.

Давайте представим, что во время очищения погибли не три Маршала Советского Союза, а все пять. Представим, что вместе с теми тремя гениями Сталин расстрелял еще и двух идиотов, Ворошилова и Буденного. Было бы от этого армии и стране лучше или хуже? Поднялась бы от этого боеспособность армии или упала? Думаю, что поднялась бы. Кто против этого возразит? Думаю, что такой шаг Сталина укрепил бы армию, а не ослабил ее. Потому вывод: если бы товарищ Сталин не ограничился полумерами, если бы не останавливался на достигнутом, не почивал бы на лаврах, а проявил бы чуть больше решительности и усердия в очищении армии, то народу, стране и самой армии от этого было бы лучше.

И не упрекайте меня в кровожадности, это не я, это статистика говорит: мало товарищ Сталин их стрелял. Три расстрелянных маршала — плохо, а пять расстрелянных маршалов — было бы лучше. Есть возражения против статистики?

Кстати сказать, Сталин был не так глуп, как нам его рисуют. Ворошилова с Буденным товариш Сталин тоже отстранил от власти. Ни Ворошилов, ни Буденный перед войной не занимали постов, которые требовали опыта, ума и знаний. Они уже ничего не решали и никакого влияния на ход событий не оказывали.

Так что перед войной Сталин отставил от власти всю пятерку.

И правильно сделал.

Согласен, Сталин отстранял маршалов разными способами — одним пулю в загривок, других — на почетное, но импотентное повышение. В армии про такое повышение говорят: отфутболили на чердак. В разнообразии методов ограничения маршальской власти четко проявилась стальная сталинская логика. Мы к этому еще вернемся.

2

А из второй пятерки, из пяти командармов 1 ранга, расстреляли всех пятерых. Стопроцентное истребление. Какая утрата! Какие были полководцы! Какие стратеги! Общая статистика очищения первой десятки — три маршала и пять командармов 1 ранга. Восемь из десяти. Восемьдесят процентов...

Тут я вынужден вмешаться и прервать горький плач. Вношу поправку: в первой «десятке» было не десять, а тринадцать высших командиров. Маршалов действительно было пять, а командармов 1 ранга — восемь. Пятерых командармов 1 ранга расстреляли, но трое остались, благополучно пережили предвоенное очищение, получили повышение, и в 1940 году все трое стали маршалами. Их имена: Б.М. Шапошников, Г.И. Кулик, С.К. Тимошенко.

Эти трое не укладывались в теорию поголовного истребления командармов 1 ранга, потому их просто в статистику не включили. Потому они как бы ускользнули из-под научного внимания. Но если их вспомнить, то рассказы о поголовном истреблении теряют свою первозданную свежесть.

3

Но стоны не стихают: из пяти всех пятерых, из пяти всех...

Когда раздаются такие голоса, я спокойно говорю красным историкам: хорошо, про Тимошенко, Кулика и Шапошникова вы никогда ничего не слышали, но тех-то пятерых расстрелянных вы по фамилиям помните?

Мой читатель, проверим себя: закроем глаза и мысленно повторим пять имен командармов 1 ранга, павших жертвами ужасающего беззакония. Звания у пятерых одинаковые, а должности они занимали разные. Желательно назвать первым того, кто в наших Вооруженных Силах занимал более высокое положение. Всех вспомнили? Нет? Не получается?

Да, всех так сразу и не упомнишь. Нам в голову вбивали: пять из пяти! пять из пяти! пять из пяти! Но имен великолепной пятерки не называли. Среди западных историков я не встретил ни одного, кто вспомнил бы все пять имен. О трагедии Красной Армии кричат многие, но в детали никто не вникал.

И у нас тоже почему-то не любят в детали вникать. Два красных историка, В. Рапопорт и Ю. Алексеев, написали книгу об очищении армии. Книга была издана за рубежом якобы как дерзновенное инакомыслие. В книге более пятисот страниц. В конце — список истребленных гениев. И в том списке — только три командарма 1 ранга. Не пять из пяти, а только три. У наших агитаторов уже на этом уровне нестыковки. Большая разница: расстреляны пять или только трое. Так сколько же их расстреляли? Вообще-то пять, но коммунистам их неудобно называть по именам. Потому они придумали трюк: называют только тех, кого расстреляли в 1937—1938 годах, а те, кого расстреляли в 1939 году и далее, — не в счет. Это еще почему? Логика подсказывает, что называть надо прежде всего тех, кого расстреляли ближе к войне, ибо их труднее заменить — у нового командира, попавшего на высокий пост, меньше времени освоиться в новой должности. Весь пафос книги Рапопорта и Алексеева: расстреливали не только в 1937—1938 годах, но отдельных стреляли в 1939, 1940 и даже в 1941 году. Коль так, давайте имена. Нет, говорят ученые товарищи, — называем только тех, кто расстрелян до 1939 года... Красные историки объявили всему миру, что Красная Армия была якобы обезглавлена. Казалось бы, в их интересах называть больше имен. Чем больше назовут, тем больше их легенды будут походить на правду. Особенно важно для них называть имена из самого высокого круга военных руководителей.

Но нет. Имен не называют. Стесняются.

Им есть чего стесняться: самый высокий пост в великолепной пятерке занимал командарм 1 ранга Фриновский Михаил Петрович.

Вы знаете этого стратега?

4

В момент ареста М.П. Фриновский занимал высокий пост народного комиссара, то есть министра, Военно-Морского Флота СССР. Остальные в пятерке расстрелянных командармов 1 ранга не занимали столь ответственных должностей: один — заместитель наркома, трое — командующие округами.

Кто же он, нарком ВМФ флотоводец Фриновский? Кто он, эта невинная жертва ужасающего беззакония?

Михаил Петрович Фриновский носил воинское звание, потому непосвященным казалось, что он имеет какое-то отношение к Красной Армии. Но он был из другого ведомства. Из лубянского. Был он другом народа, чекистом. Прошлое Фриновского сумрачно, как прошлое легендарного героя Гражданской войны, грабителя и насильника Григория Котовского. Как и Котовский, Фриновский происходил из уголовной среды. У него долгая, насыщенная необычайными приключениями бандитскочекистская карьера. После развала Российской империи во власть, в карательные органы косяком ринулись босяки и проходимцы. Фриновский — самый удачливый из них. И друзья, и враги, кто злобно, а кто ласково и льстиво, называли его паханом. И он гордился репутацией. Он прошел все ступени служебной лестницы в карательном ведомстве и 16 октября 1936 года стал заместителем наркома внутренних дел, то есть заместителем товарища Ежова. Назначен он был, как и Ежов, прямо накануне очищения и именно для того, чтобы разоблачать, арестовывать, пытать, вырывать признания и расстреливать. Весь процесс очищения Коммунистической партии, Красной Армии и железных рядов НКВД — на его революционной совести. С 15 апреля 1937 года, то есть с начала операции по очищению армии, М.П. Фриновский становится не просто заместителем, а первым заместителем Ежова и одновременно начальником Главного управления государственной безопасности (ГУГБ) НКВД СССР. В цепочке организаторов и руководителей очищения он был четвертым: Сталин — Молотов — Ежов — Фриновский. В 1937—1938 годах все дела наркомов, маршалов, командармов 1 и 2 рангов, флагманов флота, комкоров, комдивов и комбригов шли непосредственно через него. Фриновский лично участвовал в арестах, допросах, пытках и расстрелах. Воспоминания о нем поражают однообразием: бандитская морда, бандитская стрижка, руки расписаны синими картинками бандитской романтики, бандитская речь и душа бандитская.

Повеселился товарищ Фриновский в своей жизни. И чем дальше, тем жить ему было лучше, тем жизнь его становилась веселее.

Но пришла и его очередь.

5

29 июля 1938 года — пик террора. Мавры сделали свое дело — товарищи мавры могут удалиться. В августе 1938 года власть Ежова и Фриновского кончилась. Еще не формально. Но фактически. Друзей народа товарищ Сталин отводил от рычагов власти весьма осторожно. 8 сентября 1938 года М.П. Фриновский пошел якобы на повышение, но не требовалось особой смекалки, чтобы сообразить: Фриновского товарищ Сталин тоже «отфутболил на чердак», как многих до него. Должность ему — нарком ВМФ. Сей флотоводец о флоте знал не очень много. Зарегистрирован один случай, когда флотоводец Фриновский ступал на палубу боевого корабля: это случилось в 1932 году — он инспектировал речные пограничные катера на Амуре. Великий юморист товарищ Сталин послал Фриновского во флот, не присвоив морского звания, не переодев в тельнягу и клеши. Правда, якоря, русалки и спасательные круги завлекательным узором покрывали могучее тело пахана Фриновского,

но, кроме этого, его больше ничто с флотом не связывало. Так флотоводец Фриновский и ходил по коридорам морского наркомата в сапогах, в развесистых галифе, в гимнастерке защитного цвета среди морских волков в черном.

Как же руководить военно-морским министерством человеку, который на флоте не служил и ничего о флоте не знает? Он и не руководил. Он занимался тем же, чем и раньше, — чистил флот от вредителей и шпионов. Пока не прозвенели колокольчики.

Михаила Петровича Фриновского стараются реже вспоминать. Его полная приключений биография туго вписывается в жития стратегов-великомучеников. Его блатная харя портит блистательный ряд портретов гениальных военных мыслителей. Если его и вспоминают, то стараются смягчить звучание: флотоводец... с недостаточно светлым прошлым. От таких льстивых слов создается впечатление, что раньше, в прошлом, Фриновский творил не самые светлые деяния, но потом исправился, перековался и подался в милиционеры. А ведь было не так. Фриновский был и навсегда остался уголовником до той самой пули в загривок, которая поставила точку на его кровавой биографии. Философии своей Фриновский остался верен до конца. Просто из одной преступной среды он переметнулся в другую. Где и преуспел. Но над паханом Фриновским стоял куда более крутой пахан товарищ Сталин...

6

6 апреля 1939 года, завершив рабочий день, флотоводец Фриновский сел в служебную машину, помчался домой. Но персональный водитель и верные телохранители повезли его не домой, а в кутузку. Вчерашние подчиненные из ГУГБ НКВД СССР предъявили флотоводцу обвинения, открыли уголовное дело. Фриновский признался во всем и 4 февраля 1940 года получил свой последний давно и полностью заслуженный приговор. В тот же день был расстрелян и бывший нарком внутренних дел Генеральный комиссар государственной безопасности товарищ Ежов Николай Иванович.

И когда нам снова скажут, что из пяти командармов 1 ранга расстреляли пятерых, мы осторожно возразим: пятерых из восьми... А потом утрем скупую мужскую слезу и вспомним, что первым по своему положению среди пяти расстрелянных командармов 1 ранга был великий флотоводец. Вспомним Фриновского и заплачем: о невинная жертва произвола! О величайший стратег, если бы не истребили тебя, уж ты бы на войне показал талант флотоводца! Уж ты бы надрал хвост гроссадмиралу Редеру!

7

Мы помянули одного бандита, а вскрыли целое явление.

Размах коммунистического подавления и размеры карательного аппарата всегда скрывались. Были чекисты, так сказать, явные, а были скрытые, замаскированные. Несметные орды задрапированных друзей народа официально в карательных органах как бы не состояли. Товарищи работали в комсомоле, в профсоюзах, в народном хозяйстве... На это был и спецтермин: работать под прикрытием, в шутку — под перекрытием. В качестве прикрытия использовались и ряды Красной Армии и Красного Флота. Изрядные табуны карателей жили и работали под маской высшего командного состава Красной Армии. Каратели числились полководцами и флотоводцами, носили воинские звания и знаки различия вплоть до командарма 1 ранга, но полководцами и флотоводцами не являлись.

Впредь, обращаясь к статистике очищения армии и флота, проявим бдительность и поинтересуемся: а кто из этих невинно погибших полководцев и флотоводцев НЕ БЫЛ палачом и бандитом?

Чуть ниже первой «десятки» маршалов и командармов 1 ранга стояли командармы 2 ранга. В свое время коммунист А.И. Тодорский опубликовал статистику «невинных жертв». Среди прочего читаем: из 12 командармов 2 ранга расстреляны все 12. Эта статистика повторена в научных исследованиях тысячекратно. Она обошла весь мир. И звучит все это ужасно... до тех пор, пока не начнем вникать в детали. А как только вникнем, так сразу обнаружим нестыковку: рассказывают про 12 расстрелянных командармов 2 ранга, а называют 10 имен. Обратим внимание на сочинения тех же Рапопорта и Алексеева, на официальные списки убиенных, опубликованные в «Военно-историческом журнале» (1993. № 2), — только десять имен. Что за нестыковками кроется? Попробуем догадаться.

И когда нам снова скажут, что из 12 командармов 2 ранга Сталин истребил все 12, мы, подавляя горестный всхлип, смиренно попросим: огласите весь список, пожалуйста!

Глава 3

ПРО 40 ТЫСЯЧ ПОЛКОВОДЦЕВ

Оратор, желающий увлечь толпу, должен злоупотреблять сильными выражениями, преувеличивать, утверждать, повторять и никогда не пробовать доказывать что-нибудь рассуждениями.

Густав ле Бон. Психология толпы

1

В каждом правиле меня интересует исключение.

Нерушимое правило нашей любимой Родины: сор из избы не выносить. Сор — под коврик. Что бы ни случилось, у нас один припев: все хорошо, прекрасная маркиза! Грохнул чернобыльский реактор, а мы помалкиваем. В Швецию ветер понес радиацию. Шведы нас уличили. Тогда признаемся: да, что-то было... пустячок. Если бы ветер в другую сторону дул — в Казахстан и в Сибирь, если бы не уличили, так мы бы и промолчали. Как промолчали об уничтожении целины. Как промолчали про ядерные эксперименты маршала Жукова над десятками тысяч солдат и офицеров на Тоцком полигоне. Считалось, что это там у них, на загнивающем Западе, люди умирали от болезней и голода, там томились безработные в очередях, там содрогалось общество от разгула преступности, а у нас смеялись дети, у нас радостно светило солнышко, у нас над страной звенели жаворонки, наши ракеты бороздили глубины Вселенной, а их ракеты попросту взрывались. У нас такого быть не могло. Ну один раз случилось, это когда маршал Неделин сгорел на ракетном старте, а так больше ни-ни... Сгоревшего маршала скрыть не получилось, а вот сколько с ним еще народу сгорело, про то наша пресса промолчала.

Было устроено так, что у нас не обваливались мосты, у нас не взрывались заводы, у нас не случалось крушения поездов, у нас не было преступности... Вообще-то была, но неуклонно сокращалась, стремясь к нулю. И все, что у нас было не совсем так, мы старались прикрыть и сгладить. Истребили миллионы мужиков, переломали хребет крестьянству, после того покупаем хлеб в Америке. Хлеб у них новый вырастет, а золотишко не вернуть. А сколько золота отдали? Секрет. А что наши учебники про это говорили? Говорили: победа колхозного строя, прогресс.

А сколько крестьян истребили? Секрет. Сколько разрушили церквей? Секрет. Сколько истребили дворян, купцов, инженеров? Опять же — секрет. Одним словом, все, что негатив, все — секрет. Правило такое. Чтобы авторитет нашей великой Родины не подрывать.

Казалось бы: зачем землетрясение скрывать? Наоборот, всему миру объявить. Под землетрясение можно списать все наши промахи и ошибки. Под землетрясение можно помощь иностранную получить... Так нет же. У нас и это засекречивали. Ашхабадское землетрясение 1948 года оставалось секретным многие годы. Мы старались всему миру показать, что при социализме не то что преступности нет, но у нас даже и стихийные бедствия не случаются.

У нас каждый пишущий знал: давай о хорошем, восхваляй, возвеличивай. О плохом молчи! Нет, даже не так. Это пассивный путь. Так не пойдет. Плохое надо активно отрицать: нет у нас плохого! Нет и быть не может! По самой природе социализма! В этом наше преимущество!

Вот такое правило.

А в правиле — исключение.

2

Спросим: сколько перед войной было убито командиров Красной Армии? И моментально получаем ответ: 36 761!

Тут даже и спрашивать не надо. Нам с каждой трибуны кричали: 36 761!

Из каждого учебника: 36 761! С каждого газетного разворота под юбилей: 36 761! И это не все. Добавляли: да еще во флоте — более 3 тысяч. Итого — 40 тысяч истребленных полководцев!

Братцы-товарищи, а ведь это аномалия! Число людей, погибших при землетрясении, — тайна государственная. Как и само землетрясение. А число расстрелянных офицеров почему-то не тайна.

Почему так? Если бы наша родная власть пожелала эту цифру утаить, так утаила бы. Но она (мать родная) зачем-то эту цифру повторила тысячекратно.

Зададим вопрос: сколько было танков в Красной Армии в 1941 году? Нам на это отвечают: они были устаревшими. Мы спрашиваем: сколько, а получаем ответ на другой вопрос. То же и с самолетами: сколько? Ответ: они были гробами. Мы про Ивана... Именно так было принято отвечать на вопрос о преступности. Вопрос: сколько? Ответ: неуклонно сокращается... Из года в год.

Удивительная у нас страна. Количество танков и боевых самолетов в Красной Армии на момент германского вторжения так никто внятно и не назвал. Секрет. А 40 тысяч расстрелянных полководцев — не секрет.

И каждый пишущий с восторгом первооткрывателя кричит на весь свет: 36 761! Да во флоте еще!

Брат мой историк, перед тобой вопиющее исключение из правила. Потому перед тем, как снова повторить эту цифру — 40 тысяч истребленных полководцев, задумайся: зачем тебе эту цифру открыли? Почему эту цифру не спрятали? Зачем наша власть ее выпячивает? В чем тут интерес нашей родной власти?

3

Нам долго повторяли: Сталин убивал генералов, убивал генералов, убивал генералов. И еще: 40 тысяч, 40 тысяч, 40 тысяч.

Неудивительно, эти послания слились воедино: Сталин убил 40 тысяч генералов.

Давайте избавимся от недоразумения.

Разберем на примере. В настоящее время в Британской армии три дивизии. В каждой дивизии по генералу. Трое. Над ними поставим командира корпуса, его заместителя и начальника штаба корпуса — еще трое. Для подготовки офицерского состава существует военное училище. Там один генерал. Для подготовки инженерно-технического состава — колледж; два генерала. Еще есть академия для подготовки высшего командного состава. С генералами у них строго. В академии — двое. Ну еще несколько генералов посадим в министерство обороны... Можно еще что-то придумать. Но как ни крути, выдумать много генеральских должностей не выходит.

А у нас 40 тысяч генералов?.. Куда же их девать?

Количество дивизий в Красной Армии в 20-х и 30-х годах постоянно менялось, но примерно их было около 100. Соответственно требовалось 100 командиров дивизий. Для координации действий дивизий надо иметь 25—30 корпусов. По три генерала в штабе каждого корпуса. Добавим к этому начальников училищ и военных академий, добавим командующих военными округами, их заместителей и начальников штабов, добавим высший командный состав центральных органов управления Вооруженными Силами и никак до тысячи не дотянем. 40 тысяч генералов? Если их действительно было столько, то для такого количества в великом и могучем, правдивом и свободном русском языке есть специальное определение (вы уж меня извините) — как собак нерезаных. Если действительно в Красной Армии было 40 тысяч генералов, то их надо было беспощадно истреблять — много развелось.

Численность Красной Армии в 1937 году — 1,1 миллиона человек. Если в Красной Армии было 40 тысяч генералов, значит, на каждых 27 солдат, сержантов и офицеров приходилось по генералу. В каждом взводе — свой генерал.

Понятно, такого никогда не было и быть не могло.

Потому запомним: не 40 тысяч генералов, а 40 тысяч генералов и офицеров.

4

Есть в разведке термин: «источник плющить». Откуда происходит? Не знаю. Есть другой термин того же значения: «тумбочку колоть». Происходит термин от доисторического анекдота:

— Гражданин Рабинович, где вы берете столько денег?

— В тумбочке.

— А кто их туда кладет?

— Жена.

— А где она берет?

— Я ей даю.

— А вы где берете?

— Гражданин следователь, я же объяснил: в тумбочке.

Разведывательные термины «расколоть тумбочку» и «источник плющить» имеют в виду вот что: идешь на доклад, докладываешь толково и четко, все стыкуется, все сходится. А тебе вопрос: это из какой тумбочки?

Потому правило: не докладывай ничего из тех сведений, происхождение которых не установлено точно. Сначала докопайся до первоисточника.

Жаль, что наших историков не заставляют тумбочки колоть, источники плющить: кто-то где-то брякнул, кто-то назвал цифру, и загремело над миром: 40 тысяч! 40 тысяч! 40 тысяч!

Вот «Комсомольская правда» пишет про 40 тысяч истребленных полководцев. Озадачим товарищей таким вопросом: из какой тумбочки это взято? Из «Правды». А у вас, ребята, откуда? Из «Огонька». А в «Огоньке» откуда? Из «Звездочки»... А у вас?

Быстро круг замыкается. Адресованная другу, ходит песенка по кругу... А мы — все у той же тумбочки. И никак ее не расколоть, никак источник не расплющить.

Сведения эти из-за тысячекратного повторения превратились в неоспоримую истину. По всем заграницам сия истина звенит-гремит-переливается.

А откуда дровишки?

5

29 июля 1938 года — пик террора. После этого он резко пошел на спад. 19 сентября 1938 года начальник 6-го отдела УКНС (Управление командного и начальствующего состава) РККА полковник Ширяев представил заместителю народного комиссара обороны армейскому комиссару 1 ранга Е.А. Щаденко справку о числе командиров, уволенных из рядов РККА в период с начала 1937 года по сентябрь 1938 года. Документ хранится в РГВА, фонд 37837, опись 10, дело 142, лист 93. Документ опубликовали генерал-майор юстиции А.Т. Уколов и подполковник В.И. Ивкин в «Военно-историческом журнале» (1993. № 1. С. 56).

Вот он, первоисточник. Цифры такие: в 1937 году уволено 20 643 человека, в 1938 году 16 118. Вот откуда пошло: 36 761.

Но в справке речь не о РАССТРЕЛЯННЫХ, а об УВОЛЕННЫХ.

54 года эта справка была документом секретным, и к ней имел доступ весьма ограниченный круг безгранично бессовестных

людей. Эти люди совершили преступление против истории, против нашей страны и нашего народа. Они сообщили цифру — 36 761. Из этого каждый делал, казалось бы, столь логичный вывод: раз уволен, значит, арестован, а раз арестован...

Но это не так. Уволен не всегда означало, что арестован. А если и арестован, это не всегда означало, что расстрелян.

Справка дает дополнительные сведения: из числа уволенных в 1937 году арестовано 5811 человек, в 1938 году — 5057. Всего арестовано 10 868 человек.

Есть ли разница: 40 тысяч РАССТРЕЛЯННЫХ или 10 868 АРЕСТОВАННЫХ?

Арест и расстрел — разные вещи. Некоторых арестованных расстреливали. Но не всех. На примере поясню разницу. В 1937 году из рядов РККА был уволен командир 5-го кавалерийского корпуса комдив Рокоссовский Константин Константинович. Но из этого не следует, что расстрелян. Он был не просто уволен, а арестован. Но и это еще не расстрел. Его посадили, потом выпустили. Он прошел всю войну. Завершил ее в звании Маршала Советского Союза и командовал Парадом Победы на Красной площади.

Среди 10 868 арестованных командиров он не один: выпускали многих.

Вот образец работы кремлевской пропаганды. Если бы в свое время документ был опубликован полностью: уволено столько-то, из них арестовано столько-то, но не все арестованные расстреляны, то тогда путаницы не возникло бы. Но люди, имевшие доступ, преднамеренно публиковали только часть информации: уволено 36 761... Но правда частичная — это неправда. Уточнение было сознательно опущено, этим были созданы условия для превратного толкования.

Потом, когда тысячи историков и агитаторов вписали в свои труды сведения о 40 тысячах истребленных полководцах, когда сотни миллионов людей эту цифру запомнили, документ был опубликован полностью. Но это уже ничего не изменит. Кто обратит внимание на небольшую заметку в журнале для специалистов?

6

Но что же стало с теми остальными, которых уволили, но не арестовали?

Куда они делись?

Тут тайны нет. В каждой армии идет постоянный процесс смены, омоложения, обновления командного состава. Каждый год военные училища поставляют десятки тысяч новых офицеров. Но армия офицерами не переполняется. Каждый год, принимая в свои ряды одних, армия отправляет в гражданскую жизнь столько же других. Главная причина увольнения — выслуга лет. Своих вычислений не навязываю. Но представьте, что в вашей армии 200 тысяч офицеров. Прикиньте, сколько лет офицер служит в офицерском звании, подбросьте ему выслугу за Первую мировую и за Гражданскую войны, добавьте ему выслуги за Север и Дальний Восток. Теперь решайте сами, сколько командиров вы должны каждый год отпускать на заслуженный отдых и заменять молодыми выпускниками училищ, чтобы у вас шел постоянный процесс омоложения кадров, чтобы у вас не получился застой.

Возьмем любую армию мира и рассчитаем, сколько офицеров необходимо отпускать каждый год просто потому, что они свое отслужили, просто потому, что им пора на покой. Этот процесс идет всегда, везде, во всех армиях мира. В американской, польской, болгарской, российской, украинской и любой другой армии каждый год тысячи и десятки тысяч офицеров завершают свою службу и увольняются из армии. Вот и в Красной Армии в 1937 — 1938 годах офицеры тоже увольнялись по выслуге лет. И документ, представленный заместителю народного комиссара обороны, так и назывался: «Справка о числе уволенного комначполитсостава в 1937 — 1938 гг.» Кто посмеет предположить, что в эти годы в Красной Армии никто не увольнялся по выслуге? Те, кто прошел Первую мировую и Гражданскую войны, к 1937 году завершали свой календарный четвертак. Если каждый год войны им засчитывали за три года, то свое они отслужили, и в армии им делать нечего.

А еще надо вспомнить, что совсем не каждый офицер дотягивал до своей пенсии. Вторая причина увольнения — состояние здоровья. Тот, кто прошел две, а то и три войны, в разных бывал переплетах. У одного ноги отморожены, у другого слух поврежден, у третьего раны старые болят. Людей увольняют из армии и не только из-за военных ранений, но и из-за множества других болезней: от плоскостопия до рака включительно.

Кроме того, есть такое наказание — увольнение из армии. Сейчас не 1937 год, но офицеров из армии выгоняют. Всегда выгоняли и, надеюсь, будут выгонять. Главные причины — пьянство, моральное разложение, нарушение дисциплины, превышение власти. Кто посмеет утверждать, что в 1937 году в армии не было пьянства? Кто будет утверждать, что в 1937 году из армии не гнали за пьянку? Но из этого совсем не следует, что изгнанного за пьянство тут же арестовывали и расстреливали.

Но и из тех, кого арестовали, не все были жертвами политических репрессий. Во все времена были преступления воинские и преступления должностные, имущественные и прочие. Если начальник караула бросил караул и пошел гулять, то его следует поймать, арестовать, изгнать из армии, судить и посадить. Во все времена среди товарищей офицеров попадались насильники, убийцы, воры, мародеры и пр., и пр. Справка говорит обо всех арестованных, не разделяя на политических и проворовавшихся. А кто посмеет утверждать, что в 1937—1938 годах не было среди командного состава Красной Армии воров и проходимцев?

7

Пройдем вдоль книжных полок военного отдела любой хорошей библиотеки и удивимся обилию генеральских воспоминаний о тюрьме. И это доказательство того, что не всех из 10 тысяч арестованных расстреляли. Посидели товарищи командиры немного — и под знамена. В этом ничего плохого нет. Разве тюрьма кого-то сделала глупее?

5 мая 1940 года армейский комиссар 1 ранга Е.А. Щаденко подписал «Отчет начальника Управления по начальствующему составу РККА Наркомата обороны СССР». Заключительная фраза: «Несправедливо уволенные возвращены в армию. Всего на 1 мая 1940 года — 12 461».

Обратим внимание: число возвращенных в строй превышает число арестованных. И это просто объяснить: возвращали в строй и тех, кого арестовывали, и тех, кого просто уволили, но не арестовали.

Кремлевская пропаганда неустанно повторяет историю про 40 тысяч расстрелянных командиров, но почему никто не любит вспоминать о том, что из этих «расстрелянных» 12 461 вернулись в строй? И это только начало процесса. Известно, что основная масса уволенных из армии возвращалась под знамена во второй половине 1940 года и особенно — в первой половине 1941 года. Пример — будущий генерал армии А.В. Сандалов. Такие примеры можно привести во множестве.

Удивительно у нас история пишется. Того Щаденко, который сообщает в документе об увольнении командиров, мы обильно цитируем. Но того же Щаденко, который сообщает о возвращении уволенных, мы не вспоминаем.

Задача красной пропаганды сводилась к тому, чтобы скрыть роль Советского Союза в развязывании Второй мировой войны. Ради этого нас заставляли прикидываться дураками: танки у нас — устаревшие, самолеты — гробы, армия — обезглавлена.

Этими «истинами» нас заряжали, действуя не на разум, а на наши эмоции. Вместо вразумительной статистики нам подсунули яркие примеры и образы.

Об очищении армии опубликовано множество книг, но все это — слезные драмы, не более того. Статистики в этих книгах нет, кроме упоминания о 40 тысячах. Такая статистика рассчитана на дебилов.

Хотел бы я знать: почему нет другой?

Глава 4

ТОЖЕ ПОЛКОВОДЦЫ

Советская власть опирается на приспособленческие элементы, страстно цепляющиеся за жизнь и готовые на все.

Андрей Платонов. Дневник. 1932 год

1

Мы ничего не поймем, пока не разберемся с воинскими званиями.

Октябрьский переворот отменил воинские и гражданские звания, ордена, чины, титулы, отменил офицеров, генералов, адмиралов, послов, министров, дипломатов. Все стали товарищами. Все уравнялись, как доски в тюремном заборе.

Но вскоре было замечено, что равенство, ради которого вся эта канитель затевалась, недостижимо. Было, например, подмечено, что в армии кто-то должен отдавать приказы, а кто-то их выполнять. И произошло первое расслоение единой массы товарищей на бойцов и командиров. Товарищей командиров стали отличать от товарищей бойцов бантиками, красными тряпочками и прочими опознавательными знаками. Но вот беда: один горластый командует и другой командует. А кому подчиняться? Один — одно, другой — другое. Всех командиров в лицо знать? Неплохо бы, да разве каждое ясно солнышко в лицо увидишь, каждое ли солнышко запомнишь? Да ведь и течет все, все изменяется. Вчера был командиром полка, его все запомнили, а сегодня он в рядовые разжалован. Его в одном качестве солдатские массы помнят, а он уже в другом пребывает. Написать бы ему на лбу, что он разжалованный... Потому стали командиров отличать треугольничками, квадратиками, прямоугольниками и ромбиками. Пошел на повышение — лишний ромбик пришпилят, на понижение — ромбик сорвут. Но в том проблема, что командный состав состоит не из одних командиров полков и батальонов. Вот начальник штаба армии. Как к нему обратиться? Придумали: начштарм. Начальник оперативного отдела армии стал называться начоперодштарм, а его старший помощник — старпомначоперодштарм. В штабе фронта соответственно — старпомначоперодштафронт. Были и такие должности: заместитель командующего по морским делам — замкомпоморде.

Хотели как лучше, а получилось... Раньше на офицерских погонах звание каждого было как бы написано: этот — ротмистр, а этот — капитан. Посмотрел на погоны, и обращайся соответственно. А если воинских званий нет, то приходится обращаться по должности: товарищ первый помощник начальника Организационно-мобилизационного управления штаба округа! Сокращенно: перпомначоргмобупрштаокр. Неудобно. Не каждый запомнит. Не каждый выговорит. Да и тайна военная раскрывается. Одно дело полковником назвать, другое — начальником разведки армии. Потому плюнули на всеобщее равенство и ввели воинские звания.

2

В середине 30-х система сложилась почти окончательно. Вернее, не сложилась, а вернулась в исходное положение. К той же печке и пританцевали. Еще не было погон и лампасов, еще командиров не называли офицерами и генералами — уж слишком контрреволюционно звучит, но в 1935 году были введены персональные воинские звания. Знаки различия — на петлицах. Сержантам и старшинам — треугольнички. Лейтенантам — кубики. Старшим офицерам — прямоугольники, в народе — шпалы. Капитану (его отнесли к старшему командному составу) — одна шпала, майору — две, полковнику — три.

1 сентября 1939 года ввели новое звание — подполковник. (Товарищи в Кремле вроде бы наперед знали, что в этот день начнется Вторая мировая война, и заранее решение подготовили.) Подполковник получал три шпалы, а полковник стал носить четыре.

Высший командный состав генералами называть было никак нельзя. Потому их назвали комбригами (один ромб), комдивами (два), комкорами (три), командармами 2 ранга (четыре ромба) и командармами 1 ранга (четыре ромба и звезда). А выше — Маршалы Советского Союза.

Для удобства высших командиров мы будем иногда называть генералами, помня, что чисто формально они пока генералами не назывались. Генерал — это контрик. Генералы бывают там, где свирепствует неравенство.

А звание маршал не звучало контрреволюционно, так как до Октябрьского переворота маршалов в России не было. Было нечто похожее, но звучало иначе.

3

Еще запомним: звание «комбриг» вовсе не означало, что носитель звания занимает должность командира бригады. Звание «комдив» не означало обладания должностью командира дивизии. Звания не всегда соответствовали занимаемым должностям. Точнее, весьма редко им соответствовали. Дело заключалось в том, что существует множество должностей, которые не связаны напрямую с командованием дивизиями, корпусами и армиями: заместитель командира корпуса, начальник 4-го управления Генштаба, начальник штаба армии, военный атташе во Франции и т.д. Это во-первых. А во-вторых, командиров перебрасывали с должности на должность, на повышение и на понижение весьма быстро, а присвоение званий преднамеренно задерживалось: справишься с должностью — звание присвоим. Потому обычно дивизиями командовали комбриги, а корпусами — комдивы. Случалось и наоборот. Комдив Д. Шмидт командовал 8-й мехбригадой. С высокой должности его двинули вниз, но звания не снизили в надежде, что исправится. Комдив Г.К. Жуков командовал корпусом, затем, оставаясь в звании комдива, был заместителем командующего Белорусским военным округом, далее, все так же оставаясь комдивом, получил под командование 57-й Особый стрелковый корпус в Монголии. Корпус был развернут в армейскую группу, а комдиву Жукову присвоили звание комкора.

Еще деталь. Помимо чисто командных званий комбригов, комдивов и т.д., существовали специальные звания. Званию комбрига, например, соответствовали: бригкомиссар, бригвоенюрист, бригинженер, бригвоенврач, бригинтендант.

Такая система существовала менее пяти лет. В 1940 году Сталин ввел генеральские звания, правда, пока еще без погон. Погоны он планировал ввести после первых побед в Великой освободительной войне. Освобождение Европы сорвалось, потому погоны Сталин ввел после Сталинграда.

Нужно особо подчеркнуть, что между старыми званиями комкоров и командармов и новыми генеральскими званиями никакой связи не было. Во-первых, потому, что раньше между полковником и Маршалом Советского

Союза было пять воинских званий — от комбрига до командарма 1 ранга, а по новой системе между полковником и Маршалом Советского Союза было введено только четыре воинских звания: генерал-майор, генерал-лейтенант, генерал-полковник и генерал армии. Так что прямой аналогии между старыми и новыми званиями не получилось.

Во-вторых, в 1940 году при введении генеральских званий была проведена полная переаттестация высшего командного состава, старые звания отменены и забыты, каждому персонально присвоено новое звание, никак со старым званием не связанное. Например, командармы 2 ранга И.С. Конев и М.П. Ковалев стали генерал-лейтенантами, комкор Ф.Н. Ремизов тоже стал генерал-лейтенантом, комкор Штерн — генерал-полковником, а комкор Г.К. Жуков — генералом армии и т.д.

4

Помня это, вернемся к спискам загубленных стратегов.

Первая особенность, которая бросается в глаза, — обилие в этих списках комиссаров и юристов.

Пример: званию командарма 2 ранга соответствовал армейский комиссар 2 ранга и армвоенюрист. В списках расстрелянных:

— командармов 2 ранга — 10;

— армейских комиссаров 2 ранга — 15;

— армвоенюрист — 1.

Всего расстреляно 26 человек, которые носили по четыре ромба. Из них только десять являются командирами. Менее 40 процентов. Остальные — более 60 процентов — не командиры. Остальные — балласт. Их потеря боеспособность Красной Армии никак не снижала. А только повышала.

На других уровнях — та же картина: тучные стада комиссаров. Потому, когда нам называют ужасающие цифры очищения, мы мысленно вычтем соответствующую долю комиссаров и юристов, и цифры сразу станут не такими страшными.

Если кто-то скажет, что комиссары — невинные жертвы сталинского произвола, возразим: это на их могучих плечах товарищ Сталин выстроил нерушимую пирамиду своей власти. Товарищи комиссары давили любую оппозицию в армии, а точнее — любое проявление свободной мысли. Когда свободную мысль подавили, когда ропот утих, тогда товарищ Сталин перешел к открытому очищению рядов своих приспешников. Подавление всех и всяческих оппозиций — это преддверие очищения. Без этой вступительной части очищение было бы невозможно. Эту вступительную часть с блеском осуществили товарищи комиссары. Это они заткнули глотки армии и народу, тем самым сделали очищение возможным. Без помощи товарищей комиссаров Сталин не смог бы удержать свою крестьянскую армию в подчинении во времена коллективизации. Но удержал. Спасибо вам, комиссары. Славно поработали. Теперь ваша очередь. Справа по одному — в расстрельный подвал бегом марш!

К стеночке.

5

Кроме, так сказать, открытых комиссаров существовали еще комиссары замаскированные. Вот комкор Магер Максим Петрович. Мы-то думаем, что, имея чисто командирское звание, он командует, а он — член военного совета Ленинградского военного округа. То есть комиссар, который присматривает за командующим, который лекции командиру читает про марксизм-ленинизм и мировую революцию. Магер на Гражданской войне был помощником комиссара и комиссаром 2-го кавалерийского полка 9-й стрелковой дивизии, 65-го кавполка, 3-й бригады 11-й кавдивизии, карательной кавбригады 1-й Конной армии. После войны он тоже был комиссаром — 2-й кавдивизии, 3-го кавкорпуса и т.д. Звание у него — комкор, но никогда он корпусом не командовал. И даже дивизией не командовал. И вот расстреляли комкора Магера, а нашей армии от этого ни холодно ни жарко. Боеспособность армии от потери такого полководца не падает.

Вот и еще один — комкор Хаханьян Григорий Давыдович. Звание чисто командирское, а он никакой вообще не командир. Он — член военного совета Отдельной краснознаменной дальневосточной армии. Комиссар то есть.

На более низких уровнях та же картина: комдивы и комбриги — не всегда командиры. Многие из них комиссарят, то есть рассказывают истории о том, как хорошо будут жить наши потомки в 2000 году.

Если мне скажут, что истребление комиссаров ослабило армию, то я с этим не соглашусь. Армия Гитлера как-то без комиссаров обходилась. Без комиссаров дошла до Москвы, Ленинграда и Сталинграда. А наша армия с комиссарами почему-то бежала.

Так это, наверное, оттого, что молодые, выдвинутые после очищения комиссары не успели опыта набраться? Не думаю. Много ли того опыта надо? Велика ли разница: на батальонном уровне тралялякать или на армейском?

Но потом-то Красная Армия все же дошла до Берлина! Правильно. Только без комиссаров. Их в начале 1943 года отменили. Вместо них ввели замполитов. Велика ли разница? Велика. Замполит не имел права совать нос в оперативные планы. А комиссар имел. Какая-то неслучайная случайность: отменили комиссаров, и после того не было ни одного крупного отступления.

Мало того, что от комиссаров никакой пользы, но многие из них вообще в Красной Армии и не служили. Пример: дивкомиссар Мейсак Сильвестр Яковлевич. Должность — заместитель начальника политотдела Главного управления пограничной и внутренней охраны НКВД СССР. Он не военный комиссар, а чекистский. Он за гулаговской охраной присматривает.

Те комиссары, которые в армии служат, хоть видят пушки, танки, на учениях бывают. А комиссары-чекисты в московских кабинетах сидят, сверяют статистику, сколько чекисты стенгазет выпустили. Эти и на учениях никогда не бывали. А записаны все они в число прославленных полководцев. В 40 тысяч.

6

Если кто-то скажет, что наши военные юристы — овечки невинные, то мы и тут возразим. Был расстрелян только один армвоенюрист — Розовский Наум Савельевич. Он занимал должность главного военного прокурора Красной Армии. Высший приговор ему — 16 июня 1941 года. Прямо перед войной.

Прежде всего заметим, что военный юрист в Красной Армии и вообще юрист в Советском Союзе, прокурор, судья, защитники — это по меньшей мере дармоеды. Это — паразиты. Советский Союз стоял не на законах, а на решениях партийных инстанций. Как решат, так и будет. Понимал ли товарищ Розовский, что он дармоед, что он ничего не делает, что только пожирает то, что произвели другие? Понимал ли, что от него вообще ничего не зависит? Понимал. Иначе до таких высот не докарабкался бы. Мало того, что военные юристы были паразитами, но они были и самыми активными творцами преступлений. Весь высший командный состав Красной Армии и Флота, все виновные и невиновные, прошли через руки товарища Розовского. Под всеми приговорами — его подпись. Он по должности своей был обязан на расстрелах присутствовать и расстреливать сам.

И присутствовал. И расстреливал. И он тоже в «Военно-историческом журнале» под рубрикой: ПОГИБЛИ В ГОДЫ БЕЗЗАКОНИЯ. Здорово сказано! Переведем дух. Товарищи дорогие, чем же военный прокурор заниматься должен? Следить за соблюдением законности. Интересно мы устроены: проклинаем беззаконие, творимое юридическим паханом Розовским и его шайкой, и одновременно оплакиваем невинную жертву, погибшую от своего же беззакония.

Нам говорят: расстреляли товарища Розовского и тем ослабили Красную Армию. Пусть говорят. А мы представим, что его не расстреляли. Представим, что он остался жив, остался на боевом посту и всю войну неутомимо работает в столь важной области, как соблюдение законности в Красной Армии. В этом случае беззаконие 1937—1938 годов так и продолжалось бы. Именно чтобы восстановить хоть какую-то видимость законности, пришлось товарища Розовского и всю его шайку перестрелять. Как бешеных псов.

Так вот, пока был Розовский — свирепствовало беззаконие, шлепнули его — беззакония убавилось.

А вывод все тот же: мало товарищ Сталин их стрелял. Непростительно мало. Один армвоенюрист. Один корвоенюрист — военный прокурор Московского военного округа товарищ Плавнек Леонард Янович, — да четыре диввоенюриста, да там еще бригвоенюристы. Список обидно короткий. Всему виной — непростительная и даже преступная сталинская доброта. Именно она мешала наведению настоящего порядка в стране и армии.

7

Однажды мне попалась фотография: стоят рядочком лидер гитлеровских профсоюзов, глава Гитлерюгенда, фашистский дипломат и группенфюрер СС. Честно признаюсь, распознать по форме не сумел — все в черном, все с красными повязками, со свастиками и крестами. А вот в «Огоньке» старая фотография: Ягода, Косарев и еще всякие — ОГПУ, комсомол, профсоюзы. Каждого в лицо помню, а по форме не отличишь. Все в сапогах, в галифе, все ремнями перепоясаны.

Происходило это вот почему: государство наше пролетарское было военизировано выше всяких разумных пределов, толпы чиновников не просто ходили в форме, но имели воинские звания и числились в Красной Армии, хотя работали далеко за ее пределами. Сталин чистил государственный аппарат, бюрократию, но многие чиновники имели воинские звания. Потому создается впечатление: нанесен сокрушительный удар по армейским рядам. На самом деле это был удар вовсе не по армии.

И примеров тут тьма.

Комкор Ткачев Иван Федорович — начальник гражданского воздушного флота. Казалось бы, флот гражданский, так пусть им и командует гражданский человек. Но нет, гражданским флотом у нас командуют полководцы. Заместителем у него комдив Широкий Иван Федорович. А ниже — комбриги, полковники и т.д. По ним нанесен удар. Это печально, это прискорбно. Но давайте же говорить, что удар все-таки нанесен по Аэрофлоту, а не по армии.

Бригкомиссар Шапиро Самуил Григорьевич — начальник Особого строительства. Строительство Особое — так и пишут с большой буквы. Подземный командный пункт возводит на случай войны? Нет. Центральный театр Красной Армии. Почему строительством должен руководить комиссар? Что комиссар в строительстве понимает? А в стратегии? Театр, да и только...

Заглянем в крупные издательства, в редакции ведущих газет, в строительные конторы, в Народные комиссариаты финансов, здравоохранения, тяжелой промышленности, побываем в морских и речных пароходствах, на строительстве плотин, каналов, железных дорог, а там — дивкомиссары, бригинженеры, комдивы, коринтенданты и комбриги, бригвоенврачи и прочие, и прочие.

Бригкомиссар Фрумин Семен Михайлович был начальником Государственного центрального института физической культуры. Не военного, а гражданского. А невинно погибший дивкомиссар Кальпус Борис Александрович был заместителем председателя Комитета по делам физкультуры и спорта при СНК СССР. Смертный приговор 29 августа 1938 года. Интересно, если бы его не ликвидировали, то какой бы личный вклад в победу он внес? Ездил бы по фронтам и в перерывах между боями демонстрировал бойцам и командирам, как поднимать руки-ноги, вертеть головой и другими частями? Понимал ли этот человек, что причислили его к высшему командному составу Красной Армии совершенно зря? Понимал ли, что руководить физкультурой можно и без генеральского звания? Отчего же он не отказался от высоких рангов и почестей? Может быть, его уничтожение — это удар по нашей марксистской физкультуре, но не думаю, что это был удар по обороноспособности СССР.

Из четырех расстрелянных диввоенюристов трое (75 процентов) в армии не служили. Вот они:

диввоенюрист Гомеров Николай Николаевич — прокурор пограничной и внутренней охраны войск НКВД УССР;

диввоенюрист Маллер Лазарь Израилевич — председатель военного трибунала пограничной и внутренней охраны НКВД Дальневосточного края;

диввоенюрист Гродко Арон Самуилович — заместитель наркома юстиции СССР. Тоже невинная жертва. В 1937—1938 годах осуществлял правосудие. Дело сделал — выходи. Больше не нужен. Высшая мера — 9 июня 1941 года. Это их всех за пару недель до войны расстреляли. Не знаю, были все они хорошими юристами или плохими, стояли всегда на страже социалистической законности или попирали оную, но к армии они не относились никак, если не считать их участия в преступлениях против армии.

Чекистский прокурор следит за порядком среди тюремных охранников, или заместитель наркома юстиции заседает в высоком кабинете, совершенствует социалистическое законодательство... А когда и где они стратегию и тактику изучали? Согласен: их преждевременная трагическая смерть была ударом по нашей самой справедливой и самой гуманной юстиции, но ударом по боеспособности Красной Армии не была.

Бригвоенюрист Китин Илья Григорьевич был председателем военного трибунала Восточно-Сибирской железной дороги, а бригвоенюрист Лапидус Рувим Борисович — военным прокурором Амурской железной дороги. Зачем железной дороге свой военный прокурор? Зачем ей свой военный трибунал? Течет поперек Сибири великая река Енисей. В одну сторону тайга на тысячи километров. В другую — тоже. По реке пароходы плывут. Раз в неделю. Нет тут никого, кроме медведей. Вражеского нашествия тут никогда не было. И никогда его тут не будет. Комары любого пришельца заедят. Но надзирает за пароходством военная прокуратура. И сидит в прокуратуре военный юрист из плеяды гениальных полководцев. А еще восседает за столом суровый военный трибунал: скатерть суконная, зеленая, графин мутной воды на столе. Заседают в трибунале полководцы. И на всех железных дорогах и во всех пароходствах морских и речных — везде полководцы, полководцы, полководцы. 40 тысяч одних полководцев.

А ведь не мог советский военный юрист быть хорошим человеком. Дадут приказ из ЦК помиловать — помилует, прикажут расстрелять — и он, руководствуясь статьями такими-то, вынесет соответствующий приговор. Прикажут расстрелять сто человек — расстреляет сто. Прикажут — двести, будет двести. Подсудимый ясно, четко и толково докладывает, что ни в чем не виноват, а прокурор и члены трибунала еще до суда получили указания... Без этих указаний они и за стол не сядут. И поступят они не так, как диктуют разум, совесть и закон, а так, как указано соответствующей инстанцией. И не мог нормальный человек работать на такой работе. И вовсе это не работа. Не мог человек с нормальной психикой такими делами заниматься. Тот же армвоенюрист Розовский перед оглашением приговора красил себе губы. Он хотел нравиться тем, кого отправлял на смерть. И вся Красная Армия знала примету: если у главного военного прокурора РККА армвоенюриста товарища Розовского губы накрашены, значит, вышак, а если не накрашены, значит, срок на полную катушку. «Красная звезда» (24 марта 1989 г.) описывает заместителя Розовского, диввоенюриста Казаринского Якова Абрамовича. Это был надменный вельможа, друг Мехлиса и близкий человек Вышинского. Но вот и он попал под живительную струю очищения. Его не расстреляли, а просто посадили. И в лагере происходит мгновенное перевоплощение. «Когда начинал говорить, на лице появлялась заискивающая улыбка, коричневые маленькие глазки бегали настороженно и хитро». В лагере он немедленно продал и дорогую шинель, и мундир тончайшего сукна, и щегольские сапоги. Он сам, без приказа, добывает «вездеходы ЧТЗ», фуфаечку, ватные штаны, бреет череп — под заправского зека подделывается. Командиры, сидящие с ним, плюются: перековался, паскуда! «Таких, как он, уголовники истребляли беспощадно. Как правило, душили ночью под одеялом. Иногда отпиливали голову поперечной пилой. Казаринский знал этот обычай уголовного мира, который никто не мог отменить, потому начал «перековку» еще в Находке».

Как же случилось, что надменный чиновник перековался в услужливую лагерную шестерку? Никак это не случилось. Он шестеркой и был. Весьма услужливой. Только в военной прокуратуре РККА шестеркам в генеральских мундирах полагалось ходить с надменным видом, выкатив пузо, а в лагере — сидеть под нарами. Очищение — это время, когда Сталин решил сменить команду юридических и политических шестерок. Правда, Сталин не отпиливал им головы поперечной пилой, а отправлял в лагерь, где этим занимались другие.

Товарищи Розовский, Гродко, Казаринский и все прочие сталинские «военные юристы» сами выбрали себе профессию лизать пятки повелителю, подчиняться всем его прихотям и капризам. Но надо было им знать, что любая проститутка поначалу, по молодости, порхает высоко, а потом опускается все ниже. Пахан Сталин, попользовавшись сам, отправил этих «юристов» туда, куда их вела судьба и логика профессии — лизать пятки паханам рангом поменьше.

Ужасно звучит: 40 тысяч.

Но начинаешь отгребать от кучи комиссаров, юристов, физкультурников, вертухаев, воротил Наркомата лесной промышленности, строителей великих каналов, комсомольских вожаков, редакторов центральных газет и обнаруживаешь, что командиров тут не много.

Глава 5

ЛУБЯНСКИЕ СТРАТЕГИ

Частенько бывают у меня разговоры с органами товарища Ежова.

Маршал Советского Союза *К.Е. Ворошилов*,
член Политбюро, народный комиссар обороны.
Выступление на февральско-мартовском
Пленуме ЦК ВКП(б), 1937 год

1

Существовала еще одна особая система воинских званий — для начальствующего состава Главного управления государственной безопасности НКВД СССР.

Эта система первоначально включала десять званий: сержант, младший лейтенант, лейтенант, старший лейтенант, капитан, майор, старший майор, комиссар 3, 2, 1 рангов. К каждому званию в конце добавлялось два слова — «государственной безопасности». Это были весомые слова. Истребление своего народа считалось гораздо более важной и почетной задачей, чем захват чужих земель, потому звания ГБ имели совсем другую ценность.

В государственной безопасности — ни старшин, ни младших сержантов, ни старших. Только — сержант ГБ. Как ни странно, сержант ГБ относился к среднему командному звену. В переводе на современный язык — к офицерскому составу. Сержант ГБ носил в петлицах два кубика, как армейский *лейтенант*, а получал вдвое больше, чем армейский *старший лейтенант*, кроме того, имел множество привилегий, таких, как доступ в спецторг — в закрытые магазины, где по бросовым ценам продавали вещи убитых чекистами людей.

Все вышестоящие чины ГУГБ носили знаки различия на две ступени более высокие, чем знаки различия для соответствующего армейского звания.

Младший лейтенант ГБ — три кубика, как армейский старлей.

Капитан ГБ — три шпалы, как полковник.

Майор ГБ — это уже высший командный состав. Это уже один ромбик, как у комбрига.

Комиссары ГБ 3, 2 и 1 ранга соответствовали комкору, командарму 2 и 1 рангов.

Чуть позже было введено самое высокое чекистское звание — Генеральный комиссар ГБ. Это — большие звезды, как у Маршала Советского Союза. Только не на алых петлицах, а на синих.

Все это я рассказываю вовсе не зря. Сейчас я вам укажу то самое место, где зарыта главная собака.

2

Дело вот в чем: в те времена НКВД — САМАЯ БОЛЬШАЯ И МОЩНАЯ ОРГАНИЗАЦИОННАЯ СТРУКТУРА МИРА. В НКВД, помимо ГУГБ, было множество других подразделений:

ГУРКМ — рабоче-крестьянская милиция;

ГУПВО — пограничная и внутренняя охрана;

ГУПО — пожарная охрана;

ГУШосдор — организация, которая ударяла по бездорожью и разгильдяйству дармовой рабочей силой;

ГУЛАГ — перевод не требуется;

ГЭУ — экономика;

ГТУ — транспорт;

и т.д.

Милиция носила свои милицейские звания. ГУГБ — свои звания государственной безопасности. А все остальные подразделения НКВД носили точно такие же воинские звания, как и армия.

За этим обстоятельством — большие последствия. И вот какие: сталинское очищение было направлено в первую очередь и главным образом не против армии, но против карательного аппарата. Когда нам называют цифры, то создается впечатление: армия пострадала больше, чем НКВД.

Однако в статистике очищения НКВД учтены в основном те чекисты, которые носили особые чекистские звания, то есть сотрудники одного только подразделения НКВД — ГУГБ.

Но в подавляющем большинстве чекисты имели не особые чекистские звания, а обыкновенные армейские. Вот их-то и записали в статистику Красной Армии.

Из-за этого статистика очищения НКВД получилась явно заниженной, а статистика очищения Красной Армии — завышенной.

Арестовали, допустим, какого-нибудь военачальника с ромбами в петлицах и — к стенке его. Мы плачем — Сталин полководца загубил! А это, может быть, вовсе и не полководец. Воинское звание товарищ носил, но в армии никогда не служил, о стратегии и тактике понятия не имел, никакой он не полководец и в Красной Армии не состоял.

Перейдем к примерам.

3

В списках невинно убиенных старший майор ГБ Фирин-Пупко Семен Григорьевич. Ясно — чекист чистых кровей. Он записан в чекистскую статистику.

А вот оклеветан, арестован и трагически погиб в годы беззакония дивинтендант Берзин Эдуард Петрович. (Это не тот Берзин, который начальник ГРУ, это другой Берзин.) Дивинтендант в переводе на более поздние понятия — это нечто вроде генерал-лейтенанта интендантской службы. Судя по званию, это тыловик высокого ранга. И занимаемая должность — что-нибудь вроде начальника тыла крупного военного округа, Московского или Киевского. Проверим, так ли? Нет, не так. Не угадали. Обмишурились. Дивинтендант Берзин Э.П. — директор треста «Дальстрой». Откроем «Справочник по ГУЛАГу» Жака Росси и проверим правильность нашего понимания термина «Дальстрой». Француз Жак Росси отмотал полную катушку по нашим исправительным учреждениям, отмотал в те самые годы, под следствием был в самых что ни есть центральных учреждениях и даже сидел в одной камере с Ногтевым, бывшим начальником самого знаменитого нашего концлагеря — Соловецкого. Вот что энциклопедия по ГУЛАГу сообщает про интересующий нас объект:

«Дальстрой — самое мощное и почти автономное царство в империи ГУЛАГа. Дальстрой основан в 1932—1933 годах на берегу Охотского моря, в верховье Колымы. Главная задача — добыча золота. Местные леса, уголь и др. эксплуатируются только для собственных нужд Дальстроя. Все работы производятся зеками, в том числе строительство поселков и городов для вольнонаемных (см. Магадан), строительство сотен и тысяч километров шоссейных дорог, бараков для заключенных и пр. К началу 40-х годов Дальстрой простирался на 1300 км с юга на север и на 1700 км с востока на запад, охватывая западную часть Камчатки и восточную Якутию. Дальстрой не подчинялся местной администрации (см. ГУЛАГ). С конца 30-х до начала 50-х годов на Дальстрой ежегодно привозили 400—500 тысяч заключенных (см. Ванино, Джурма), но из-за высокой смертности общее количество никогда не превышало 2—3 миллионов. Первый начальник Дальстроя Э.П. Берзин. Его зам и начальник УСВИТЛага Гаранин (см. Гаранинские расстрелы). Берзин арестован и расстрелян как враг народа в 1937 году, Гаранин — в 1939-м». И т.д.

Вот такая информация. Тому, кто желает узнать больше про полководца Берзина, настоятельно рекомендую «Колымские рассказы» Шаламова. Шаламов писал Берзина и подобных ему стратегов с натуры. С предельно близкой дистанции. Описал их во всей красе, наших гулаговских полководцев, владельцев (рабовладельцев) и повелителей миллионов душ.

Товарищи Берзин и Гаранин невинно погибли в годы произвола и беззакония. И уж если бы война, так стратег Берзин со стратегом Гараниным показали бы Гитлеру! Уж они бы...

А числятся боевыми командирами. И «Военно-исторический журнал» публикует их имена в общих списках невинно убиенных полководцев Красной Армии и называет их должности. Не стесняясь. Вечная память невинным жертвам!

4

Еще дивинтендант. Товарищ Петерсон Рудольф Августович. Должность — бывший комендант Московского Кремля. Должность эта не армейская, а чисто чекистская. УКМК — Управление коменданта Московского Кремля — одно из важнейших подразделений наших компетентных органов. Дивинтендант

Петерсон расстрелян 21 августа 1937 года. И не будем плакать над этой невинной жертвой и великим полководцем. Как он выполнял свои обязанности, мы увидим чуть позже. При нем какие-то проходимцы могли свободно прорваться к руководству страны и бить наших вождей в загривок, а подчиненные товарищу Петерсону кремлевские караулы в нарушение всех инструкций и уставов свободно пропускали нарушителей на охраняемые объекты. Если бы товарищ Петерсон остался на своем посту, то, глядишь, во время войны немецкие шпионы и диверсанты по Кремлю передвигались бы короткими перебежками, ломая ворота и разгоняя часовых с боевых постов.

Еще один расстрелянный комендант Кремля — товарищ Ткалун Петр Пахомович. Звание у него чисто командирское — комдив, и числится по разряду командиров РККА, а работа у него чекистская.

Но мы пока с дивинтендантами разбираемся.

Дивинтендант Иванов Борис Николаевич. Он из Управления ПВО НКВД СССР. Мы-то думаем, что ПВО — это противовоздушная оборона, но снова обмишурились. Это вовсе не противовоздушная оборона, а пограничная и внутренняя охрана, то есть вертухайская служба.

Снова дивинтендант. Тоже числится по разряду Красной Армии. Стратег. Плинер Израиль Израилевич. Должность — начальник ГУЛАГ НКВД СССР. Да в какое время! В самый пик. Снят с должности 14 ноября 1938 года. И арестован. Это когда Ежов, Фриновский со товарищи покатились со своих постов, то повлекли за собой и нижестоящих. Дивинтендант Плинер получил свой вышак 22 февраля 1939 года. В аккурат к годовщине Рабоче-Крестьянской Красной Армии, в которой он никогда не служил. Под праздничек.

А вот диввоенврач Барков Александр Николаевич — начальник санотдела ГУПВО НКВД СССР. Обеспечивал вертухайское здравоохранение. Дело нужное, но к армии отношения не имеющее.

Списки эти вроде телефонной книги — много в них имен и фамилий. Когда нам называют цифры невинно погибших полководцев, вспомним, что цифры эти, во-первых, чудовищно извращены и раздуты, а во-вторых, треть из невинно убиенных — никому не нужные комиссары, а еще треть — тюремные вертухаи большого ранга.

5

Скажу больше. Даже в самом ГУГБ НКВД СССР многие сотрудники носили обыкновенные армейские звания. Пример: сам начальник ГУГБ, уже упомянутый Фриновский, носил армейское звание комкор, затем — командарм. И проходит товарищ Фриновский не по спискам НКВД, а по армейским. В «Военно-историческом журнале» рубрика: «Палачи и жертвы. Погибли в годы беззакония». Эта рубрика любого в тупик ставит: а кто же тут жертва? Редакция должна была хотя бы одного выделить звездочкой: вот, мол, она, жертва. А то ведь сами мы никак жертв в этих списках обнаружить не можем — одни палачи.

Начальник самого важного из всех подразделений ГУГБ — Управления особых отделов — тоже носил обыкновенное воинское звание комбрига. Звали его Федоров Николай Николаевич. Не какой-нибудь интендант или юрист. Командир. Молодой и красивый. Ровесник века. В возрасте 37 лет, с июля 1937 года, — начальник Управления НКВД по Одесской области. Явно с должностью справлялся. Потому с февраля 1938 года — начальник Управления НКВД по Киевской области. Справился и тут. Потому с мая 1938 года комбриг Федоров — начальник Управления особых отделов НКВД СССР. НКВД — это тайная полиция. А внутри НКВД — ГУГБ. Это тайная полиция внутри тайной полиции. А внутри ГУГБ — Управление особых отделов. Это тайная полиция внутри тайной полиции и еще раз внутри тайной полиции. Вот ею-то и командовал комбриг Федоров.

Молодой полководец безвинно погиб, не дожив до своего сорокалетия.

То, что он был опытным чекистом, не подлежит сомнению. В 37 лет не только возглавить НКВД Одессы, но освоить ТАКУЮ должность в предельно короткий срок, и удержаться, и пойти на повышение... это высший класс. Но где комбриг Федоров мог набраться опыта военного? Опыта командирского? В Гражданскую войну он был писарем в ЧК, расстрелянных в книгу вписывал, протоколы допросов строчил. Когда Гражданская война завершилась, писарю Федорову было 20 годиков. И не служил он в Красной Армии ни одного дня даже рядовым солдатом. Он заговоры распутывал.

А вписан в невинные полководцы.

Американский почитатель Гитлера М. Штейберг объявил однажды, что были и в Красной Армии умные люди, правда, всех их начисто истребили: «Сталин убил и убрал до войны почти 40 тысяч! И были это самые лучшие, самые опытные генералы и офицеры. На смену им пришли люди некомпетентные и без боевого опыта».

Я уж хотел возмутиться. Спорить хотел. С цепи сорвался. Потом рукой махнул. Ладно. Пусть так будет. Давайте согласимся. Давайте считать, что командарм 1 ранга товарищ Фриновский был лучшим, самым опытным начальником ГУГБ НКВД СССР. Так с ним было хорошо! Уж такой он был компетентный! А после него пришли некомпетентные Берия, Меркулов, Гоглидзе, Рюмин, Цинава, Рапава, Кобулов. Разве они были способны на такие подвиги, как их великий предшественник?

Давайте согласимся: комбриг товарищ Федоров был лучшим начальником Управления особых отделов ГУГБ НКВД СССР. Был он нежным и ласковым. Глаза умные, чуть усталые. И боевой опыт необъятный.

Не будем спорить: дивинтендант товарищ Плинер был лучшим начальником ГУЛАГ НКВД СССР. Видимо, как только его убрали, так сразу ГУЛАГ в упадок пришел. После него в лагерях уж не было того порядка, той заботы о людях, как в 1937—1938 годах. После него лагерями правили люди неграмотные, неопытные, без боевого опыта. А у товарища Плинера боевого опыта было предостаточно. И был он ужасно компетентным.

А глаза добрые-добрые.

Глава 6

КАК НАРКОМ ДЫБЕНКО ГРОМИЛ НЕМЦЕВ ПОД НАРВОЙ

Пьяной толпой орала.
Ус залихватский закручен в форсе.
Прикладами гонишь седых адмиралов
вниз головой
с моста в Гельсингфорсе.

В. Маяковский. Ода революции

1

23 февраля 1938 года весь советский народ и все прогрессивное человечество торжественно отметили 20-ю годовщину Рабоче-Крестьянской Красной Армии.

За 20 лет до этого, 23 февраля 1918 года, отряды Красной гвардии одержали свои первые победы под Псковом и Нарвой над регулярными войсками кайзеровской Германии. Вот эти первые победы и стали днем рождения Красной Армии. На многочисленных митингах и торжественных собраниях, прокатившихся по всей стране в феврале 1938 года, было сказано много теплых слов в адрес нашей родной армии. Вот только не называли имени того, кто вел первые красные отряды к славным победам...

За месяц до юбилея, 24 января 1938 года, была учреждена первая советская медаль «20 лет РККА». Медалью награждали тех, кто особо отличился в боях, кто оплатил первые победы своей кровью, кто вел Красную Армию от победы к победе. Наградили многих. Но заместитель народного комиссара лесной промышленности командарм 2 ранга Павел Ефимович Дыбенко юбилейной медали не получил. А ведь это именно он вел красные отряды в бой под Нарвой 23 февраля 1918 года...

Вскоре легендарный командарм был арестован.

Его обвинили в шпионаже в пользу Америки, суд над ним продолжался 17 минут. Приговор — стандартный. Расстрел без промедления.

Ирония судьбы в том, что заместитель наркома лесной промышленности командарм 2 ранга Дыбенко до ареста оставался в кадрах Красной Армии, его последняя должность в РККА — командующий войсками Ленинградского военного округа. На пути противника, который идет на Питер, — Чудское озеро. Обойти огромное озеро можно севернее, через Нарву, или южнее, через Псков. Если бы командарм 2 ранга Дыбенко не пошел на повышение в Наркомат лесной промышленности, а потом на понижение в лефортовский подвал, если бы оставался на посту командующего войсками Ленинградского военного округа, то в 1941 году он бы остановил и разбил немцев под Псковом и Нарвой так, как разгромил их в 1918 году.

2

Тут мы остановимся на минуту. С мыслями соберемся. Что такое Наркомат лесной промышленности? Это наркомат лесоповала. Страна у нас самая большая, леса больше, чем у всех в мире, лес валили на тысячах квадратных километров и миллионами кубов гнали на экспорт. Только не понятно, почему ударным трудом сотен тысяч лесорубов должен руководить человек в военной форме, в высоком звании командарма 2 ранга? До Павла Ефимовича Дыбенко пост заместителя наркома лесоповала занимал комиссар ГБ 2 ранга Лазарь Иосифович Коган, первый начальник ГУЛАГ, после Дыбенко — комиссар ГБ 3 ранга Соломон Рафаилович Мильштейн из ГУГБ НКВД СССР.

Вот куда занесло прославленного командарма. Не в ту степь. Не в ту масть. А может, все-таки в ту? У товарища Сталина во всем была логика. И если лесорубами командуют не какие-то там бюрократы, но ответственнейшие бойцы тайного фронта, бесстрашные витязи ГБ, лучшие администраторы ГУЛАГа и легендарные полководцы Гражданской войны, то в этом был смысл.

Правда, долго витязи на тех постах не задерживались. Их брали под белы рученьки и отправляли куда следует.

Взяли и товарища Дыбенко. И вот легендарный герой Гражданской войны, заместитель наркома лесоповала, командарм 2 ранга товарищ Дыбенко сидит. Сидит и пишет.

Пишет письмо товарищу Сталину. И в письме логично и просто доказывает, что обвинения против него — вздорны, что американским шпионом он не является. Доказано это простой и понятной формулой, одним предложением: «Ведь я американским языком не владею...» (Волкогонов Д.А. Триумф и трагедия. Кн. 2. С. 269).

Ну вот, стратег, а американским не владеет.

Ладно, простим стратегу незнание американского языка, а его аргумент возьмем на вооружение. Лично меня обвиняют в том, что я агент всех разведок мира. Теперь с гордостью могу возразить, что я не аргентинский шпион, ведь с аргентинским языком у меня не очень. И не бразильский я шпион — бразильского языка не знаю, можете проверить. Не боливийский, не перуанский, не парагвайский, не колумбийский, не эквадорский. И алжирский язык я тоже еще не выучил.

Одна фраза великого стратегического гения товарища Дыбенко открывает нам весьма многое. В свое время он командовал Балтийским флотом, и в его подчинении находилась разведка Балтфлота. Затем он был военно-морским наркомом, и под его командованием была вся военно-морская разведка. Позже он командовал рядом военных округов, и каждый раз в его подчинении был мощный разведывательный аппарат с собственными зарубежными агентурными сетями, которыми товарищу Дыбенко надлежало руководить.

Мы вскоре увидим, как товарищ Дыбенко командовал полками и дивизиями, эскадрами и флотами, а сейчас пока отметим, что о действиях разведки у него было представление смутное. Надеюсь, каждый любитель детективного жанра знает: для того чтобы передавать секреты японской разведке, вовсе не обязательно знать японский язык. А для того чтобы передавать секреты американской разведке, не обязательно владеть американским языком. Если в получении информации заинтересованы ОНИ, то пусть ИХ разведчики учат НАШ язык. А наши разведчики должны учить их языки. И вполне могло оказаться, что американский разведчик овладел русским языком и сумел с товарищем Дыбенко объясниться, не прибегая к языку американскому. Неужто такие вещи были непонятны товарищу Дыбенко? И не пора ли этого героя рассмотреть внимательно?

3

Павел Дыбенко — матрос Балтийского флота. Начал службу на штрафном корабле «Двина» («Красная звезда», 26 февраля 1989 г.). Чем провинился матрос Дыбенко, наша любимая армейская газета не сообщает. Но явно не своей революционной деятельностью. Иначе сообщили бы.

В разгар Первой мировой войны матрос Дыбенко — один из зачинщиков антивоенного выступления на линкоре «Император Павел I».

Эта интересная особенность проявится потом многократно: наши гениальные полководцы в большинстве своем происходили из числа пацифистов, не желавших воевать. Балтийский флот бездействовал, корабли стояли в базах, матросики отсиживались по теплым кубрикам, бездельем томились, от скуки бунтовали. Во все времена на всех флотах мира корабельных бунтовщиков вешали на реях. Тем более — во время войны. Но Российская империя была уж слишком либеральной. На том и сгорела. Бунтовщика и подстрекателя Павла Дыбенко не расстреляли, не повесили, а переодели солдатом и отправили на фронт. «Советская военная энциклопедия» (Т. 3. С. 277) сообщает, что и на фронте товарищ Дыбенко занятий своих не прервал и продолжал заниматься тем же самым — антивоенной агитацией. Тут его снова арестовали. Вешать бы такого, но нет. Не вешали. А там и падение монархии. И сразу Дыбенко становится как бы главой Балтийского флота. Пьяная матросня озверела. Под руководством Дыбенко и Раскольникова (о нем речь впереди) творилось чудовищное насилие в отношении флотских офицеров и их семей. Следом за офицерами жертвами резни стали все, кого можно было назвать «контрой». А так назвать можно было любого. Дикие сцены матросского разгула описаны многократно. Одно из свидетельств — книга А. Ольшанского «Записки агента Разведупра» (Париж, 1927). То, что десятилетиями объявляли клеветой, теперь признает «Красная звезда» (4 октября 1997 г.), рассказывая о линкоре «Император Павел I»: «Лейтенанта Савинского ударом кувалды по затылку убил подкравшийся сзади кочегар Руденок. Той же кувалдой кочегар Руденок убил и мичмана Шуманского. Он же убил и мичмана Булича. Старший офицер, старавшийся на верхней палубе образумить команду, был ею схвачен, избит чем попало, затем дотащен до борта и выброшен на лед».

Офицеров убивали просто за то, что они офицеры. И топили в прорубях. А некоторых не топили. Перепившиеся приблатненные братишки Дыбенко с Раскольниковым катались на рысаках по офицерским трупам, втаптывая их в снег и навоз.

Из нашей памяти это вытравлено. Но флот базировался там, где сейчас Финляндия. Во Второй мировой войне большие и мощные страны без долгого сопротивления сдавались тоталитарному напору, а маленькая Финляндия вдруг проявила такую стойкость, которая смутила самого Сталина. Причиной тому — тела русских офицеров, раздавленные санями пьяного революционера. Тех офицеров Финляндия запомнила. Народ Финляндии знал, что если Красная Армия покорит их страну, то освободители будут сдирать кожу с живых людей, вбивать гвозди в головы, отрезать носы, языки и уши, выкалывать детям глаза, творить все то, что творил пьяный Дыбенко. Потому, несмотря ни на какие потери и жертвы, Финляндия не сдалась. Товарища Дыбенко Финляндия помнит и сейчас. Ездил. Проверял.

4

А Дыбенко, накатавшись на саночках, возглавил Центробалт — организацию, вставшую во главе флота. Тут судьба свела его с пламенной революционеркой, генеральской дочерью Александрой Коллонтай, одной из красивейших женщин Европы. Революционную барышню неудержимо тянуло на флот, в опустевшие адмиральские каюты, в матросские кубрики. Саша Коллонтай призывала к мировой революции и к свободной любви. Ее страстный призыв не остался без ответа, ее появления на кораблях моряки всегда ждали с нетерпением. Ее появления всегда были праздником для матросов.

В октябрьские дни 1917 года Павел Дыбенко играл решающую роль. Если не сказать больше. Крейсер «Аврора» и десять других кораблей вошли в Неву по приказу Дыбенко. 10 тысяч вооруженных матросов — вот сила, совершившая переворот.

Ночь переворота — звездный час Дыбенко. Он — в составе первого Советского правительства. Тут же и его подружка Александра Коллонтай. Она тоже член Советского правительства, народный комиссар государственного призрения. Все как в волшебной сказке. Он и она. Оба в правительстве. Записью брака Павла Дыбенко и Александры Коллонтай была начата первая книга актов гражданского состояния родины мирового пролетариата. Первый брак комом. Уж слишком оба ценили прелести свободной любви. Их браком начались все советские браки. Их разводом — все разводы.

Не время бракам. Революция!

5

Первым и главным противником победивших коммунистов был русский народ. Проблема вот в чем. После падения монархии было образовано Временное правительство. Именно временное. Его не надо было свергать. Оно не намеревалось долго править Россией. Судьбу страны должно было решить всенародно выбранное Учредительное собрание: учредить такую форму правления, такой политический, экономический и социальный строй, который будет приемлем для большинства населения. Народы России выбрали своих депутатов и отправили в столицу осуществить то, что пожелает большинство. Вот этого Ленин и Троцкий не могли допустить. Большевики уже свергли Временное правительство. Теперь задача — не допустить, чтобы народ выразил свою волю. Ленин и Троцкий принимают простое решение: Учредительное собрание — разогнать, демонстрации рабочих — расстрелять.

Выдающийся российский историк Ю.Г. Фельштинский пишет: «Большевики тем временем пытались найти менее рискованное, чем разгон, решение проблемы. 20 ноября на заседании СНК Сталин внес предложение о частичной отсрочке созыва». Предложение Сталина: не разгонять Учредительное собрание, а оттянуть его открытие. Но кто у нас прислушивался к голосу благоразумия? В то время в партии большевиков безраздельно господствовали политические экстремисты. Фельштинский продолжает: «Решено было подготовиться к разгону. Совнарком обязал комиссара по морским делам П.Е. Дыбенко сосредоточить в Петрограде к 27 ноября до 10—12 тысяч матросов» (Крушение мировой революции. С. 192).

Дыбенко с Раскольниковым выполнили все так, как им приказали: рабочие демонстрации расстреляли, Учредительное собрание разогнали.

И тут самый момент задать вопрос принципиальный: а зачем матрос Дыбенко пришел в революцию?

На этот вопрос мне удалось придумать только два возможных ответа.

Первый: чтобы дать народу свободу и счастье.

Второй: чтобы самому дорваться до власти и упиться ею.

Первый вариант не пройдет. Дыбенко не только не желает выполнять волю народа, он не желает ее даже услышать. Он спешит разогнать народных избранников до того, как они начнут говорить. Он торопится заткнуть народу рот пулеметным огнем.

Итак, первый ответ отпадает.

А что остается?

6

Тот же вопрос неплохо было бы задать товарищам Ленину, Троцкому, Зиновьеву, Каменеву, Рыкову и всем другим, захватившим власть в октябре 1917 года: а зачем вы ее захватили? Чтобы народу счастье принести? Так вас никто на эту роль не выбирал, никто вас не уполномочил. А выбрал народ Учредительное собрание. Вот его бы и послушать...

И еще — народ на улицах. В Питере — мирные демонстрации в поддержку выбранного народом Учредительного собрания. А коммунисты это самое собрание — взашей. А народ — пулеметами. Революцию делали не для дворян, не для помещиков, не для купечества, не для промышленников, не для крестьянства, не для священников, не для крупных собственников, не для мелких. А для кого же? Для пролетариата! И первым делом ударили Дыбенкины матросы по пролетариату из пулеметов. Значит, революция — не для пролетариата.

Простите, а для кого?

И нам рассказывают про идеалиста Бухарина... Он, мол, верил в идеалы. Он хотел, чтобы народу лучше было. Когда в народ из пулеметов садят, лучше ли от этого народу? Каково на этот счет было мнение идеалиста Бухарина? О чем думал идеалист, созерцая с балкона расстрелы рабочих?

В тот момент, когда первые капли рабочей крови упали на булыжник Литейного проспекта, система, которую мы знаем на протяжении вот уже 80 лет, сложилась полностью и окончательно. Ситуация: за разгон Учредительного собрания, за расстрел рабочих демонстраций любая новая власть судила бы Ленина, Троцкого, Дыбенко, Раскольникова и всех остальных «героев Октября». Потому с этого момента Ленин и Троцкий просто не могли никому отдать власть. Потому с этого самого момента нельзя было допустить никаких выборов, кроме тех, на которых гарантировано 99,99 процента. Потому нельзя было терпеть существования свободной прессы. Потому следовало давить все партии, включая свою собственную. Потому следовало душить профсоюзы. Потому следовало и впредь расстреливать рабочие демонстрации, а еще лучше их не допускать, выявляя зачинщиков и устраняя их. Все просто: партию Ленина — Троцкого никто не выбирал, следовательно, власть этой партии была незаконной. Незаконную власть можно удержать только силой. Только террором. И вовсе не Сталин начал террор в 1937 году, а матрос Дыбенко в 1917-м. Точнее — Ленин, Троцкий и компания.

7

Разгон Учредительного собрания и расстрел рабочих демонстраций на улицах Питера потянули за собой последствия. Россия все еще в Первой мировой войне, но новую власть, которая стреляет в народ, никто не желает защищать. Немцы двинулись вперед на Петроград. На их пути — Чудское озеро. Его можно, как мы знаем, обойти с двух сторон. Через Псков и через Нарву.

А у России армии нет. Армию коммунисты разложили. Дыбенко именно на этом поприще отличился и прославился. Спасти ситуацию в начале 1918 года могли только балтийские матросы. Что ж, народный комиссар по морским делам товарищ Дыбенко, забирай своих матросов, веди их под Псков и Нарву, спасай революцию! Останови немцев!

И Дыбенко повел матросов. Вот его-то действия 23 февраля 1918 года и стали всенародным праздником — Днем Красной Армии.

8

23 февраля 1968 года я получил свою первую медаль «50 лет Вооруженных Сил СССР». Весь наш народ и все прогрессивное человечество в торжественной обстановке отметили славный юбилей тех первых побед, которые и стали днем рождения непобедимой и легендарной Советской Армии. Я — страстный по-

клонник орденов и медалей. О своей первой медали мечтал в караулах и нарядах, о ней тайно писал стихи. В тот год я добивал свой десятый год в погонах — семь лет в алых, третий — в малиновых. И вот первая медаль. Она была великолепна: большая, сверкающая, с красной эмалью по звездочке, на атласной голубой ленточке с белыми и красными полосочками посередине. Я не носил ее на груди. Нет. Я все еще держал ее в кулаке, не веря своему счастью. В тот день я решил учиться еще лучше... И решил начинать прямо сейчас. Праздничные дни пройдут, а сразу после них — семинар по ленинской работе «Тяжелый, но необходимый урок». Эту работу мы изучали несчетное количество раз. Товарищ Ленин учил нас, что с противником надо бороться. С ним надо уметь бороться! Лекторы обычно произносили эти слова с ударением на слове «уметь». К семинару можно было и не готовиться. Работу эту я знал почти наизусть. А тут я решил: почему почти? Дай я ее выучу наизусть. Раскрыл ленинский том, сижу, учу: «Эта неделя явилась для партии и всего советского народа горьким, обидным, тяжелым, но необходимым, полезным, благодетельным уроком». Учу не только ленинскую статью, но и примечания к ней: статья впервые опубликована 25 февраля 1918 года в вечернем выпуске газеты «Правда». Это надо запомнить особо. Подметил: такие мельчайшие детальки ценятся любой экзаменационной комиссией чрезвычайно высоко. Если между прочим бросить как нечто незначительное: «...25 февраля 1918-го в вечернем выпуске...», то любая экзаменующая рука немедленно подрисует к пятерке большой жирный плюс.

И маленькое открытие согрело душу: вот семинар будет, а вряд ли кто внимание обратил, что мы обсуждаем ленинскую работу ровно через 50 лет после ее первой публикации...

Вот тут меня и прожгло. Вот тут-то я воздухом и захлебнулся. Сначала что-то понял, но не сообразил еще, что именно, еще не успел сам для себя понятное выразить словами и образами. Только отдышавшись, начал осмысливать: 50 лет назад, 23 февраля 1918 года, Красная Армия под Псковом и Нарвой одержала свои первые блистательные победы, которые мы вот уже 50 лет дружно празднуем, за которые мы, потомки, никогда не воевавшие, медали получаем. Почти одновременно с этим историческим событием, тоже 50 лет назад, 25 февраля 1918 года, в вечернем выпуске газеты «Правда»... В вечернем выпуске... То есть был дневной выпуск, но там статьи Ленина еще не было. Днем ленинскую статью только набирали... Следовательно, Ленин ее писал 24-го или в ночь на 25 февраля 1918 года. 23 февраля великие победы, а 24-го, узнав о победах, товарищ Ленин, матерясь и кусая ногти, пишет срочно, что вся прошедшая неделя была для всего советского народа «горьким, обидным, тяжелым уроком». Товарищ

Ленин раздает ценнейшие советы: с противником надо бороться! С противником надо уметь бороться! С ударением на слове «уметь». Как же глубок ленинизм! Не будь ленинских томов, мы бы и не знали, что с противником надо бороться... Да не просто надо бороться, а еще и уметь. Товарищ Ленин, не называя по имени, кроет кого-то, не умеющего бороться: «...мучительно-позорные сообщения об отказе полков сохранять позиции, об отказе защищать даже нарвскую линию, о неисполнении приказа уничтожить все и вся при отступлении; не говоря уже о бегстве, хаосе, близорукости, беспомощности, разгильдяйстве».

Я всегда подозревал в себе сумасшедшего: в нашей армии за 50 лет служили десятки миллионов людей. «Тяжелый, но необходимый урок» — в золотой десятке обязательных ленинских работ, которые каждому военному человеку полагалось знать если не наизусть, то весьма близко к тексту. Неужто никто не обратил внимания на эту близость дат? Открывать-то тут нечего. Но почему я вижу эту близость, а никто другой не видит? И говорит Ленин не о каком-то таинственном участке обороны, но называет Псков и Нарву своими именами. Не схожу ли я...

И не понятно: неужели большие начальники из Главпура, те, кто нам эти работы настоятельно рекомендует, не заметили, что при простом наложении дат ленинская статья одним только своим названием опровергает любые рассказы о великих победах, якобы одержанных 23 февраля 1918 года?

И что есть урок? Каждый из нас попадал в положение, когда натворил что-то и оправдаться нечем. И вот тогда, за неимением лучшего, мы обращаемся к общему собранию коллектива: это будет для меня уроком...

Вот и товарищ Ленин развалил армию и флот своей антивоенной агитацией, германы нажали, фронт рухнул, и надо товарищу Ленину перед всей Россией ответ держать. И он мямлит: это урок... И он советует: с противником надо бороться... и т.д. Гениальность Ленина в том, что он молол чепуху, с которой не поспоришь. Кому придет в голову утверждать обратное? Кто будет доказывать, что с противником не надо бороться? Что не надо уметь бороться?

Я о чем? О том, что если бы Павел Дыбенко 23 февраля 1918 года одержал великие победы под Псковом и Нарвой, то товарищ Ленин, узнав об этом 24 февраля, за день и ночь написал бы статью совсем другую и в вечернем номере газеты «Правда» 25 февраля 1918 года появилось бы нечто совсем по содержанию иное. А получился обидный и горький урок. И, понятно, весьма необходимый. Пока гром не грянул, товарищ Ленин, как тифозная вошь, армию разлагал «Окопной правдой» и прочей мерзостью, публикуемой на немецкие деньги. Но преподали немцы урок товарищу Ленину, и он озаботился обороной страны.

9

С того дня великие победы под Псковом и Нарвой стали для меня предметом особого и несколько нездорового интереса, имя великого полководца Дыбенко — тоже.

Благо книг о войне у нас написано много и теми книгами забиты все библиотеки. И вот — «Размышления о минувшем» генерал-лейтенанта С.А. Калинина. В 1918 году солдат Калинин, вернувшись с фронта, творит революцию в Самаре. Голод. Разруха. Положение коммунистов шаткое. Людей не хватает. «Не помню сейчас точно, в конце марта или в начале апреля, в Самаре произошло событие, взволновавшее всю партийную организацию. В город неожиданно, без всякого предупреждения, прибыл эшелон балтийских моряков во главе с П.Е. Дыбенко. Вначале мы обрадовались новому пополнению. Но в тот же день в губком пришла телеграмма за подписью М.Д. Бонч-Бруевича. В телеграмме предлагалось немедленно задержать Дыбенко и препроводить в Москву за самовольное оставление вместе с отрядом боевой позиции под Нарвой» (с. 71).

Нам говорили, что под Нарвой — великие победы, а сам победитель почему-то сбежал и его по всей стране ловят. И вот самарские большевики решают, как с матросиками обойтись. Решили: делегатом идет один Калинин без охраны и без оружия. «Как только я появился на перроне вокзала, матросы взяли меня под стражу и, как «контру», привели в вагон Дыбенко. За столом сидел богатырского вида моряк...» Коммунист Калинин устыдил революционера Дыбенко, тот раскаялся и решил возвращаться в Москву. Конец истории я узнал через 21 год. 26 февраля 1989 года «Красная звезда» поместила большую статью о великом полководце Дыбенко, в которой парой строк сказано: «За отход от Нарвы и самовольный отъезд с фронта Дыбенко исключили из партии. (Был восстановлен только в 1922 году.) Он предстал перед судом Революционного трибунала... Совнарком вынес решение — отстранить Дыбенко с занимаемого поста. Павел Ефимович к этому себя уже подготовил: "Конечно, я виноват в том, что моряки добежали до Гатчины..."»

Случилось вот что. Члену первого Советского правительства товарищу Дыбенко и его доблестным матросам приказали остановить германские войска под Псковом и Нарвой. Никаких побед пламенные революционеры ни под Псковом, ни под Нарвой не одержали, никого не остановили, неувядаемой славой своих знамен не покрыли. Наоборот, при первых столкновениях с противником изнеженные матросики, просидевшие всю войну в портах, дрогнули и побежали. И наш герой — вместе с ними. А может быть, впереди. Защитники революции добежали до самой Гатчины. Тут надо открыть карту, чтобы оценить героический путь. 120 километров бежали защитники социалистического отечества. Три марафона по глубокому февральскому снегу. В Гатчине захватили эшелон и понеслись по стране спасать свои революционные шкуры. Вдогонку спасающимся глава высшего военного совета Бонч-Бруевич рассылает по стране телеграммы: поймать героев и под конвоем доставить в Москву. Герои должны были остановить противника, но их самих надо останавливать. Если удастся найти...

Героев обнаружили аж в Самаре. За Волгой. Теперь надо взять глобус и оценить этот героический отход. Появились герои-балтийцы в Самаре в конце марта или в начале апреля. И кто знает, где за целый месяц после великих побед они еще успели побывать. Может быть, добежали до озера Байкал, убедились, что за ними никто не гонится, и возвращаются? Тут, по глубоким тылам, они защищают революцию: хватают первого попавшегося и допытываются, не контрик ли. Тут им храбрости хватает. Меня только вопрос интересует: а чем революционер Дыбенко все это время после бегства из-под Нарвы кормил своих революционеров? Ведь прожорливые.

Еще вопрос: а от кого революционеры побежали? Побежали от германской армии. А понятие об этой армии весьма растяжимое. В то время германские матросики от безделья тоже бунтовали в своих портах. В то время Германия уже голодала. В то время германская армия была уже полностью и окончательно истощена войной. Германская монархия рухнула в ноябре 1918 года. Продержалась она до ноября только потому, что товарищ Ленин в марте 1918 года подписал с кайзером Брестский мир и отдал кайзеру Украину до самого Курска и Ростова вместе с рудой, углем и сталелитейной промышленностью, вместе с хлебом и мясом. Ленин отдал кайзеру Польшу и Прибалтику, выплатил огромные репарации золотом и хлебом. Вот оттого кайзеровская армия и дотянула до осени. Но в феврале 1918 года всей этой ленинской помощи кайзеру еще не было, потому Германия стояла на самом краешке, стояла над пропастью. Юрий Фельштинский пишет: «Но самым удивительным было то, что немцы наступали без армии. Они действовали небольшими разрозненными отрядами в 100—200 человек, причем даже не регулярными частями, а собранными из добровольцев. Из-за царившей у большевиков паники и слухов о приближении мифических германских войск города и станции оставлялись без боя еще до прибытия противника. Двинск, например, был взят немецким отрядом в 60—100 человек. Псков был занят небольшим отрядом немцев, приехавших на мотоциклах. В Режице германский отряд был столь малочислен, что не смог занять телеграф, который работал еще целые сутки» (Крушение мировой революции. С. 259—260).

Вот от этого воинства и бежал член Советского правительства, народный комиссар по морским делам, полководец и флотоводец Дыбенко со своими вояками. Петроград он бросил без всякой защиты, а у немцев просто не было сил его захватить.

Немцы так до Петрограда и не дошли. А Дыбенко, пробежав незамеченным мимо Москвы, убежал за Волгу.

Спросят: что это мы все про Дыбенко да про Дыбенко?

Отвечаю: среди командармов 1 ранга самый знаменитый и высокопоставленный — Фриновский. А среди командармов 2 ранга самый знаменитый — Дыбенко: он один входил в состав Советского правительства. У остальных командармов 2 ранга такого опыта не было и не было таких блистательных побед.

Но были же и другие полководцы! Тухачевский, Якир, Блюхер! Они же одерживали победы!

Одерживали. Дойдем до них. Только сразу предупреждаю: те другие не так гениальны, как Дыбенко. То, что совершил Дыбенко 23 февраля 1918 года, мы празднуем вот уже 80 лет. А победы Тухачевского, Якира, Блюхера, Уборевича, Путны, Вацетиса не так блистательны и грандиозны. Их победы мы не празднуем.

Нечего праздновать.

Глава 7

БЫЛ ЛИ КОМАНДАРМ ДЫБЕНКО АМЕРИКАНСКИМ ШПИОНОМ?

У советских собственная гордость,
На буржуев смотрим свысока.

В. Маяковский

1

Интересно, чем завершился суд над Дыбенко. Принимая во внимание пролетарское происхождение и великие заслуги, советский суд оправдал дезертира Дыбенко. Оправдание вот какое: он не был готов воевать... Правильно. Ломать — не строить. Разлагать армию и флот Дыбенко был готов. Разбивать офицерские головы кувалдой тоже готов. Расстреливать рабочие демонстрации — и тут готов. Разогнать всенародно выбранное Учредительное собрание — всегда готов. А вот сам воевать на фронте — не готов. Чуть опасность — и побежал революционер Дыбенко далеко и быстро... Еле изловили.

Поймав, его выгнали из правительства Ленина — Троцкого, из коммунистической партии, но расстреливать не стали и даже не посадили. И вот после суда начинаются совсем удивительные приключения. «Советская военная энциклопедия» (Т. 3. С. 277) сообщает, что с лета 1918 года Дыбенко находился на подпольной работе на Украине.

Странно. Выгнали из партии, и куда его? На подпольную работу! Выгнали за разгильдяйство и трусость, за дезертирство — и после этого... Там, в подполье, только такие и требуются. Да ведь не просто его выгнали, он сам перепугался и сбежал за Волгу, тем самым вышел из состава троцкистско-ленинского правительства, самоустранившись. А если он и с подпольной работы сбежит?

И о каком подполье речь? Подполье было партийным, у каждой партии собственное: у анархистов свои пароли, явки, тайники, а у левых эсеров — свои. В какое именно подполье послали Пашу Дыбенко, если он беспартийный? Вообразим, что прибыл подпольщик Дыбенко на явочную квартиру с такой аттестацией: он больше не коммунист, его выгнали за трусость, теперь он с вами работать будет. А кому он такой нужен?

Представим, что в ходе войны Гитлер за трусость выгнал из своего правительства и из нацистской армии, допустим, Геринга и забросил его в советский тыл — свастики на заборах рисовать, листовки расклеивать, по ночам красные гитлеровские знамена тайно на заводские трубы прикручивать. Неудобство в том, что Геринг был мужиком крупным, заметным, как Павел Дыбенко. Кроме того, Геринга по карикатурам знала вся Россия, он быстро попался бы. Но Павел Дыбенко в то время был России и Украине более известен, чем Геринг стал чуть позже: председатель Центробалта, член первого Советского правительства, троцкистско-ленинский нарком, палач народных демонстраций и губитель Учредительного собрания. Фотографии его печатались во всех газетах. Дорвавшись до власти, народные комиссары по всякому поводу печатали свои портреты: вот мы, правители ваши: Дыбенко — Коллонтай — Раскольников, любуйтесь. И приказы-декреты писали товарищи часто только ради того, чтобы украсить их своей подписью, чтобы знала Россия своих повелителей. Да и в лицо Павла Дыбенко знал каждый балтийский матрос, а они по всей стране разбежались, любой опознать мог. И провалился бы подпольщик Дыбенко и всю подпольную организацию завалил бы.

Так кто же его послал на подпольную работу? Вот тут биографы славного революционера умолкают. Его никто в подполье не посылал. Он сам ушел в подполье. В грозный час, когда советская власть висела на ниточке, Дыбенко так законспирировался, что никто не знал, куда он девался.

2

Потом вынырнул. Большевики захватили Крым, и Дыбенко — народный комиссар по военным и морским делам Крымской советской республики. Недолго. Выбили красных из Крыма. И обнаружили неизгладимые следы страшных злодеяний.

В 1921 году — Кронштадт. Восстание балтийских моряков среди прочих давит и бывший балтийский матрос, бывший председатель Центробалта товарищ Дыбенко. Он командует Сводной дивизией. И тут надо объяснить, что есть Сводная дивизия. В Кронштадте восстал флот. И мало кто из коммунистов желал проливать кровь матросов, которые подарили власть Ленину и Троцкому. Это ведь свои. Мятеж давить некому. Верных частей нет. И вот тогда партия посылает на подавление своих полководцев. Тут и Троцкий, и Тухачевский, и Якир, и Федько, и Ворошилов с Хмельницким, Седякин, Казанский, Путна, Фабрициус и еще многие, многие. Читаем биографию любого стратега и почти наверняка находим его в числе кронштадтских героев. Такое впечатление, что в тот момент никто молодой Советской республике не угрожал. Кроме народов России. Восстание в Кронштадте могло стать детонатором. Вся Россия могла полыхнуть. И уже забастовал Питер. И уже тамбовские мужики сажали на вилы озверевших комиссаров. Кронштадт коммунистам надо было давить. Срочно. Потому, бросив все, стянули сюда командный состав. Рядовых на такое дело поднять не удавалось. Но одних командиров мало. И тогда партия посылает делегатов своего X съезда. Этим деваться некуда — если полыхнет, делегатов русский народ накажет так, как только у нас наказывать умеют. Командирам и делегатам Троцкий обещает огромное количество орденов. Но и этого мало. И тогда на подавление мятежа бросают крупных партийцев. Тут и Калинин, и Бубнов, и Затонский. Сюда бросают начинающих писателей: иди — объявим классиком. Там, кстати, и купил себе звание классика будущий генеральный секретарь правления Союза писателей СССР товарищ Александр Фадеев. Но и будущих классиков соцреализма не хватило. Посылают курсантов. Это карьеристы, которые сознательно выбрали эту власть и намерены делать карьеру через реки народной крови. Коль так, вот вам, ребятки, возможность отличиться. Ко всему прочему формируют Сводную дивизию... Она еще именовалась Сбродной. Коммунисты собрали в эту дивизию всю мразь, которая только была в стране и за ее пределами. Собрали тех коммунистов, кто провинился, проворовался, пропился, продался, собрали сюда коммунистов-мародеров и коммунистов-насильников. Во главе Сбродной дивизии — бежавший с поля боя, изгнанный из партии за трусость, вынырнувший неизвестно из какого подполья Дыбенко: вперед, товарищи! Он в партии не состоит. Мог бы этим делом и не заниматься. Но занялся. И опять кронштадтский лед. Опять проруби. И трупы — под лед. Только теперь это не трупы офицеров, теперь это сами матросики. Когда Дыбенко бунтовал, его отправили просто воевать на фронт, а когда против него бунтуют, он матросиков топит.

О храбрости Дыбенко докладывал заместитель начальника особого отделения Юдин: «561 полк, отойдя полторы версты на Кронштадт, дальше идти в наступление отказался. Причина неизвестна. Тов. Дыбенко приказал развернуть вторую цепь и стрелять по возвращающимся. Комполка 561 принимает репрессивные меры против своих красноармейцев, дабы дальше заставить идти в наступление». Стреляем своих красноармейцев, чтобы заставить их стрелять по своим матросам. Расстрел на расстреле и расстрелом погоняет. Захваченных матросов — судить. Наш родной пролетарский суд разбирал каждое дело индивидуально и вынес 2103 смертных приговора (ВИЖ. 1991. № 7. С. 64).

Тоже ведь не просто это — приговоры выносить. Если на разбор каждого дела и на вынесение приговора тратить по целой минуте, то за десять часов напряженного труда без перерывов можно вынести 600 смертных приговоров... За двадцать часов без единого перерыва можно вынести 1200 смертных приговоров... А привести в исполнение... Ну-ка сами попробуйте две тысячи человек перестрелять. То-то.

С этого героического момента карьера Дыбенко снова пошла вверх, правда, не так круто, как раньше. У него было три ордена. По тем временам — герой из героев. Но за всю

Гражданскую войну он не заработал ни одного. Нигде никак он себя в войне не проявил. Первый орден — за Кронштадт. За карательную экспедицию. За расстрелы. Никакой там войны не было. Корабли вмерзли в лед, и толку от них нет. И пушки на кораблях сверхмощные. Из тех пушек на огромные расстояния стрелять по таким же линкорам с непробиваемой броней. По пехоте из таких пушек — как из пушки по воробьям. Есть на кораблях пушки малого и среднего калибров, есть пулеметы... Но Гражданская война — это одна непрерывная череда кризисов. Каждый раз, когда кризис возникал, с кораблей и бездействующих фортов Кронштадта телегами, баржами, санями, грузовиками и эшелонами вывозили патроны и снаряды и гнали под Царицын, под Воронеж, под Ростов и Батайск, под Варшаву. Так что не оказалось у восставших матросиков патронов и снарядов. И винтовка матросу не положена. На кораблях винтовки только для караула.

И еще: в Кронштадте не было продовольствия. Коммунисты установили такую власть, что хлеб почему-то пропал. И масло с сахаром тоже. Питер голодал. Потому время от времени запасы Кронштадта перебрасывались на съедение городу. В 1919 году запасы Балтийского флота и Кронштадтской крепости были полностью вывезены. Потом в Кронштадт от случая к случаю подбрасывали. Но понемногу. Голод как раз и был одной из причин восстания. Если бы можно было потерпеть, то восстание надо было начинать на две-три недели позже, когда вскроется залив ото льда. Тогда восставшему флоту никто был бы не страшен. Тогда флот представлял бы действительную силу, а крепость на острове была бы неприступной. Но ждать было невозможно.

Вот в карательной операции против голодных матросов, которым было нечем стрелять, и отличились все наши полководцы, стратеги великие. И Дыбенко среди них. Создав десятикратное превосходство в людях и подавляющее в оружии, разгромили безоружных матросов и учинили расправу. За эти подвиги всех изгнанных из партии в ее рядах начали восстанавливать. Через год раздумий и сомнений вернули в партию и Павла Дыбенко. И должность ему дали: командир дивизии... Карательной. Гражданская война завершилась, а народишко все никак власть народную признавать не желал. И Дыбенко себя проявил. И заработал еще два ордена. В мирное время. На карательном фронте. И стал легендарным героем. С тремя орденами.

3

1937 год застал командарма Дыбенко в Куйбышеве на посту командующего войсками Приволжского военного округа. Заместителем у него — комкор Кутяков. Тот самый, который после смерти Чапаева командовал Чапаевской дивизией.

Поступил приказ: Кутякова взять. Дыбенко не возражает. Наоборот, он готов помочь чекистам организовать арест своего заместителя прямо в своем кабинете. Кутякова взяли 13 мая 1937 года.

По какому-то дьявольскому совпадению именно в этот день, 13 мая, в Кремле Сталин принимал Тухачевского, о чем в книге регистрации сохранилась соответствующая запись. О чем Сталин говорил с Тухачевским, навсегда останется тайной. Но из Кремля, от Сталина Тухачевский направляется в Куйбышев, чтобы занять кабинет Дыбенко, в котором только что был арестован Кутяков.

Тухачевский прибывает в Куйбышев, якобы принимает Приволжский военный округ, а Дыбенко якобы его сдает. Но, сдав округ, Дыбенко почему-то не спешит уезжать. Дыбенко почему-то задерживается в Куйбышеве.

В свете дальнейших событий эта задержка понятна. Тухачевского и высылают из Москвы с тем, чтобы оторвать его от соратников и подчиненных, от власти в Москве. Но не так прост Сталин, чтобы дать Тухачевскому власть в Куйбышеве хотя бы на короткое время. Потому Дыбенко, якобы сдав округ Тухачевскому, никуда не спешит. Он остается на месте. Подстраховывает. Тухачевский в Приволжском округе — только формально командующий. А власть над округом фактически так и осталась в руках Дыбенко. Если ударит в голову Тухачевскому что-либо непотребное, то осуществить никак не удастся: ключи от власти над Приволжским округом не у него, а у Дыбенко.

И вот Тухачевский арестован и отправлен обратно в Москву. Вслед за ним спешит и Дыбенко — судить Тухачевского, Якира, Путну, Примакова и других. И судил. Вместе с Блюхером, Алкснисом, Беловым и другими уличал, разоблачал, клеймил, выносил приговор.

И гордился доверием. И хвалился своим участием. И.В. Дубинский вспоминает: «Приехал из Куйбышева Дыбенко... Хвалился, как он, Дыбенко, пригласил к себе в кабинет своего первого заместителя Кутякова, а там, спрятавшись за портьерами, уже ждали работники НКВД» («Особый счет». С. 201).

4

Как военный теоретик Павел Ефимович Дыбенко себя никак не проявил. Он написал множество книг: «В недрах царского флота», «Мятежники», «Октябрь на Балтике», «Из недр царского флота к Великому Октябрю», «Революционные балтийцы» и т.д. Все эти творения не о стратегии и тактике, а о героических подвигах великого революционера Дыбенко.

А завершилась карьера полководца, мыслителя и организатора ударного лесоповала в тюремной камере. Среди прочего товарища Дыбенко обвиняли в пьянстве и разложении. Постановление ЦК ВКП(б) от 25 января 1938 года: «...Дыбенко вместо добросовестного выполнения своих обязанностей по руководству округом систематически пьянствовал, разложился в морально-бытовом отношении...» В письме Сталину Дыбенко пьянство отрицал: «Записки служащих гостиницы «Националь» содержат известную долю правды, которая заключается в том, что я иногда, когда приходили знакомые ко мне в гостиницу, позволял вместе с ними выпить. Но никаких пьянок не было». Знали революционеры, где выпивать. «Националь» и «Метрополь» — место их дружеских развлечений. А морально-бытового разложения Дыбенко не отрицал. Под этим термином у нас понималась выходящая за рамки приличия любовь к чужим женам.

К сведению тех, кто родился после всего этого: в Советском Союзе выдвигались самые фантастические обвинения — от шпионажа в пользу Аляски до черт знает чего. Но было два обвинения, которые никогда не выдвигались зря: тем, кто не пил и по чужим женам не шлялся, пьянства и бытовухи не шили. А если шили, значит, были основания.

А еще его объявили американским шпионом. Шпионаж в пользу Америки — это несколько круто взято. Но товарищ Дыбенко и тут не полностью чист. У него сестра почему-то жила в Америке. Дыбенко имел официальные встречи с американскими военными представителями и в частных разговорах просил содействия в получении пособия для сестры. И своего добился. Пособие в Америке сестра бедного командарма получала.

Забота о сестре — дело святое. Но надо выбирать одно из двух:

творить переворот в России и раздувать мировую революцию в надежде истребить всех буржуев;

или клянчить деньги у тех самых буржуев.

Дыбенко такие вещи совмещал: он всей душой ненавидел помещиков, капиталистов, офицеров и всяких прочих угнетателей, считал их кровопийцами, истреблял их беспощадно весьма необыкновенными способами. Он посвятил жизнь борьбе против них, он гневно их разоблачал в своих бессмертных творениях, он готовил войска к освободительной войне в мировом масштабе. В то же время он выпрашивал у этих вампиров денежки на пропитание родственникам.

Русскому народу он устроил такую жизнь, что не вырвешься: границы на замке. А своих родственников по заграницам устроил. Интересно, если бы работяга с завода или солдат-рядовой попросил денег у капиталиста, то как бы с ним поступила наша родная власть? А командующий Ленинградским военным округом не гнушался.

Дыбенко залил Россию кровью ради того, чтобы всем хорошо жилось, а дошел до того, что, являясь наркомом, командующим округом, заместителем наркома, не может (или не хочет) сам помочь своей сестре. Да забрать ее из капиталистического ада в наш процветающий рай, и дело с концом!

5

Теперь представим себя американскими разведчиками и на вопрос о пособии бедной сестре посмотрим проницательным разведывательным взглядом.

Самое трудное в агентурной разведке — найти человека, который имеет доступ к секретам. Мимо тебя народ толпами валит, а кто из них к секретам допущен? В данном случае вопрос отпадает сам собой. Если бы мы были американскими разведчиками, а перед нами командующий войсками Ленинградского военного округа командарм 2 ранга Дыбенко, то первая трудность отпадает: уж он-то доступ имеет.

Но как обратиться к нему, если он проносится мимо в длинной черной машине в окружении телохранителей? Если живет в спецквартире спецдома? Если проводит свой командирский досуг на спецдачах? Если ест и пьет в спецресторанах? Если магазинов не посещает? Ему все на дом доставляют. А если и посещает, то спецмагазины. И где его поймать, если восстанавливает он свое революционное здоровье в спецсанаториях? Если путешествует в спецпоезде? Если рыбку ловит в спецводоемах, а оленей стреляет в спецзаповедниках? Если он всегда под охраной?

Случай представился: американская военная делегация встретилась с товарищем Дыбенко. Контакт есть. Но как разведчику (если он втесался в делегацию) в ходе официальных переговоров перескочить на темы личные? Как выведать у красного командира его наклонности, его интересы и увлечения? Если мы ловим белочку, то ей надо насыпать орешков, птичке — зернышек, мартышке подвесим банан на веревочке. Задача разведчика в том, чтобы выведать, кому какую наживку подсунуть: филателисту — марочку необыкновенную; нумизмату — стертый пятак... А как узнать, что товарищу Дыбенко требуется? Тут нет загадки: он сам рассказывает. Он сам капиталистическим делегатам объявил: денежки требуются американские. Шелестелки. Зелененькие. Долларцы. Баксы!

Вербуя, надо так наживку подсунуть, чтобы не обидеть, не спугнуть, на подозрения не навести. Ведь если глупый лещ своим рыбьим мозгом сообразит, что с червяком можно крюк захватить, так ведь не возьмет же он червяка.

А с товарищем Дыбенко и тут нет проблем. Он не только сам рассказывает, на какую наживку его ловить надо. Он сам заявляет, что возьмет любую наживку. И не надо с ним осторожности проявлять, не надо бояться обидеть. Он сам просит: дайте!

То-то генералы американские удивлялись: герой революции, ленинский нарком, командующий Ленинградским округом сестричке сам помочь не может.

Сто тысяч процентов гарантии — американцы такой возможностью для вербовки не воспользовались. Эх, моего бы замрезидента,

Младшего лидера, в ту ситуацию, виртуоза добывающего. Вербанул бы легким рывком. Прямо в том же кабинете. Прямо в присутствии охраны и переводчиков. Вербанул бы так, как хороший карманник толстый лопатник из внутреннего кармана уводит — нежным касанием. Никто бы той вербовки и не усек. Включая и самого вербуемого. Уж потом бы трепыхался, крюк заглотив...

6

Не в том дело, был командарм Дыбенко американским шпионом или не был. А в том, что Дыбенко созрел полностью как объект вербовки. И перезрел. Его мог вербовать любой иностранец, нечаянно вступивший с ним в контакт.

За финансовой помощью сестре бедного революционера открывается бездна. В октябре 17-го к власти дорвалось быдло. Великие стратеги вроде Дыбенко понятия о чести не имели. У них не было ни революционной, ни классовой, ни пролетарской, ни национальной гордости ни на грош, ни на фунт, ни на доллар. Таким ничего не стоило обратиться к противнику с унизительной просьбой. И обращались. И приставали к каждому иностранцу: достань то, достань это. А просить нельзя. Проситель раскрывается самой слабой своей стороной. Проситель высокого ранга, проситель, имеющий доступ к государственным секретам, — это настоящая находка для шпиона.

А они почти все, наши вожди средней руки, превратились в просителей. Свою экономику устроили так, что ничего хорошего, кроме танков и самолетов, она не выпускала, совести у них не было, и они просили у иностранцев туфли жене и еще кому-то...

Есть правило железное: не верь, не бойся, не проси! Но не знали наши стратеги принципов и правил.

А Сталин готовил страну и армию к войне. И следовало всему руководящему быдлу толково и понятно разъяснить, что подобное поведение будет расцениваться как шпионаж. С соответствующими последствиями.

Товарищ Сталин на примере Дыбенко и других просителей показал высшему командному составу, что так делать нехорошо.

И все товарища Сталина поняли.

Результат очищения: Сталин истребил не только шпионов и потенциальных шпионов в среде высшего военного руководства, но и так пресек несанкционированные личные контакты, что Советский Союз стал самой трудной страной для работы вражеских разведок.

7

Таких, как Дыбенко, у нас впереди целая ватага. Но был один, который Павлу Дыбенко приходился почти близнецом. Они вместе прошли Центробалт, они вдвоем зверствовали в балтийских портах. Они поднялись на головокружительную высоту, оба имели блистательных жен и были женами брошены, не удержавшись на высотах. «Литературная газета» (25 марта 1992 г.) описывает его так: «Незадачливый литератор, избравший себе в качестве партийной клички фамилию пресловутого героя Достоевского, предводитель осатаневших от вседозволенности революционных матросов и безукоризненный исполнитель тайных ленинских поручений, Раскольников был «человеком идеи» и солдатом партии. Не склонный ни к юмору, ни к рефлексии, он в любое дело вносил истовость фанатика и был готов без раздумий возглавлять отряд моряков, грабящих дома духовенства, и лично обыскивать редакцию презираемой большевиками «либерально-профессорской» газеты «Русские ведомости», разогнать Учредительное собрание и затопить Черноморский флот в Новороссийске, командовать Балтийским флотом, руководить журналом, издательством и, наконец, искусством вообще...»

Сталин знал, куда кого ставить. Командовавшего флотом Раскольникова — руководить искусством. Чекиста Фриновского — командовать флотами. Это не только сталинский юмор, но испытание. Готовность руководить чем угодно, лишь бы руководить, выдавала неистребимую тягу к власти. Сталин выискивал самых беспринципных, самых жадных до власти и стрелял. Нет бы Фриновскому отказаться: никогда на корабле не бывал, не потяну. Так нет же, хватается Фриновский за кресло, под себя должность гребет. И тогда через три месяца товарищ Сталин говорит: уж очень высоко тебя занесло, не справляешься...

И Дыбенко из той же породы: кем угодно, но лишь бы командовать.

Потому товарищ Сталин Дыбенке дал еще испытание. Такое же, как и Фриновскому, только в противоположном направлении. Чекиста Фриновского флотом командовать, а первого военно-морского наркома Дыбенко — лесоповалом. Зеками править. И холуй Дыбенко на лету ловит брошенную барином должность: хоть куда, хоть лагерями править, хоть народ расстреливать, лишь бы должность повыше.

Он начинал бандитом, а кончил конвоиром. Он мнил себя мятежником.

А умер вертухаем.

Говорят, что если бы Дыбенко дожил до 1941 года, то он, обладая незаурядным талантом стратега, остановил бы 4-ю немецкую танковую армию генерал-полковника Геппнера под Псковом и Нарвой... Спорить с такими утверждениями не будем. Во всяком случае, опыт боев в тех местах у него был. Места знакомые...

Глава 8

ПРО ЧЕРВОНЦЕВ И ПЕРВОКОННИКОВ

Лишь только люди перестают бороться, вынуждаемые к борьбе необходимостью, как они тут же начинают бороться, побуждаемые к тому честолюбием.

Николо Макиавелли.
Рассуждения о первой декаде Тита Ливия

1

Официальная версия гласит, что Сталин ориентировался на кавалеристов, а Тухачевского поддерживали представители технических родов войск: танкисты, артиллеристы, летчики.

Это не совсем так. Вернее, совсем не так. Тухачевский тоже опирался на кавалеристов. Только на других кавалеристов.

Гражданская война была войной маневренной, а главной ударной и маневренной силой была кавалерия. Пространства немереные, фронта сплошного нет, а если и есть, то его почти всегда можно обойти стороной и ударить в тыл. Этим и занимались кавалерийские эскадроны, полки, бригады, дивизии, корпуса и целые конные армии. Пехота при всем желании не могла быть первой в занимаемых городах и селениях. Да и при отходе, например из-под Варшавы, кавалерийской дивизии куда легче унести ноги, чем дивизии стрелковой. Пехотный командир терял людей по лесам и болотам, оставлял пушки и пулеметы в окружениях, а кавалерист скакал на лихом коне и дивизию свою уводил. Потому при раздаче орденов кавалеристы были первыми, потому им больше доставалось.

Естественным следствием маневренной войны было то, что кавалерийские командиры имели больше возможностей отличиться. Потому после Гражданской войны именно они заняли командные высоты в Рабоче-Крестьянской Красной Армии. Как танкисты после Второй мировой войны.

Но красная кавалерия, как и любые другие образования, была неоднородной. Так бывает везде и всегда, внутри любого движения — враждующие группы: большевики и меньшевики, СС и штурмовики, блатные и суки, сталинцы и троцкисты.

В ходе Гражданской войны появилось три сверхмощных кавалерийских объединения:

1-я Конная армия;

2-я Конная армия;

червонное казачество.

Соответственно сложились три группировки кавалерийских командиров. Если нравится, можете называть это тремя кавалерийскими мафиями. Можно и другое название придумать, но суть остается, а заключается она в том, что существовало три группы командиров, которые делили людей на своих и чужих. Во всех трех группировках происходило одно и то же: борьба за власть внутри группы, одновременно — борьба каждой группировки против двух остальных. Группировку 2-й Конной армии общими усилиями из игры вышибли, ее лидеров объявили врагами и ликвидировали.

Остались два клана: первоконники и червонцы.

Некоторые из командиров 2-й Конной армии после разгрома их группировки перековались, сменили флаги и примкнули к первоконникам или к червонцам. Пример: один из бывших командующих 2-й Конной армией Ока Городовиков вспомнил, что начинал карьеру в карательной кавалерийской бригаде 1-й Конной армии. Городовиков объявил себя первоконником, а о своей службе во 2-й Конной армии никогда не вспоминал.

2

Случилось так, что товарищ Сталин в Гражданской войне бывал там, где действовала 1-я Конная. С ее руководством Сталин познакомился еще до появления 1-й Конной. С Буденным они воевали вместе в 1918 году в Царицыне, будущем Сталинграде, а Ворошилова Сталин знал еще до Октябрьского переворота. Люди 1-й Конной армии были не просто знакомы Сталину, но в большинстве своем им подобраны, поддержаны и выдвинуты. 1-я Конная отвечала товарищу Сталину взаимной любовью. В 1922 году Сталин занял пост с таким странным названием — Генеральный секретарь. Не президент, не председатель, а секретарь, и даже, как Сталин сам писал в письмах своей дочери, секретаришка. Правда, товарищ Ленин быстро сообразил, что, «сделавшись генеральным секретарем, товарищ Сталин сосредоточил в своих руках необъятную власть». Власть эта тоже имела странное название — Учраспред — Отдел учета и распределения руководящих кадров. Товарищ Сталин учил, что кадры решают все, и занимался тем, что у нас называлось термином «подбор и расстановка кадров». Случилось так, что весьма скоро ветераны любимой Сталиным 1-й Конной армии заняли высшие ступени военной власти. Держались они вместе и к командным высотам чужих пускать не любили. О мощи группировки 1-й Конной армии можно судить по жизненному пути ее питомцев. Из ее рядов вышли Маршалы Советского Союза К.Е. Ворошилов, С.М. Буденный, С.К. Тимошенко, генералы армии И.Р. Апанасенко, А.В. Хрулев и многие другие. Министр обороны Маршал Советского Союза А.А. Гречко — из той же компании. Он был министром обороны СССР до 1976 года. Таким образом, с середины 20-х годов до середины 70-х этот клан имел большую власть в армии.

Червонцы тоже имели неслабый состав. Из рядов червонцев вышли Маршал Советского Союза П.К. Кошевой, маршал бронетанковых войск П.С. Рыбалко, маршал войск связи И.Т. Пересыпкин, маршал авиации С.А. Худяков, генерал армии А.В. Горбатов, генерал-полковник Ф.Ф. Жмаченко и многие другие. Но надо помнить — это молодая поросль. Главных лидеров червонного казачества вырубили. Остались те, кто занимал посты пониже, кто покорился натиску первоконников и смирился.

Группировка 1-й Конной победила. Это ясно нам сейчас. А тогда, в 20-х и 30-х, исход борьбы предсказать было трудно. Шла борьба, первоконники оттирали всех других. Вот это и не нравилось червонцам.

3

Там, где воевали червонные казаки, бывал и товарищ Троцкий. И Тухачевский. И Якир. Руководители червонного казачества в большинстве своем были выбраны, поддержаны и расставлены товарищем Троцким.

Борьба командиров из двух кавалерийских группировок велась на многих направлениях. Среди прочих — бои на идеологическом фронте. Ветераны 1-й Конной доказывали, что это они побеждали во всех сражениях и боях. Червонные казаки на этот счет имели свое мнение.

Первоконники считали, что все победы на фронтах Гражданской войны организовал и вдохновил мудрейший из всех великих — товарищ Сталин. А червонцы сомневались. Битвы эти были не ради славы, а ради власти.

Первоконники, получив власть, считали, что следует пока успокоиться и заниматься внутренними делами страны, а неудовлетворенные червонцы рвались в бой за наградами и должностями: революция не закончена! Вперед!

Историческая параллель: в феврале 1933 года в Германии победила социалистическая революция. К власти пришла партия рабочего класса во главе с Адольфом Гитлером. Однако в рядах германского пролетариата не было единства. Революция не может дать всем ее лидерам высших государственных постов. Победивших революционеров всегда больше, чем министерских кресел. Любая революция всегда порождает обиженных борцов.

Те лидеры германского рабочего класса, которые получили высшие государственные должности, считали, что революция завершена. Их предводителем был сам Гитлер. А обиженные объявили, что цели революции еще не достигнуты, что революцию надо развивать, продолжать или даже совершить вторую революцию. Лидером обиженных был Эрнст Рем.

В июне 1933 года Рем выступил на страницах пролетарского журнала «Националсоциалистише монатхефте» со статьей о необходимости совершить вторую революцию.

Гитлер немедленно ответил Рему. 1—3 июля 1933 года проходило совещание высшего руководства СА и СС. На этом совещании Гитлер категорически заявил, что социалистическая революция в Германии завершена. 6 июля 1933 года на совещании имперских наместников в Берлине Гитлер повторно объявил, что социалистическая революция завершена и что «надо перевести свободный поток революции в прочное русло эволюции».

Но Рем упорствует. А за ним — массы революционеров. Никому не хочется оставаться там, где он есть, каждый надеется на повышение, потому большинству революционеров нравится лозунг о продолжении и развитии революции.

Эту массу неудовлетворенных революционеров, рвущихся к власти, Гитлеру следовало обуздать... Революционный пыл следовало охладить. Гитлер должен был уничтожить главарей недовольных, ибо если бы они победили, то нашлись бы другие обиженные и требовали бы революцию продолжать дальше. Кто-то этому процессу должен был положить конец.

То же самое происходило и у нас. Потребности людей удовлетворить нельзя. Только удовлетворил одни, возникают другие. Революция завершилась, а толпы ее участников не удовлетворены своим положением. Кто-то к концу Гражданской войны оказался в должности командира дивизии, но хотелось бы быть командиром корпуса... А кто-то завершил командиром корпуса, но заслуживал-то он большего... А кто-то завершил народным комиссаром по военным и морским делам... Но такое положение его явно не удовлетворяло. Его имя — Лев Троцкий. Он объявил, что революция должна продолжаться, революция должна быть перманентной. И все те, кого выдвинул Троцкий, от Тухачевского, Примакова и ниже, сей лозунг с восторгом поддержали.

Один из идеологов червонного казачества Илья Дубинский написал множество книг о червонном казачестве: «Железные бойцы», «Броня советов», «Рейды конницы», «Перелом» и другие. Среди его книг и такая: «Восставшая Индия». Не терпелось червонным казакам-троцкистам ринуться в бой за угнетенную Индию. Своих проблем им не хватало. Все хотелось кому-то помогать, кого-то освобождать. Идеи командиров червонного казачества с идеями Троцкого полностью совпадали. Во всех деталях. То же самое предлагал и Троцкий: сформировать конный корпус и бросить его на помощь восставшим индийским братьям. И товарищ Тухачевский к тому был весьма близок. И Якир.

В деле Тухачевского мы ничего не поймем, если забудем о том, что Тухачевский был выдвинут Лениным и Троцким. Как все троцкисты вообще, а червонные казаки в частности, Тухачевский считал себя обиженным, оттертым и отодвинутым. В борьбе за власть Тухачевский сделал ставку на обиженных...

Сталин должен был однажды сделать с обиженными то, что Гитлер сделал с Ремом и его чрезвычайно революционными последователями.

4

Познакомимся с некоторыми из червонных казаков.

Виталий Примаков. Родился в 1897 году в состоятельной семье. В 1915 году гимназист Примаков достиг призывного возраста, но идти на войну не желал. Нашел оригинальный способ уклониться: начал демонстративное распространение листовок антивоенного содержания. Этот стратег — из пацифистов, как и Дыбенко. При товарище Сталине за такие вещи его бы публично повесили. А зверский царский режим ограничился высылкой гимназиста Примакова в глубокий тыл. В Сибирь. После падения монархии отсидевшийся в тылах Примаков возвращается в ореоле борца и революционера. В октябре 1917 года он командовал одним из отрядов Красной гвардии, штурмовавших Зимний дворец. В январе 1918 года Примаков сформировал полк червонного казачества и возглавил его. Теперь он уже не пацифист. Полк червонного казачества превратился в бригаду, затем — в дивизию, затем — в корпус. Примаков последовательно командовал полком, бригадой, дивизией, 1-м Конным корпусом червонного казачества. «Красная звезда» (1 октября 1988) сообщает: «Был он строг, когда требовалось — беспощаден». Из следующего предложения следует, что, когда не требовалось, тоже был беспощаден: «Был под судом ВЦИК за самочинный расстрел бандитов». Кого наша родная власть относила к числу бандитов, мы знаем. Но чтобы попасть под суд ВЦИК за такие мелочи, следовало в этом деле проявить особую страсть. Примаков проявлял. Родная власть за бесчинные расстрелы борца Примакова простила.

В 1922 году — Генуэзская конференция. Советская Россия попала в весьма скверное положение: мировая революция провалилась, страна в развалинах, надо налаживать, как выражался товарищ Ленин, «мирное сожительство» с буржуями. Ленин считал возможным самому отправиться в Геную с протянутой рукой и просить у буржуев денег. На это червонные казаки Примакова ответили телеграммой: «Товарищ Ленин может ехать в Геную, но только после того, как туда войдет Красная Армия».

После Гражданской войны Примаков занимал ряд командных и дипломатических постов, был командиром корпуса, военным атташе в Афганистане и Японии. В 1930 году, из дальних странствий возвратясь, опубликовал книгу «Афганистан в огне». Идея: момент назрел, промедление смерти подобно, необходима интернациональная помощь братьям по классу, срочно требуется вводить ограниченный контингент, иначе на нас нападут. Голод и смерть миллионов украинских крестьян Примаков считал выдумкой классовых врагов. На сообщения о голоде ответил циклом стихов:

А теперь на просторе
У бескрайнего моря
Вольный труд на степях процветает,
Люд рабочий живет,
Звонко песни поет...

И далее в духе: жить стало лучше, жить стало веселей. Кроме стихов писал книги воспоминаний. Основной мотив: Гражданскую войну выиграли червонные казаки и товарищ Примаков, их командир и гениальный стратег. Трудов по стратегии и тактике Примаков не писал.

В 1935 году комкор Примаков назначен на должность заместителя командующего Ленинградским военным округом. Отношение к себе считал несправедливым. В знак протеста носил не три присвоенных ему ромба, а четыре — знаки различия командарма 2 ранга. С четырьмя ромбами демонстративно появлялся перед Сталиным. Представим ситуацию: некий генерал-полковник смастерил маршальскую звезду, отшлифовал до сверкания, повесил на шею и в таком виде появился перед высшим руководством страны, демонстрируя неудовлетворенность своим положением. Или представим, что полковник пришил себе на штаны генеральские лампасы и явился к вышестоящему командиру: меня обидели, я заслужил большего. Именно так действовал комкор Примаков.

Товарищ Сталин к этим выходкам относился снисходительно. Даже не журил: чем бы дитя ни тешилось...

5

Вот портрет еще одного червонного казака.

Официальная кремлевская пропаганда его описывает так: «Дмитрий Шмидт лихо дрался на фронтах в составе корпуса червонного казачества, после войны командовал в нем дивизией. В двадцатых был активным троцкистом. Бывший партизан, человек отчаянной храбрости, Шмидт придавал мало цены кумирам и авторитетам. Провокационное исключение Троцкого из партии буквально накануне XV съезда привело его в бешенство. Он приехал в Москву и отыскал Сталина где-то в перерыве между заседаниями. Облаченный в черкеску, с папахой на голове, он подошел к генсеку, непотребно выругался и, доставая воображаемую саблю, пригрозил: «Смотри, Коба, уши отрежу!» Сталину пришлось проглотить и это оскорбление» (Рапопорт В. и Алексеев Ю. Измена родине. Лондон, 1989. С. 293).

Эта выходка Шмидта отнюдь не единственная. Прошла она, как и все подобные ей, без последствий. Наоборот, в 1935-м Дмитрий Шмидт получил звание комдива, хотя в тот момент командовал только бригадой.

Илья Дубинский, певец червонного казачества, в 30-х годах командовал 4-й танковой бригадой в Киеве, а Дмитрий Шмидт — соседней 8-й механизированной бригадой. Дубинский рассказывает, как жил пролетарский полководец: «Мне отвели квартиру в доме у Театра Франко, этажом выше жилья Шмидта. Когда-то в этих шикарных квартирах с узорчатым паркетом, лепными потолками, изразцовыми голландскими печами жила киевская знать» (Особый счет. М.: Воениздат, 1989. С. 120). Понятно, этого Шмидту мало. «Он считал себя обиженным» (Там же. С. 208). Тут же рядом, в Вышгороде, находился лагерь, где в палатках жили красноармейцы бригады обиженного Шмидта, в деревянных домиках — командиры. Дубинскому достается деревянный домик. «Эта хибара не шла ни в какое сравнение с бревенчатым обжитым коттеджем Шмидта, где были все удобства — водопровод, балкон на втором этаже и даже свой небольшой тир» (Там же. С. 120). Кстати, куда ни попадает червонный казак Дубинский, везде его обиженные друзья живут широко в самом прямом смысле. Вот он в квартире дивизионного инженера С. Бордовского. Москва. Арбат. «Открыл нам хозяин. Провел в гостиную, которая вполне бы подошла под манеж» (Там же. С. 124). Я ничего не имею против роскошных квартир и летних резиденций с балконом и тиром. Я сам большой любитель больших и красивых квартир. Имейте, товарищи командиры, бассейны и бани в своих квартирах, как любил товарищ Вацетис, имейте садовников и псарей, как имел товарищ Тухачевский, но если имеете, то не надо из себя корчить борцов за всеобщее равенство.

6

Биографии червонных казаков можно продолжать, но картина получится та же самая: это обиженные. Они любили власть и красивую жизнь. Их оттеснили от первых ролей, и они в бессильной злобе творили большие глупости. Для того чтобы махать воображаемой саблей у сталинского носа, материться и обещать отрезать сталинские уши, большого ума не надо. Наоборот, этот случай показывает полное отсутствие ума у обиженного Шмидта. Если можешь отрезать Сталину уши, отрежь. Грозить-то зачем?

А теперь натянем сталинские сапоги, застегнемся на все пуговицы, поправим картуз, разгладим усы, пыхнем трубкой, оценим картину, которая открывается нам с кремлевской колокольни. Идет борьба между Сталиным и Троцким. Это борьба в высших сферах политической власти. Армии в этой ситуации было бы неплохо заниматься своими делами, мощь крепить оборонную, а в сферы политические носа не совать. Хочешь, товарищ Шмидт, быть политиком? Будь. Но тогда срежь петлицы с ромбами, сдай бригаду и включайся в политическую борьбу. А если хочешь бригадой командовать, командуй, но не лезь в политику.

Сталин ведет свою линию, никому не угрожает, а Сталину угрожает обиженный командир 8-й мехбригады. Угрожает публично, публично оскорбляет. Шмидт угрожает верховному правителю России, который во время войны будет Верховным Главнокомандующим. Командир бригады угрожает в мирное время. А что будет в военное? Что будет в обстановке кризиса и паники? Что тогда обиженный Шмидт себе позволит? И кто за его спиной?

7

За спиной червонца Д. Шмидта — Якир и Тухачевский.

Вот приемная командарма 1 ранга И.Э. Якира, командующего самым мощным в Советском Союзе Киевским военным округом. «В приемную вошел Шмидт, в высоких охотничьих сапогах, штатской куртке до колен, в зеленоватой фетровой шляпе» (Особый счет. С. 101). Может быть, я испорчен временем, в котором мне выпало служить, но в мои годы командир бригады в шляпе с фазаньим пером не смел войти не то что в приемную командующего округом, но в таком виде постеснялся бы появиться вблизи штаба округа. Тем более — в рабочее время. И командир дивизии на такое не решился бы. И командир корпуса. И даже командующий армией такого себе не позволил бы. Не слишком ли командарм 1 ранга Якир распустил своих любимых червонных казаков? И не наступило ли время в предвидении грядущей войны слегка подкрутить гайки? И не слишком ли дружеские отношения между командармом 1 ранга Якиром и командиром 8-й мехбригады, который публично грозил Сталину отрезать уши?

Или вот в Москве командир бригады Д. Шмидт побывал на приеме у наркома обороны Ворошилова. Понятное дело, поругались. Ругаться обиженному комбригу с наркомом обороны — дело привычное. Шмидт выходит из высокого кабинета, навстречу Маршал Советского Союза М.Н. Тухачевский: «Что, Митя, не любит вас Нарком? Не горюйте, он и меня не терпит» (Там же. С. 102).

Маршал Советского Союза Тухачевский называет командира бригады Митей. Не слишком ли? Маршал Советского Союза прямо в коридоре Наркомата обороны жалуется, что его не любит вышестоящий начальник. Маршал Советского Союза жалуется на горькую судьбу своему подчиненному, который отделен от него многими ступенями служебной лестницы: знаете, Митя, меня тут не любят. Ах, бедный я!

Обиженные червонные казаки желали сладкой жизни и власти для себя, а власти над собой не признавали и подчиняться никому не хотели. Сталин, как будущий Верховный Главнокомандующий, не мог допустить существования сверхмощных враждующих непокорных кланов в своей армии. Потому, готовя войну, Сталин разгромил червонных казаков, которые разлагали Красную Армию непомерными претензиями, откровенным неповиновением и хулиганством.

Тухачевский сам записался в число обиженных. Тухачевский сам пошел на сближение с теми, кто лез указывать Сталину политическую линию. Тухачевский сам полез в дружбу с теми, кто угрожал Сталину. Тухачевский сам установил с обиженными отношения типа «вась-вась» и «мить-мить».

И тем сам себе подписал приговор.

Но была и более серьезная причина разгрома червонцев.

Глава 9

ЧТО ТАКОЕ ПАРТИЗАНЩИНА, ИЛИ КАК ЯША ОХОТНИКОВ ОХРАНЯЛ ТОВАРИЩА СТАЛИНА

Большим счастьем для России было то, что в годы тяжелых испытаний ее возглавлял такой гений и непоколебимый полководец, как Иосиф Сталин.

Сталин был человеком необыкновенной энергии, эрудиции и несгибаемой воли, резким, жестким, беспощадным как в деле, так и в беседе, которому даже я, воспитанный в британском парламенте, не мог ничего противопоставить.

У. Черчилль

1

В 1927 году борьба между Сталиным и Троцким достигла высшего накала. Сталин создал аппарат власти и управления страной, Сталин опирался на этот аппарат. Троцкий своей славой базы создать не сумел, он опирался на былую славу, громкие лозунги и немногочисленные шайки приверженцев.

По существу, борьба шла не между двумя лидерами, но между двумя тенденциями развития социализма.

Троцкий был явным марксистом, он требовал социализма чисто марксистского, то есть казарменного. Троцкий требовал действовать так, как записано в Марксовом «Манифесте коммунистической партии»: создать трудовые армии. Троцкий требовал милитаризации труда. Труд должен был стать принудительным, главные рычаги и стимулы — приказы и наказания. Центральное требование марксизма: разделить людей на классы — на повелителей, которых никто не выбирает, и угнетенных. Именно этого и хотел Троцкий, он требовал открытого рабства: вы будете работать, я буду командовать.

Троцкий требовал полного закабаления народа в трудовые армии. Разница с крепостным правом в том, что мужик работал часть времени на помещика, часть времени — на себя, а в марксистско-троцкистских трудовых армиях замышлялся труд только на повелителей. Крепостной мог от помещика откупиться, а троцкисты такую возможность стремились не допустить путем полной отмены частной собственности и денег.

2

Итак, в 20-х годах в смертельной схватке сцепились две силы: сторонники рабовладельческого казарменного марксизма во главе с

Троцким и сторонники более мягкого социализма во главе со Сталиным.

Понятно, что симпатии страны были на стороне Сталина. Кому хочется быть рабом марксистской трудовой армии и бездумно выполнять приказы надсмотрщиков, которых назначит Троцкий по своему хотению?

1927 год — десятая годовщина Октябрьского переворота. Кстати, именно в этот год был придуман и впервые использован термин «Великая Октябрьская социалистическая революция». До 1927 года события октября 1917 года официально именовались переворотом.

В преддверии десятой годовщины страсти накалялись. Шустрый Эйзенштейн снимал фильм про штурм Зимнего дворца, которого не было. Потом десятилетиями коммунисты во всем мире эйзенштейновскую туфту крутили вроде бы как кинохронику. Маяковский строчил поэму «Хорошо!». Троцкий доказывал, что это он все организовал и всех победил и теперь он-то и должен быть вождем. Во всех городах и селениях готовились торжества. Самое главное — на Красной площади: военный парад и грандиозная многомиллионная демонстрация. Должны были выступить и троцкисты. Сейчас мы знаем, что случилось в тот день. Но тогда можно было ожидать чего угодно, от уличных демонстраций воинствующих любителей Троцкого до покушения на вождей, от столкновений с хулиганствующими толпами троцкистов до государственного переворота.

Были приняты дополнительные меры безопасности — вождей охраняли не только их охранники, но и слушатели военных академий.

Для усиления охраны Сталина была выбрана лучшая военная академия страны — Военная академия им. Фрунзе. Начальник академии Эйдеман выбрал тройку самых достойных. Среди них был Яков Охотников.

Дальше случилось вот что.

3

Если о преступлении расскажет преступник, то это будет одна история. А если расскажет потерпевший, то это будет совсем другая история. Чтобы меня не заподозрили в предвзятости, историю эту рассказываю не своими словами, а цитирую историков, которые всей душой любят Троцкого, любят бюрократию, которую насаждал Троцкий, любят трудовые армии, любят казармы и нары для всего населения страны, любят рабство.

Правда, сами они солдатами трудовых армий быть не желают.

Итак, книга «Измена родине» В. Рапопорта и Ю. Алексеева (С. 292): «Утром праздничного дня начальник Академии им. Фрунзе Р.П. Эйдеман вручил трем своим питомцам специальные пропуска и приказал немедля отправиться на задание. Слушатели — вместе с Охотниковым были отобраны Владимир Петенко и Аркадий Геллер — со всех ног кинулись на Красную площадь. На территорию Кремля они проникли беспрепятственно, но у деревянной калитки туннеля, ведущего на трибуну Мавзолея, вышла заминка. Охранник-грузин отказался их пропустить. Горячие парни, участники Гражданской, не спасовали перед наглостью чекиста. Они отшвырнули его, сломав при этом калитку, и бросились вперед. Через несколько секунд они были за спинами стоявших на трибуне. Охрана накинулась на новоприбывших. Вырвавшийся Охотников подскочил к Сталину, которого счел виновником этой провокационной неразберихи, и кулаком ударил его по затылку... Эйдеману удалось замять это дело».

4

Начнем с Роберта Петровича Эйдемана.

Начальник Военной академии им. Фрунзе получил приказ вышестоящей инстанции выделить трех слушателей академии для выполнения ответственной задачи. Эйдеман был обязан не только выбрать действительно лучших, но и проинструктировать их: «Ребята, вам выпала почетная задача охранять человека, который возглавляет нашу страну. Так вы уж его не бейте. А если и будете бить, так хоть — в лицо: бить человека в затылок, тем более внезапно, — большая подлость».

Заставь дурака Богу молиться, он и лоб расшибет. Охотникова послали охранять Сталина. Охотников так охранял Сталина, что расшиб ему затылок.

В рассказе Рапопорта и Алексеева не все сходится.

Во-первых, незадачливые охранники опоздали: вожди давно на трибуне, а они только бегут. Реакция кремлевской охраны понятна: обойдемся без вас, товарищи разгильдяи, приходить надо раньше.

Во-вторых, Рапопорт и Алексеев что-то путают. Причем — преднамеренно. Если бы за спиной Сталина была потасовка, то Сталин на шум и возню повернулся бы лицом. Но Охотников бил Сталина в затылок, то есть приблизился к Сталину незамеченным и нанес удар внезапно.

Ничего, кроме подлости и глупости, в этом поступке усмотреть невозможно. Допустим, что Яков Охотников был марксистом-троцкистом, он хотел всех людей загнать в трудовые армии, а самому быть рабовладельцем. Понятно, что Сталин этому мешал, и Охотников его за это ненавидел. В этом случае Охотников должен был против Сталина бороться. С оружием в руках. Но у Охотникова для этого нет ни ума, ни храбрости. Его ярость несостоявшегося рабовладельца воплощается в предательский удар кулаком в затылок. Для такого действия ума не надо. Нужно только слепое безумие.

5

Летом 1969 года в 145-м гвардейском учебном мотострелковом полку 66-й гвардейской учебной мотострелковой дивизии Прикарпатского военного округа — чрезвычайное происшествие: часовой убил человека, убил короткой очередью — две пули. Место действия — Западная Украина, Черновцы-25. Склады за городом, в Садгоре. Ситуация предельно простая: огромная территория военных складов, все обнесено колючей проволокой, ночь, фонарики качаются. Мимо — тропинка. Глухонемой решил не идти в обход, а сократить свой путь, срезать уголок. Поднырнул под колючую проволоку... Тут его и достала короткая очередь. Путь он себе сократил.

Немедленно нагрянули следователи военной прокуратуры, судебная экспертиза и прочие, кто в таких случаях незамедлительно появляется. Первый вопрос: сколько было всего выстрелов? Ответ: три. Ничего скрыть невозможно: у часового, как положено, было 60 патронов, осталось 57, а вот три стреляные гильзы. Извернуться невозможно: заступая в караул, мы получали особые караульные патроны. В отличие от обыкновенных, которые наша дивизия жгла миллионами, караульные патроны имели совершенно особую серию на донышках гильз, а сами гильзы были окрашены. Обыкновенные патроны мы тратили десятками тысяч ящиков, гильзы со Стороженецкого полигона вывозили самосвалами, но пропажа одного зелененького караульного патрона вскрывалась немедленно — их каждый день принимали и сдавали под расписку, и найти где-то на стороне такой патрончик было невозможно. Поэтому ни один случай стрельбы в караулах замять не выходило. Скрыть один, пусть даже случайный, выстрел в карауле не получалось.

С гильзами следователи разобрались сразу, и картина прояснилась. Еще надо найти пули. Из трех нашли две. Теперь главный вопрос: это те самые, которые прошили человека насквозь? Те самые. А есть ли на них нагар? Нагар есть. Все. После этого — деликатный момент распределения персональной ответственности и раздачи слонов.

Командир дивизии генерал-майор Нильга в приказе по дивизии объявляет благодарность начальнику караула и разводящему, который выставил часового на пост. Сам часовой получил то, о чем курсант учебной дивизии мечтать не имеет права, — благодарность командира дивизии и десять суток отпуска, не считая дороги домой и обратно.

А почему так?

6

А потому что часовой — лицо неприкосновенное.

Неприкосновенность часового заключается:

— в особой охране законом его прав и личного достоинства;

— в подчинении часового строго ограниченному кругу лиц: начальнику караула, помощнику начальника караула и своему разводящему;

— в обязанности всех лиц беспрекословно выполнять требования часового, определяемые его службой;

— в предоставлении ему права применять оружие в случаях, предусмотренных уставом.

Наш часовой действовал точно, правильно и решительно: «Стой, кто идет?», «Стой, стрелять буду!», предупредительный выстрел вверх, а после...

Следствию невозможно определить, были ли два предупредительных окрика. Но был ли предупредительный выстрел? Он был. Две пули прошили человека, и их найти легко: вот положение часового, вот положение трупа, по двум точкам определяют направление стрельбы и пули находят. А вот одну пулю не нашли. Это свидетельство того, что ее часовой послал вверх. Пуля по наклонной траектории могла подняться на километр и улететь весьма далеко. Ее не найдешь. Но вот вопрос: может быть, часовой сначала убил человека короткой очередью, а уж потом выстрелил в воздух? Именно для ответа на этот вопрос и были исследованы пули. Дело вот в чем. Подготовку взвода, заступающего в караул, проводит командир роты. Один из основных элементов подготовки — проверка состояния оружия: оно должно быть чистым. Далее прибывает командир взвода, который заступает начальником караула. Он сам лично проверяет готовность, в том числе и готовность оружия. Далее на разводе оружие проверяет заступающий дежурный по полку или дежурный по караулам. С грязным оружием вас в караул просто не пустят.

После убийства человека экспертиза проверяет пули. Первая пуля — чистая. Остальные — в нагаре.

Первая чистая пуля должна быть предупредительной. Она не должна прошить человека. Если одна из пуль, убивших человека, чистая, значит, солдат пойдет под трибунал.

Если же, как в нашем случае, все убившие человека пули несут на себе пороховой нагар, значит, им предшествовал предупредительный выстрел. Значит, солдат действовал правильно. Значит, его следует поощрить за бдительность, за решительность, за знание устава и точное соблюдение его требований.

Возражают: но ведь глухонемой не слышал и не мог слышать ни предупредительных криков часового, ни предупредительного выстрела. Правильно. Но была освещенная колючая проволока и надпись: «Стой! Запретная зона». Никаких оговорок, никаких скидок устав не делает ни слепым, ни глухим, ни пьяным, ни сумасшедшим. В том и состоит первая гарантия неприкосновенности часового, что закон особо защищает его личность и его действия, если эти действия соответствовали статьям Устава гарнизонной и караульной службы.

Во все времена часовой находился на особом положении, и не поверим тем, кто утверждает, что неприкосновенность часового введена у нас Артикулами Петра. Нет, неприкосновенность часового у нас признавалась и до Петра, и не только в традиции, но и в письменных уложениях.

А теперь вернемся в Москву 1927 года.

7

Что делать военнослужащему, которого командир отправил в вышестоящую инстанцию, все равно в какую — в Кремль или в штаб батальона, — а его туда не пустили? Все просто. Надо засвидетельствовать свое прибытие в заданное место в заданное время: я тут был, и именно в то время, в которое мне предписали тут быть. После этого надо связаться со своим командиром и доложить: приказ выполнить не могу, так как меня сюда не пускают. Вот и все: я сделал, что мне приказали, остальное от меня не зависит.

В нашей стране каждый день миллионы людей проходят на охраняемые объекты, и случается, что кого-то не пускают. Часто случается. Представим себе, что это нас вахтер не пустил на завод. Раз не пустил, значит, есть на то причина: пропуск не в полном порядке, или какое-то у него подозрение возникло, или в долгой цепочке подчиненности сбой где-то. Кто-то кого-то не предупредил, и ему просто не велено нас пускать. И что же? Бросимся бить вахтеру морду? Выломаем дверь проходной и прорвемся силой? А еще давайте выследим министра соответствующей промышленности, подкрадемся и хрястнем его кулаком по загривку. Чтоб с копыт!

Рапопорт и Алексеев считают поведение кремлевского охранника наглостью. Раз Охотникова не пропустил, значит наглец. А кто он такой, этот Охотников? За какие заслуги его пропускать должны? Если у часового есть хоть малейшее сомнение, он обязан не пропустить. В сентябре 1941 года, когда решалась судьба Ленинграда, когда счет шел на часы и минуты, солдат-часовой не пропустил в штаб Ленинградского фронта прибывшего из Москвы нового командующего фронтом, члена Ставки ВГК генерала армии Г.К. Жукова. И часовой был прав. И будь Жуков хоть кем, имей любое звание, часовой все равно ему не подчинен и не имеет права выполнять ничьих приказов и распоряжений, кроме трех лиц: начальника караула, его помощника и своего разводящего. Подчеркиваю: своего. Другой разводящий из того же караула часовому приказать не имеет права. И что же должен был делать генерал армии Г.К. Жуков? Ломать дверь штаба фронта? Прорываться, оттолкнув часового? Это было бы нападением на пост, и часовой в этом случае был бы обязан Жукова пристрелить. Понятно, такого не случилось, ибо Жуков понимал, что часовой прав. Жуков понимал, что он не имеет власти над часовым. Даже имея по пять звезд в петлицах, все равно он часовому не указ. Даже имея в кармане бумагу, подписанную Сталиным, о том, что отныне он командует фронтом, все равно даже в штабе своего фронта Жуков не имел власти над часовым и на него не бросался.

8

Нападение на Сталина 7 ноября 1927 года показывает нам, до какой степени Сталин не дорожил своей жизнью, как мало внимания уделял своей безопасности. Любой сумасшедший мог беспрепятственно прорваться прямо на Мавзолей и бить его в затылок.

Яков Охотников явно не контролировал своих действий. Если бы в его руках оказался нож или пистолет, то случилось бы непоправимое. Нам трудно представить, что случилось бы с нашей страной, с Европой и миром, если бы Сталин был убит и его место заняли бы маньяки: Троцкий, Бухарин, Тухачевский и прочие. О том, что ждало Россию, мы можем судить по поведению того же Яши Охотникова: слушателя академии не пустили на Мавзолей — и сразу часовому в морду, а Сталина кулаком в затылок! Не разбираясь. Он по положению на сто этажей ниже Сталина, а если такой заберется повыше, что он себе позволять будет? И дружки у него такие же.

На крутых поворотах истории России почти всегда везло. В декабре 1825 года отупевшие от разврата и пьянства декабристы ринулись захватывать власть с кличем: первый нож на бояр и вельмож, второй нож — на попов и святош и, молитву творя, третий нож — на царя. И Русь звали к известному предмету. А уж у нас только позови. Любителей много найдется. Во Франции якобинцы шли к власти под лозунгом отмены смертной казни, но дорвались до власти и залили Францию кровью публично отрезаемых голов. И большевики шли к власти под лозунгом отмены смертной казни. А потом известно, что было. А декабристы шли к власти, провозгласив цель: отрежем головы царю, царской семье, купечеству, дворянству, духовенству. Если они еще до захвата власти объявляли о своем стремлении залить Россию кровью, то уж залили бы. Ну а там бы еще кое-кто под тот нож попал. Да и самим господам декабристам та же участь улыбалась. И не могло быть иначе. Каждый из них видел свой путь к счастью. Одни конституционную монархию учредить намеревались, только никак меж собой согласия не находили, кому монархом быть. Другие хотели республику, только и у них согласия в кадровом вопросе не было. Дорвавшись до власти, они бы неизбежно начали резать друг друга. Как резали якобинцы. Как резали большевики. Но в 1825 году России повезло, нашлись добрые люди, проявили гуманизм — шарахнули по одуревшим декабристам картечью, и те разбежались. Жаль, что в 1917 году не нашлось добрых людей по Ленину и Троцкому шрапнелью врезать... Не повезло нам на том повороте истории. А в 1927 году России, Европе и миру крупно повезло. В руках Охотникова не оказалось оружия. А ведь невозможно представить, что было бы, если бы Сталин был убит, если бы самое мягкое направление социализма было задавлено зверским марксизмом Троцкого, Бухарина, Тухачевского. Их власть затмила бы все, что нам известно о Гитлере и Пол Поте.

Но пронесло.

9

Происшествие на Красной площади показывает нам, как слабо была организована охрана Сталина. Охотников и его друзья отпихнули часового, сломали калитку и ринулись на охраняемый объект... Как такие действия квалифицировать? Нападение на пост. Это именно та ситуация, в которой часовой на посту не просто имеет право — он обязан применить оружие, причем без предупреждения. Нападение на часового, прорыв на охраняемый объект — это преступление.

Любой солдат-первогодка, заступая в караул через неделю после присяги, знает, что нападение на пост должно быть отбито силой оружия, что преступники, осмелившиеся на такое злодеяние, заслуживают смерти без суда и должны быть убиты на месте. Не имеет значения, что именно охраняет солдат: штаб полка или склад с сапогами. Если его выставили на пост, значит, тут есть что охранять, а далее он подчиняется уставу.

Как же получилось, что охранник на самом главном посту страны не перестрелял троих проходимцев, которые прорывались к высшему руководству страны? А если это иностранные наемники с задачей уничтожения правительства? А если это троцкистские террористы совершают государственный переворот? Кто же поставил такого болвана на пост? Кто его инструктировал? Ясно, что часовой заслуживает смерти, но кто готовил его? И кто за его спиной? Кому выгодно такое разгильдяйское отношение к несению караульной службы?

Ранее в списках расстрелянных мы видели людей, занимавших должность коменданта Кремля. Теперь-то мы понимаем, что их расстреляли вовсе не зря. Если они так относились к своим обязанностям, если проявляли преступную халатность, то учить их можно было только расстрелом.

10

Удивительно поведение начальника Военной академии им. Фрунзе товарища Эйдемана: ему удалось замять... Ах какой добрый! Не о Сталине речь, а о нападении на часового. Потому следовало построить академию, вывести на плац трех связанных мерзавцев. Эйдеман был обязан появиться перед строем на взмыленном вороном жеребце, рассказать академии о случившемся, вынести шашку из ножен и изрубить подлецов в капусту. Он должен был рассуждать так: пусть объявят мне выговор за превышение власти, но держать уголовных преступников, заслуживающих смерти, я в своей академии не буду. Круто? Да нет же. Охотников и такие, как он, другого языка не понимали. Часовой на посту перед ними ни в чем не виноват. А они ему — в морду! Не разбираясь. Часовой — государственный человек, которого особо охраняет закон. А им на закон плевать. Даже если часовой и не прав, любой, тем более военнослужащий, обязан требования часового выполнять. Разбираться с часовым никто тоже права не имеет — разбирайся с начальником караула. А от часового отойди немедленно, если он сказал, что не пустит, не отвлекай часового от выполнения его обязанностей. Да часовой и права не имеет ни с кем разговаривать: «Стой! Назад!» — и никаких лишних слов.

Охотников часового, который ни в чем не виноват, избивает. Охотников и на Сталина бросается, который тоже ни в чем не виноват: Сталин часового на пост не выставлял, и часовой в данной ситуации не подчинен даже и Сталину. Но невиновному Сталину — по шее.

Как же в этом случае разговаривать с уголовным и военным преступником Охотниковым, который виноват в нападении на пост и в нападении на верховного правителя страны?

Охотников лупит всех направо и налево, не разбираясь, вопросов не задавая. Чуть что — и в морду. Или в загривок. Так отчего же такого нельзя стукнуть, разобравшись с его гнусными преступлениями?

11

Во время Гражданской войны руководство страны боролось с явлением, которое называли партизанщиной. Я долго не мог понять, почему в этот термин вкладывают негативный смысл. Почему с партизанщиной надо бороться?

А ларчик просто открывается. Дело в том, что смысл слов у нас был искажен. У нас все называлось не своими именами. Не о партизанщине речь, а о бандитизме. Красная Армия вырастала из мелких и крупных банд, главари которых не хотели никому подчиняться. Привести их к послушанию, заставить повиноваться — вот задача, которую Сталин поставил перед собой и блистательно ее разрешил.

Яков Охотников и его два дружка — типичные представители разнузданной партизанщины, то есть бандитизма. Они — слушатели военной академии, но они не хотят учиться, они ничего не знают об армии, они не знают даже того, что должен знать любой солдат-первогодка, только что завершивший курс молодого бойца. Если это лучшие слушатели лучшей академии, то что собой представляют худшие? И чем занимается начальник академии? Он не занимается ничем. И зачем он такой нужен? И кому нужны выпускники такой академии?

1937 год — это борьба Сталина с бандитизмом и неповиновением в армии. Можете назвать это борьбой с партизанщиной.

До 1937 года Сталин не мог серьезно заняться этой проблемой. Было много других проблем. И пока Сталин не занялся лично наведением порядка в академиях, они попросту выпускали брак, штамповали полуграмотных и вовсе безграмотных командиров, для которых учеба в академии была просто отдыхом.

Говорят, что во время очищения истребили многих командиров с академическим образованием, а на их место пришли те, кто образования не имел. Правильно сказано. Но это академическое образование ничего не стоило. Слушатели Военной академии им. Фрунзе, которых готовил Тухачевский, затем Эйдеман, затем Корк, по уровню подготовки были на уровне Охотникова, а может быть, и еще ниже.

Таких не жалко.

12

Но при чем тут Тухачевский? При чем тут Якир?

А вот при чем.

Военная академия им. Фрунзе в те славные годы подчинялась непосредственно начальнику Штаба РККА Тухачевскому.

Эйдеман был обязан доложить о случившемся Тухачевскому. А Тухачевский был обязан разобраться и действовать.

Как непосредственный начальник, Тухачевский должен был задать вопросы. Много вопросов. Было нападение на часового. Чем оно завершилось? Какое наказание понесли преступники? Кто направил преступников в лучшую академию страны? Кто и почему выбрал именно их для выполнения ответственной правительственной задачи?

А что сделал Тухачевский? Он не сделал ничего. В подчиненных ему структурах творятся государственные и военные преступления, а он об этом не знает или не хочет знать.

А при чем тут Якир?

Якир при том, что Яков Охотников был его адъютантом, самым близким человеком, исполнителем самых тайных поручений Якира. По рекомендации Якира Охотников и попал в академию.

И тут выстраивалась весьма странная цепочка фактов. Якир был ярым сталинцем. На словах. Даже слишком ярым.

А на деле... Близкий друг Якира, его доверенное лицо, комдив Шмидт публично оскорбляет Сталина, кроет его матом и обещает отрезать сталинские уши. Адъютант Якира, самое доверенное лицо, наносит Сталину внезапный удар кулаком в затылок. А как поведут себя подчиненные Якира в критической ситуации? Во время войны?

Нужно удивляться сталинской выдержке.

Сталин не требовал, чтобы Якова Охотникова наказали. Сталин просто смотрел на своих подчиненных и ждал их реакции на случившееся. А те не реагировали. Напали трое на часового — и ничего. Бывает. Кто-то стукнул Сталина по голове. Тоже бывает. Служи, Яша Охотников. Эйдеман, Якир, Тухачевский дело замяли. Эйдеман, Якир, Тухачевский сделали вид, что ничего не случилось.

Прошел год, все забылось.

Эйдеман, Якир, Тухачевский двинули Якова Охотникова на повышение. Хороший человек, погорячился однажды, с кем не бывает.

Сталин тоже молчал. Пока.

Но судьба Эйдемана, Якира и Тухачевского была решена. Они насаждали в армии бандитизм, а такие люди стране и армии были не нужны. Армию надо было очищать от этой грязи. Но в тот момент у Сталина еще не было возможности наводить в армии порядок.

Про Якова Охотникова товарищ Сталин вспомнил через восемь лет.

Глава 10

БЫЛ ЛИ КОМАНДАРМ ЯКИР ВРАГОМ НАРОДА?

В России... наш успех еще значительнее. Мы там имеем... центральный комитет террористов.

К. Маркс. Письмо Ф.А. Зорге.
5 ноября 1880 года

1

27 мая 1937 года член Центрального Комитета ВКП(б), командующий войсками Киевского военного округа командарм 1 ранга Иона Эммануилович Якир получил срочный вызов в Москву. В те времена вожди такого калибра передвигались по стране в своих собственных поездах или вагонах. Это удобно. В любом уголке страны с вами всегда кусочек вашего дома, вы всегда окружены милыми вашему сердцу вещицами, любимыми книгами, с вами всегда не какой-то посторонний, а ваш личный врач, который за много лет изучил ваши недуги. С вами всегда ваш самый любимый повар, который знает ваши вкусы и умеет угодить. Не надо объяснять какому-то, пусть даже и кремлевскому, парикмахеру ваше понимание красоты: в дорогу с собой вы можете

взять лучшего из ваших персональных парикмахеров. Коммунистический переворот отменил прислугу. Прислуги у коммунистов не было. Была обслуга. Так вот, побеждая просторы бесконечной страны в привычном уюте собственного вагона или поезда, вы имеете рядом свою, вами лично отобранную и вами вышколенную, обслугу и охрану...

Далеко за полночь курьерский поезд «Киев — Москва» остановился в соответствии с расписанием в Брянске. Стоянка десять минут. За это время персональный вагон командарма 1 ранга И.Э. Якира осторожно отцепили от курьерского поезда и прицепили к маневренному паровозу. Это не такая простая операция, как может показаться. На остановках из начальственных вагонов на обе стороны спускается охрана — к сцепным устройствам кого ни попадя не подпустят. Однако отцепили вагон без шума и без стрельбы. Маневренный паровоз подхватил персональный вагон и погнал в тупик. В вагон вошли товарищи в сером, предъявили документы охране и проводникам. Дверь в спальню командарма была осторожно открыта. Один из пришедших извлек пистолет из-под подушки спящего. (Эта деталь меня всегда поражала: «полки стальные краснозвездные народу счастье принесли» — и вот в осчастливленной стране пролетарские полководцы, любимцы народа, спят в бронированных вагонах, под бдительной охраной телохранителей, с пистолетами под подушкой. Как урки.)

Теперь командарму плеснули светом фонаря в очи и, не дав возможности их протереть, объявили: «Вы арестованы!» Гражданин Якир был высажен из вагона, водворен в черный автомобиль и доставлен куда следует. Якира судили в группе Тухачевского. 11 июня 1937 года его, как и всех в группе, приговорили к высшей мере. На следующий день приговор привели в исполнение.

На следующий день — это сильно сказано: приговор объявили в 23 часа 35 минут. Пока приговор читали, наступила полночь, сутки сменились, потому впечатление такое, что вроде им после приговора еще по целому дню жизни подарили. Вовсе нет. Зачем тянуть? От ареста до приговора — две недели. А исполнение — немедленно.

2

Через четверть века Председатель КГБ Александр Шелепин доложил XXII съезду партии, что, находясь под следствием, Якир написал письмо Сталину: «Я умру со словами любви к Вам». На этом письме Сталин начертал резолюцию: «Подлец и проститутка». Ворошилов добавил: «Совершенно точное определение». Молотов под этим подписался. А Каганович приписал: «Предателю, сволочи и (далее следует нецензурное слово) одна кара — смертная казнь».

Насколько мне удалось установить, нецензурное слово тоже означало проститутку, но не профессиональную, а любительницу.

И загремело с того дня над миром: подлец и проститутка, совершенно точное определение, подлец и проститутка, совершенно точное...

Тогда, во время XXII съезда партии, наш батальон был в Москве. Подготовка к параду. Пресня. Военно-пересыльный пункт — ВПП. Это прямо возле тюрьмы. На ВПП — мы, воронежские кадеты, рядом — ленинградские нахимозы. Их тоже батальон. А тренировки — на Центральном аэродроме. Прямо под пустыми окнами возводимого Аквариума. Тренировки — по полтора месяца перед каждым парадом. Четыре часа в день. И по четыре часа уроков, по два часа самоподготовки. А по выходным — Третьяковка, Алмазный фонд, Большой театр, Дом-музей Горького... Там было от чего ошалеть. Если так жил пролетарский писатель, то как же жили его покровители, марксистские вожди?

И был визит к самим усопшим вождям. Так выпало, что в Мавзолее Ленина — Сталина мы были последними посетителями. После нас Мавзолей закрыли на несколько дней. А потом во время ночной тренировки на Красной площади весь ритм парадной подготовки нарушился. Множество войск держали в прилегающих улицах, затягивая начало ночного парада. А наутро объявили, что Сталина вынесли... Мир тесен. Всегда кто-то находится с самым важным.

3

Та осень XXII съезда была для нас временем открытий. В те дни мы читали «Комсомолочку» до последней строчки. Мы слушали радио разинув рты. А там такое рассказывали... Подумать только: «Подлец и проститутка!» Оказывается, гений всех времен и народов, вождь мирового пролетариата выражался тем же слогом, что и охранники Пресненской тюрьмы. С того времени, когда кто-то из нас получал новую кличку, все хором подтверждали: «Совершенно точное определение!».

Тогда, во время съезда, зазвучали неизвестные нам имена загубленных вождей и стратегов. Надо сказать, что имена в память врезались быстро и навсегда: Путна и Стучка, Подлас и Тухачевский, Бухарин и Алкснис, Уборевич, Дубовой, Дыбенко и, конечно, — Блюхер.

И непонятно было: почему среди всех этих врагов народа один только Якир заслужил столь хлесткое определение Сталина? Почему именно он подлец и проститутка?

4

Иона Якир родился в 1896 году в Кишиневе. Недоучившийся студент. Во время Первой мировой войны от мобилизации на фронт уклонился — через полезные знакомства устроился на военный завод, а рабочих военных заводов на фронт не брали. Это еще один стратег из породы пацифистов. После Февральской революции, когда революционная деятельность больше не преследовалась, решил стать революционером. Не имея никакого стажа работы в подполье и никаких заслуг в свержении монархии, сразу попадает на руководящие посты в Бессарабский губревком, Одесский губпартком, а потом начинается самое интересное...

Товарищ Ленин весьма ценил свою жизнь. И кому ни попадя ее не доверял. Свою жизнь Ленин крепко берег. Если бы не сифилис, так долго бы прожил, охрана у него была крепкая. Красная пропаганда сообщила, что в охране Ленина было всего лишь четыре человека. Но пропаганда забыла про кремлевских курсантов. А они своей ролью охранников вождя зело гордятся. И дивизия им. Дзержинского, которая ведет свою историю от бронеотряда им. Свердлова, гордится ролью ленинских охранников. И латышские стрелки. Все десять полнокровных полков. Но больше всего гордятся китайцы. И есть на то причина. Самый первый круг охраны Ленина — 70 китайских телохранителей. Сведения об этом печатались не только в Китае, но и Советском Союзе. Источник: Пын Мин. «История китайско-советской дружбы» (М. 1959). Китайцы охраняли и товарища Троцкого. И Бухарина. Но теперь этим не принято гордиться.

А при чем тут товарищ Якир? А при том, что он идею подал. Якир был первым организатором китайских частей в Красной Армии. В разгар Гражданской войны в Красной Армии числилось более 40 000 китайских наемников. Первым командиром самого первого китайского батальона был Иона Якир. Это он Ленину и Троцкому пример показал.

5

В Гражданской войне побеждал тот, кто проявлял больше жестокости. Имея под командованием китайский батальон, Якир мог не беспокоиться за свою карьеру. Китайцы обеспечивали ему необходимый уровень изуверства с избытком. Книга Якира «Воспоминания о Гражданской войне» (М.: Воениздат, 1957) с первой строки начинается признанием: «Я никогда военным человеком не был, да и ничего раньше в военном деле не понимал». И тут же — о китайцах, которыми он командовал. Якир не сообщает, чем эти китайцы занимались, но проговаривается о стимулах. «На жалованье китайцы очень серьезно смотрели. Жизнь легко отдавали, а плати вовремя и корми хорошо. Да, вот так. Приходят это ко мне их уполномоченные и говорят, что их нанималось 530 человек и, значит, за всех я и должен платить. А скольких нет, то ничего — остаток денег, что на них причитается, они промеж всеми поделят.

Долго я с ними толковал, убеждал, что неладно это, не по-нашему. Все же они свое получили. Другой довод привели — нам, говорят, в Китай семьям убитых посылать надо. Много хорошего было у нас с ними в долгом многострадальном пути через всю Украину, весь Дон, на Воронежскую губернию» (С. 13).

В этой фразе обратим внимание на слово «нанимались». Нам рассказывали про советско-китайскую дружбу, про воинов-интернационалистов, про бескорыстное служение. Одно только слово «нанимались» все эти сказки опровергает.

Речь — о наемниках.

Обратим внимание и вот на какой штрих: Якир говорит, что сам лично должен был платить китайским «добровольцам». Не какие-то финансовые структуры, не вышестоящие инстанции — он сам нанял 500 китайцев, он сам их содержит и хорошо кормит.

Иначе и быть не могло. Якир начинал свой боевой путь в Бессарабии, за Днестром. Никакой связи с центральной властью у него не было, и никаких средств из центра он получать не мог. Потому Якир мог брать деньги только из собственной тумбочки.

Вместительная была тумбочка у студента-недоучки.

Может ли сегодня какой-нибудь уголовный авторитет содержать банду китайских головорезов численностью в 530 стволов? Я таких примеров не знаю.

А Якир ухитрялся.

Еще момент. Китайцы требуют, чтобы Якир платил жалованье всем, кто к нему нанимался, в том числе и убитым. Они семьям убитых посылать будут. Во время Гражданской войны? Во время всеобщей анархии и резни? Из Одессы в провинцию Сычуань? Иероглифами адрес напишут, в конверт денежки запечатают и — в почтовый ящик? Но товарищ Якир добрый. Семьям убитых надо помочь. И платит жалованье убитым.

Китайцы Якиру привели аргументы, которые друг друга исключают:

а) мы деньги убитых меж собой поделим;

б) мы деньги в Китай отправим семьям убитых...

Товарищ Якир с аргументами соглашается. Жалованье платит. И хорошо кормит. Лишь бы революционеры-интернационалисты были довольны и сыты.

Опыт Якира был незамедлительно оценен и перехвачен и товарищем Лениным, и Троцким, и Блюхером, и Чапаевым, и Тухачевским. И другими товарищами. Ведь так просто: хорошо революционерам-интернационалистам плати, одевай-обувай, награждай щедро, дай в руки винтовку.

Якировы китайцы раскрывают нам простой механизм той неоценимой интернациональной помощи, которую пролетарии всего мира оказали нашей революции.

Якир никогда не был солдатом, не был юнкером или курсантом, не был унтером. Он не имел самого низового опыта армейской жизни. Он не имел военного образования. И опыта войны не имел. Но сразу прорвался в полководцы. Согласимся: Якир был гением. Это совсем не просто — хорошо кормить за свой счет полтыщи прожорливых китайцев в голодной разоренной стране. Хорошо, если они палочками рис ели. А если ложками? Но ведь ухитрялся же Якир их прокормить! Гений, истинный гений.

И как-то не верится мне, что революционер Якир, хорошо кормивший китайцев, сам при этом томился голодом.

500 китайских головорезов — это не много. Но в обстановке всеобщего развала и анархии эта беспощадная яростная сила выводила своего главаря к власти.

6

В самый трудный период становления коммунистической диктатуры Иона Якир на командные должности не рвался. 18-й год, начало 19-го громких побед не сулили. Потому Якир не напрашивался в командиры. Он комиссарит. Он контролирует работу других. Он все больше по политической части: комиссар бригады, начальник политотдела Южного участка отрядов завесы, член РВС 8-й армии. А китайцы — рядом. Через всю книгу Якира так и проблескивает золотой нитью: «Прибыли на станцию — штабной эшелон и при нем полурота китайцев». «Китайцы мои все таяли. Многих теряли, но по дороге новых набирали».

И скользит сквозь Якиров рассказ какая-то особая нелюбовь русского народа к этим самым революционерам-интернационалистам: «Китайцев — тех не миловали. Изуверы, говорят, нехристи, шпионы немецкие. Этих почти всех порубили».

Благо, много их, китайцев. Всех не перерубишь. Опять Якир китайцами обрастал. Если их кормить хорошо да платить за убитых, то они к нему со всех концов света сбегались.

О том, как воевали, какую стратегию-тактику применяли, Якир лишь изредка сообщает: «При походе мимо Одессы из всей имеющейся артиллерии открыть огонь по буржуазной, капиталистической и аристократической части города, разрушив таковую и поддержав в этом деле наш доблестный героический флот. Нерушимым оставить один прекрасный дворец пролетарского городского театра» (С. 17). Такой приказ отдал коммунистический главком Муравьев. Якир с гордостью сообщает, что этот приказ главнокомандующего он выполнять не стал. А вот какие он сам отдавал приказы, так об этом он не пишет.

7

В той же Одессе, после того как красных вышибли, было проведено расследование преступлений. Полная картина в книге Мельгунова «Красный террор в России» (Берлин, 1924). Вот кое-что из той книги о нравах марксистов:

«Каждая местность в период Гражданской войны имела свои специфические черты в сфере проявления человеческого зверства.

В Воронеже пытаемых сажали голыми в бочки, утыканные гвоздями, и катали. На лбу выжигали пятиугольную звезду. Священникам надевали на голову венок из колючей проволоки.

В Царицыне и Камышине — пилили кости.

В Полтаве и Кременчуге всех священников сажали на кол.

В Екатеринославе предпочитали и распятие, и побивание камнями.

В Одессе офицеров истязали, привязывая цепями к доскам, медленно вставляя в топку и жаря, других разрывали пополам колесами лебедок, третьих опускали по очереди в котел с кипятком и в море, а потом бросали в топку».

Но ведь не Якир же лично жарил людей в пароходных топках! Не он же лично топил людей, привязывая на шею колосники! Может быть, и не он лично. Топила людей власть, которую он защищал своими китайскими головорезами.

Красное коммунистическое зверство в Гражданской войне затмевает все, что знало человечество о жестокости и садизме. Все психопаты, все садисты и убийцы собирались под красные знамена. Именно превосходство в зверстве и обеспечило марксистам победу. В жестокости с ними не мог соревноваться никто. Якир попал именно в ту среду, где его талант мог полностью раскрыться.

8

Личное участие Якира в кровавых оргиях установлено документально. Не в Одессе, а на Дону, куда он привел своих китайцев.

Евгений Лосев впервые опубликовал (М. 1989. № 2) секретную директиву Я. Свердлова: «Провести массовый террор против богатых казаков, истребив их поголовно, провести массовый террор по отношению ко всем казакам, принимавшим какое-либо прямое или косвенное участие в борьбе с Советской властью». Косвенное участие? Что под этим нужно понимать? А все что угодно. Свердлов повелевал истреблять кого вздумается.

Но и такая директива Свердлова Якиру показалась слишком мягкой и либеральной. Потому он выпустил свою директиву о «процентном уничтожении мужского населения».

Проценты он устанавливал сам.

Якир был врагом народа. Неужто того, кто по прихоти своей, по своему желанию устанавливает процент истребления людей, можно назвать другом народа? Якир — один из самых страшных палачей XX века. Причем он не повторяет чей-то опыт, а дает пример последователям. Когда Якир по своей прихоти устанавливал проценты истребления людей, никакого Гитлера еще не было, а был ефрейтор Шикльгрубер.

Но был ли Якир предателем? Изменником Родины?

Конечно.

В 1917 году народы России получили возможность самостоятельно выбирать ту форму правления, которая отвечает стремлениям большинства, и ту политическую организацию, которая угодна населению. В этой обстановке Якир подкупает иностранцев и их штыками устанавливает порядки, которые угодны ему, а не народу.

Можно ли назвать служением народу процентное или поголовное истребление этого самого народа? А если истребление творится с помощью подкупленных иностранцев, то это и есть предательство национальных интересов, это как раз и есть измена Родине.

Нам рассказывали, что против народа выступали белогвардейцы и иностранные интервенты. А дело обстояло как раз наоборот. Против народа выступали красногвардейцы и иностранные военные интервенты. Пример: китайская военная интервенция во главе с Якиром и другими предателями.

И вот кремлевские соловьи, дети XX съезда, запели, что при Хрущеве началась чуть ли не оттепель.

Но обратимся к фактам.

При Сталине некоторые враги народа — тухачевские, уборевичи, путны, якиры — получили возмездие. Конечно, наказание было мягким, гуманным, чисто символическим. Изменников Родины не сажали на кол, им не пилили костей и не катали в бочках, утыканных гвоздями. Но все же при Сталине некоторых предателей хоть и мягко, но наказали.

А после XX съезда, во время разгула хрущевской либерализации, всех этих предводителей иностранных интервентов, врагов народа, изменников и палачей России объявили героями.

Это за какие такие заслуги?

За те самые проценты, которые устанавливал Якир?

Глава 11

СОВЕРШЕННО ТОЧНОЕ ОПРЕДЕЛЕНИЕ

После этих неслыханных насилий у большевиков не было пути назад — к тому самому народу, который они предали, обрекли на голод и вымирание. Оставался стремительный бег к собственной могиле — под партийным знаменем, под водительством Сталина.

В. Рапопорт, Ю. Алексеев. Измена Родине

1

К середине 1919 года обстановка на фронтах прояснилась. Запахло победой. И вот Якир меняет карьеру комиссара, палача и карателя. Теперь он рвется в командиры. Самые высокие командирские должности, как водится, заняты. Есть только должность командира дивизии. С члена РВС армии на командира дивизии — это падение. Но Якир согласен на понижение, лишь бы командовать сейчас, под победный конец Гражданской войны. Он получает 45-ю стрелковую дивизию. В мае — августе 1920 года Якир командовал Фастовской, затем Львовской группой войск Юго-Западного фронта. Со своими верными китайцами не расстается. Они всегда при нем.

И вот в 1920 году Якир и его каратели впервые встречаются с настоящим противником, не с мужиками, вооруженными топорами и косами, а с разутой, раздетой, вооруженной антикварными винтовками, но все же регулярной польской армией. От этой встречи остатки 45-й дивизии Якира и всей Львовской группы войск спасались бегством. Повезло тем, у кого длинные ноги. И еще тем, у кого персональный бронепоезд с китайским машинистом.

Интересно вот что: великий полководец Якир в своих мемуарах вспомнил о многом, о том, как китайским батальоном командовал, как народные восстания успокаивал (добрым словом, уговором, ленинской правдой), а вот о том, как командовал Львовской группой войск на Юго-Западном фронте, не вспомнил.

Вот и вопрос: можно ли Якира объявлять полководцем, если он сам стесняется вспоминать об этом столь кратком и столь позорном периоде своей жизни?

2

После Гражданской войны Якир почти бессменно — верховная военная власть на Украине. Якир — соучастник одного из самых страшных злодеяний во всей человеческой истории. У меня нет права описывать организованный коммунистами голод на Украине и смерть миллионов в одной главе. Той трагедии не описать ни в каких томах. Но свято верю: народ Украины не забудет своих палачей. Якир — в их числе. В первой пятерке. Формально. Но творилось то дикое преступление силой. Силой Красной Армии. Одних чекистов тут было недостаточно. А Красная Армия на Украине подчинялась Якиру. Потому именно в его руках была сила. Фактически во время коллективизации именно Якир был первым номером на Украине.

«Красная звезда» (4 февраля 1989 г.) выражается мягко: «В 1933 году на Украине разразился голод». Вот так взял да сам собой и разразился.

А разразился он не сам собой. Голод был организован марксистами. Маркс требовал трудовых армий, особенно в сельском хозяйстве. Но марксизм осуществим только в странах с тоталитарным прошлым. А мы люди свободные. Традиции свободы настолько глубоко укоренились в нашем народе, что в нашей стране было невозможно осуществить кровавые Марксовы замыслы в полном объеме. Потому создавались не марксистско-троцкистские трудовые армии, а гораздо более мягкие и человечные колхозы. Но и в колхозы наш привыкший к свободе народ не хотел идти. Потому марксисты организовали голод: кто не пойдет в колхоз, тот сдохнет от голода.

Вместо жуткой статистики коллективизации — всего только кусочек из «Бабьего яра» Анатолия Кузнецова:

«Мы им: колхозы или смерть. Они на это: лучше смерть...

Нам, коммунистам, выдавали по талонам, чтоб не сдохли, немножко, деревенским активистам тоже, а вот что ОНИ жрут — это уму непостижимо. Лягушек, мышей уже нет, кошки уже ни одной не осталось, траву, солому секут, кору сосновую обдирают, растирают в пыль и пекут из нее лепешки. Людоедство на каждом шагу...

...Сидим мы в сельсовете, вдруг бежит деревенский активист, доносит, в такой-то хате девку едят. Собираемся, берем оружие, идем в ту хату. Семья вся дома в сборе, только дочки нет. Сонные сидят, сытые. В хате вкусно пахнет вареным. Печка жарко натоплена, горшки в ней стоят.

Начинаю допрашивать:

— Где ваша дочка?

— В город поихала...

— Зачем поехала?

— Материала на платье купить.

— А в печи в горшках что?

— Та кулиш...

Выворачиваю этот «кулиш» в миску — мясо, мясо, рука с ногтями плавает в жире.

— Собирайтесь, пошли.

Послушно собираются, как сонные мухи, совсем уже невменяемые. Идут. Что с ними дальше делать? Теоретически — надо судить. Но в советских законах такой статьи — о людоедстве — нет! Можно — за убийство, так это ж сколько возни по судам, и потом голод — это смягчающее обстоятельство или нет? В общем, нам инструкцию спустили: решать на местах. Выведем их из села, свернем куда-нибудь в поле, в балочку, пошлепали из пистолета в затылок, землей слегка присыпали — потом волки съедят».

3

А что мог сделать Якир?

Он мог делать все, что хотел. Коллективизация была возможна только под пулеметным огнем Рабоче-Крестьянской Красной Армии. Голод был организован штыками все той же армии-освободительницы. Это ее боевые отряды изымали все, что можно было считать едой, и беспощадно уничтожали. Не об одном Якире тут речь. Все они, стратеги, к тем злодеяниям руку приложили. Якир тут только пример. И по той причине, что был он в самом центре трагедии и преступления и у него было больше всех возможностей к сопротивлению. Так вот, если бы Якир не проявлял особого усердия в расстрелах голодающих, то марксисты никакими средствами не смогли бы загнать людей в колхозы, не по силам им было потушить пламя народного гнева. Кроме Якировых пулеметов, никаких других средств против народа не было. Не прояви Якир прыти в раскулачивании и изъятии продовольствия, то и не было бы никакой коллективизации, никакого голода.

И снова вопрос о мотивах. Зачем Якир пришел в революцию? Зачем воевал за красных? При царе ничего подобного голоду 1933 года нигде на просторах Российской империи не случалось. Зачем Якир устанавливал людоедский режим? Ради чего Якировы китайцы жарили офицеров в паровозных топках? Ради светлого будущего, в котором люди будут варить друг друга в кастрюлях? Зачем Якир рвался к власти? Чтобы организовать такой голод, которого не случалось никогда?

Если Якир рвался к власти, чтобы защищать народ, так вот он, народ, — защищай! Его даже и защищать не надо. Просто не надо отбирать у народа зерно, не надо резать коров и свиней, не надо хлоркой засыпать мясо, не надо сжигать хлеб. Но хлеб сжигали. Но мясо засыпали хлором. Но скот загоняли в вагоны и держали неделями без воды и корма, чтобы околел. Чтобы народу не досталось. Чтобы народ покорился. Чтобы народ загнать в колхозы.

А ведь не прояви Якир усердия...

И не хочу я все взваливать на одного бедного Якира. Все товарищи красные командиры, которые во времена коллективизации служили в Красной Армии, все до единого были врагами народа. Все без исключения. Все пошли на службу сатанинской власти. Все воевали против своих. И вовсе не зря в 1935 году были введены маршальские звания. Казалось бы, почему в мирное время? Войны вроде бы нет. И вдруг присваивают огромные звезды полководцам! За какие такие победы?

За коллективизацию. За голод, который красные командиры устроили своей стране. За победу над крестьянством. За измену Родине. Хребет крестьянству был переломлен голодом. Но хребет крестьянства — это хребет России. И Украины. И Белоруссии. После того Россия горбатая. И Украина. И Беларусь.

А ведь мог бы Якир встать во главе народа. После первой волны конфискаций скота, птицы, зерна и вообще всего съедобного страна взвилась на дыбы от ужаса и ярости. В подчинении Якира — самый мощный из всех военных округов Советского Союза, лучшие дивизии, самое современное оружие. И тут же — десятки миллионов голодных людей, которые обречены на смерть, которым терять нечего. Если бы Якир объявил себя противником этого преступления, то армия бы ему подчинилась. И уж народ бы его поддержал.

Удача была гарантирована. Но если бы и не удалось победить марксистов, то Якир погиб бы в бою, и вот тогда благодарной Украине следовало бы поставить ему памятник.

Но Якир был карателем и палачом. Он якобы сменил палаческую профессию на командирскую, но командиром он так и не стал, а палачом остался. Якир пришел в революцию вовсе не для того, чтобы защищать народ. Его вели в революцию другие расчеты...

4

Кремлевские пропагандисты говорят, что если бы Сталин не отстранил от власти командующего Киевским военным округом командарма 1 ранга Якира, то Якир спас бы Украину от германского нашествия, сокрушил бы 2-ю танковую группу Гудериана, не пустил бы в Киев гауляйтера Коха.

Может быть, и так. Но велика ли разница: власть партийцев или власть арийцев? Разве власть Якира была лучше гитлеровской? Согласен: при Якире уничтожали одних, а других миловали, а при Кохе — наоборот.

Но в их методах не много разницы. И размах — тот же. И жестокость за гранью безумия. У обоих. Марксист Якир и гитлеровец Кох — близнецы-братья. Один — социалист, и другой — социалист. При социалистическом правлении гауляйтера Коха даже колхозы решено было восстановить. Чтобы не с отдельным мужиком отношения выяснять, а обкладывать данью все село, а там сами разбирайтесь, сами друг из друга кровь пейте.

Интересная деталь: во время гитлеровской оккупации Киева гестапо располагалось в доме 33 по Владимирской. В здании НКВД УССР. Уходя, чекисты свое здание не взорвали и не сожгли, хотя взорвали Крещатик и лавру. Но и гестаповцы, уходя, сожгли все вокруг, а свою временную резиденцию любезно оставили чекистам неповрежденной. Чекисты и гестаповцы передавали друг другу дом пыток, истязаний и расстрелов как эстафету.

И еще деталь. Палач Украины Кох имел резиденцию за Вышгородом, в Межгирье. Там были усадьбы Косиора, Постышева, Петровского, Хрущева. Но Коху почему-то приглянулся дворец Якира.

Тухачевский свой способ правления Россией назвал оккупацией. Он признавал, что «войну приходится вести в основном не с бандами, а со всем местным населением» («Борьба с контрреволюционными восстаниями» // Война и революция. 1926. № 7—9). Тухачевский считал, что «приходится вести не бои и операции, а, пожалуй, целую войну, которая должна закончиться полной оккупацией».

Якир был целиком солидарен со своим другом и соратником и делал то же самое на Украине: вел настоящую войну против своего народа, которая завершилась оккупацией.

Как Тухачевский, как Блюхер, как другие изменники Родины, Якир был оккупантом. И если уж ставить памятник Тухачевскому, Блюхеру, Якиру, то надо и гауляйтера Коха не забыть.

Чем он хуже Якира и Тухачевского?

5

Защитники Якира говорят, что он был не только садистом и палачом, но и в некотором роде немножко стратегом. Такие заявления я слышал, но подтверждений никто не придумал. Никаких побед на фронтах Якир никогда не одерживал. Карательные — не в счет. Работ теоретических не писал. Ничем себя в военной науке не проявил. Округ Киевский при нем был самым мощным. Но он и до Якира, и после него всегда был самой мощной группировкой сил Красной Армии. Не потому, что тут Якир, а потому, что удар по Западу отсюда наносить удобнее.

Фундамента военного у Якира не было. Командные инстанции он проходил большими скачками: командир батальона, командир дивизии, командующий армией. От недоучившегося студента до командарма — два года. Никому такие скачки даром не проходили. Весь его боевой опыт — три месяца с позорным концом. В теоретических изысканиях имени своего не увековечил. Блистательными открытиями военную науку не обогатил.

В 1927 году Якир учился в германской академии. И его похвалил генерал-фельдмаршал Гинденбург. И нам теперь объявили: вот оно — свидетельство гениальности!

Не поддадимся соблазну. Восторженный вопль не поддержим. Похвалил Гинденбург? Невелика честь. Гинденбург и Гитлера считал великим государственным деятелем и стратегом. Простим ему: выживший из ума фельдмаршал ошибался. И представлял он страну, которая из двух мировых войн начала обе и обе... В 1927 году Гинденбург уже одну мировую войну продул-просадил и готовил генералов для следующей войны, готовил так, что они ее тоже позорно просадили. Возражают: немцы воевать умеют, только у них победы не получаются. Можно сказать и так. Но для меня неумение побеждать означает неумение воевать. Представим: великолепный боксер, мускулы — залюбуешься, техника отменная, трусы красные, на ринг выбегает эффектно, под грохот барабанов и звон литавр, начинает бой театральным замахом. Только каждый раз ему морду бьют. А в остальном все великолепно. Так с немецкими фельдмаршалами всегда получается: удивительно мудрые люди, и грудь в орденах, и мемуары — не оторвешься.

Только морды битые. Регулярно.

Так что похвала таких стратегов много не значила. И нечему нам было в 1927 году у немцев учиться. У нас в тот момент уже закладывались (в отсутствие Якира) основы «Глубокой операции», а в Германии и в 1933 году ничего подобного не было. Достаточно посмотреть германский устав «Вождение войск» соответствующего года.

И если фельдмаршал Гинденбург Якира похвалил, то из этого вовсе не следует, что похвала искренняя. Якир работал с китайцами и должен бы знать древнюю китайскую мудрость: БЕРЕГИСЬ, КОГДА ТЕБЯ ХВАЛИТ ВРАГ.

6

Говорят, что Якир выступал против сталинского террора и за то поплатился головой. Действительно, говорят и такое. Но дело обстояло как раз наоборот. Генерал-полковнику Д.А. Волкогонову довелось читать сталинские документы (см.: Д.А. Волкогонов. Триумф и трагедия. Кн. 1. Ч. 2. С. 213). История такова. 1937 год, февральско-мартовский Пленум ЦК. Тот самый пленум, который послужил официальным началом очищения верхов партии, армии и НКВД. Выступает нарком внутренних дел товарищ Ежов и предлагает исключить бывших членов Политбюро Бухарина и Рыкова из состава ЦК и из партии, судить и расстрелять.

Тут надо особо отметить: с предложением выступает Ежов. Сталин при том присутствует, но он как бы ни при чем. Сталин как бы выше всего этого, он в это дело не вмешивается. Вынесено предложение о расстреле Бухарина и Рыкова — что ж, обсуждайте, товарищи.

Кто такой Рыков? Ленин — первый глава советского правительства, Рыков — второй.

А кто Бухарин? По определению Ленина, любимец партии.

И вот — персональное дело названных товарищей. И предложение: не строгий выговор с занесением, а расстрел. Кто за это предложение? Прошу голосовать, товарищи.

И отдельные товарищи дрогнули. И не малым числом. Не за любимца партии дрогнули и не за Рыкова, сменившего Ленина, а за свою драгоценную шкуру: сегодня под топор — любимец партии и бывший председатель Совнаркома, а завтра — кто?

Среди дрогнувших и те, кто Сталина поддерживал всегда, везде, во всем: Шкирятов и Хрущев. Голосование поименное. Каждый свое мнение на бумаге пишет. Одни — как велено: из партии выгнать, судить и расстрелять. А дрогнувшие — осторожнее: из партии выгнать и судить. А там, мол, как решит наш родной советский суд. Товарищ Сталин в дело не вмешивается, но внимательно за происходящим наблюдает. Вырисовывается пусть и скрытое, но сопротивление. Не спешат вожди своих бывших товарищей сдавать. Как бы чего не вышло.

Что Сталину делать?

С одной стороны, Сталин не хочет терять поддержки тех, кто за террор, с другой — Сталин не прет против осторожного сопротивления дрогнувших. Сталинское решение достойно древних мудрецов: давайте, товарищи, не спешить. Вернем дело в НКВД. Проведем дополнительное расследование. В НКВД разберутся. Потом решать будем.

И все довольны.

Хорошо, считают сторонники террора, НКВД разберется, тогда и расстреляем Бухарина с Рыковым.

Хорошо, считают осторожные, Бухарина и Рыкова не будут расстреливать. По крайней мере сейчас.

Личный секретарь Сталина Борис Бажанов давно понял предельно простую, но предельно эффективную сталинскую тактику. Сталин выступает только за те решения, которые будут безоговорочно приняты. Если есть вероятность того, что выгодное Сталину решение принято не будет, то оно откладывается на потом. Таким образом, Сталин (в отличие от Ленина) никогда при голосовании не проигрывает. Вот и сейчас: возникли у товарищей сомнения — что ж, не будем спешить с решением, пусть НКВД еще поработает, пусть товарищ Ежов соберет дополнительный материал, прояснит ситуацию, тогда и будем решать, а пока ни судить, ни расстреливать Бухарина с Рыковым не будем. Кто за это предложение, товарищи? За это предложение — большинство. И сторонникам террора, и осторожным противникам сталинское предложение нравится.

Но есть в Центральном Комитете экстремисты. Их двое. Главный комсомолец страны Косарев и командующий Киевским военным округом командарм 1 ранга Якир.

Позиция Сталина: пусть НКВД разберется.

Позиция Косарева — Якира: выгнать из ЦК, из партии, судить и расстрелять.

Правда, интересно: Якир и Косарев требуют одновременно суда и расстрела. Другими словами, они выносят смертный приговор еще до судебного разбирательства, зная наперед, что суд — это только способ придать юридическую форму заранее предрешенному убийству. Ни Якира, ни Косарева это не смущает. Они знают, что суд вынесет тот приговор, который ему прикажут вынести. И это им нравится.

7

Судьба мстит палачам.

Бухарину и Рыкову смертный приговор вынесли. Но только через год — 13 марта 1938 года. А персональный вагон Якира отцепили в Брянске 28 мая 1937 года — через пару месяцев после того, как Якир требовал расстрела Бухарину и Рыкову. Якир попал под пулю палача почти на год раньше тех, кому он требовал смерти.

Поведение Сталина в этой ситуации требует особой оценки. Цель Сталина — уничтожить своих политических врагов. В данном случае — Бухарина и Рыкова. Тех, кто высказывался (пусть очень осторожно) против таких действий (Хрущева и Шкирятова), Сталин не расстреливает. А тех, кто проявляет особую кровожадность (Косарева и Якира), Сталин стреляет в первую очередь.

СТАЛИН ДЕЙСТВИТЕЛЬНО ОЧИЩАЛ ВЫСШИЕ ЭШЕЛОНЫ ВЛАСТИ ОТ ОПЬЯНЕННЫХ КРОВЬЮ БЕЗУМЦЕВ.

8

Каждый год 1 мая войскам зачитывали приказ наркома (или потом — министра) обороны и приказ командующего округом. Приказы эти ничего не содержат, кроме требований крепить воинскую дисциплину, держать порох сухим, учиться военному делу настоящим образом. Приказ готовит начальник штаба. Вернее — один из штабных негров. Начальник штаба правит своей командирской рукой и отдает машинистке печатать. Затем приказ несут на подпись командующему. Командующий читает, ворчит, бросает невнятные замечания. Текст перепечатают с учетом замечаний командующего, он подпишет, а в праздничное утро приказ зачитают, как принято, «во всех ротах, батареях, эскадронах, эскадрильях и на кораблях».

В последний день апреля 1937 года проект праздничного приказа принесли на подпись командующему Киевским военным округом командарму 1 ранга Якиру. Приказ стандартный: под руководством великого Сталина вперед к победе коммунизма! Якир все это прочитал, Сталина вычеркнул и отдал бумагу перепечатывать. «Красная звезда» (4 февраля 1989 г. и 14 августа 1996 г.) восхищается Якировым поступком: вот он, борец против культа личности! Вот она, смелость! Вот она, храбрость!

Я лично в этом поступке храбрости не вижу. Если Якир считал, что Сталина слишком возвеличивают, то он, как член ЦК, должен был об этом сказать на февральско-мартовском Пленуме. По крайней мере должен был оказаться в числе осторожных противников террора, таких как Хрущев и Шкирятов. Но Якир требовал крови. Якир на том пленуме проявил большую кровожадность, чем Сталин.

Если Якир считает себя противником Сталина, то надо против Сталина бороться. Бороться можно открыто — выступить с оружием в руках, поднять войска и украинских мужиков. Или можно бороться тайно — подготовить заговор и свернуть шею товарищу Сталину. На открытое выступление против Сталина Якир не пошел. Если он состоял в заговоре, то своим поступком сгубил все дело.

Поступок Якира не просто глупость, но нечто большее.

Якир — член ЦК, и у него какие-то свои политические комбинации. Хочешь заниматься политикой — занимайся, но не подставляй других. Своими действиями Якир поставил под удар начальника штаба — ведь это он за подготовку приказа отвечает. Начальник штаба — человек военный, и большая политика ему, может быть, не нужна. Но за якировский кукиш в кармане начальник штаба должен отвечать. Зачем это ему?

Хорошо Якиру. Сам-то он — Якир, сам-то он — член ЦК, и вольно ему делать все, что нравится. Но начальник штаба не имеет такого положения, такого влияния и такой власти.

А Якир, не спрашивая мнения начальника штаба, делает его соучастником политической акции, соучастником выступления, пусть и мелкого, против высшего политического руководства страны.

Якир играет свои политические игры, но тянет за собой и девочку-машинистку, не спрашивая ее согласия. Если кто-то узнает о случившемся, то ее ведь тоже заберут куда следует. А на хрена, скажите мне, ей, молодой и красивой, в эти дела впутываться?

Начальник штаба, получив приказ обратно и увидев, **что** в нем вычеркнуто, просто обязан был доложить куда следует: вот, товарищи, мой текст, а вот правка товарища Якира. Я тут ни при чем. Я в эти игры не играю. Это он правил.

А товарищи из ОО, то есть из Особого отдела, обязаны доложить об этом в вышестоящие инстанции. Просто ради спасения своей шкуры. Весьма скоро эта информация должна дойти до товарища Сталина. Тот, кто ее придержит, голову потеряет. Начальник штаба и все остальные были обязаны докладывать о случившемся по всем каналам: а вдруг это провокация? А вдруг это товарищ Сталин через своего дружка и собутыльника члена ЦК Якира просто бдительность проверяет: доложат или нет?

И девочка-машинистка по своим каналам доложить была обязана. Она напечатала один текст с восхвалением Сталина, а теперь ей приказывают то же самое перепечатать, только с вычеркнутым Сталиным. Когда народ умирал миллионами, товарищ Якир Сталину кукиши не показывал. А теперь осмелел. Зачем ей быть соучастницей? Потому должна была она набрать соответствующий номерок и информировать кого следует. Думал ли об этом товарищ Якир?

Да ведь и не простых девочек держал товарищ Сталин в машинистках-телефонистках-шифровальщицах возле своих соратников, великих полководцев, пламенных революционеров. Девочки особую подготовку имели и особые системы подчинения, контроля и связи. Думал ли об этом товарищ Якир? Догадывался ли? Каждый из нас в свое время мазал клеем стул любимой учительницы, кнопочки подкладывал, край стола мелом мазал, карбид в чернильницу бросал, мышонка во время урока выпускал. Или змею. И у каждого из нас ума хватало о безопасности своей подумать. Так надо было чернил бутылку в ее сумку вылить, чтобы она не узнала, какой подлец на это решился, так, чтобы не заподозрила! А у Якира не хватает ума вредить незаметно.

Поведения Якира — поведение вздорной бабы из коммунальной кухни, которая в чужой суп мыло бросает. Но ведет себя она так, что все знают, чьих рук это дело.

9

Теперь дополнительная информация. Червонный казак Илья Дубинский рассказывает: в 1935 году он получил новый кабинет. «Как-то заехал ко мне Шмидт. Похвалив строгость обстановки, сказал:

— А портрет Сталина надо иметь» (Особый счет. С. 128).

В 1927 году, когда Троцкий еще числился великим вождем, а Сталина считали «выдающейся посредственностью», любимец Якира Шмидт публично обещал Сталину отрезать уши. В 1935 году, когда Сталин решительно победил, тот же любимец Якира Шмидт рекомендует не только своим подчиненным и начальникам, но и командиру соседней бригады вешать в кабинетах сталинские портреты.

А вот про самого Якира: «Вспоминаю заседание Комиссии Обороны в Киеве. С какой любовью, возвращаясь из Москвы, Якир говорил о Сталине. Так восхищаться может лишь горячо любящий сын своим хорошим отцом. Что же это, подлость одного или вероломство другого?» (Там же. С. 208).

На мой взгляд: подлость одного. Рассудим: на высокой трибуне Комиссии Обороны Якир — верный сталинец, нежный, любящий сын. Оставшись один, он — борец против Сталина. Причем борец не очень умный. «Любящий сын» вычеркивает имя Сталина из приказа так, что любимому отцу об этом немедленно доложат.

Но вот Якира арестовали. Не за вычеркнутого Сталина — причины ареста куда более серьезны. До этого — дойдем. И немедленно арестованный Якир вновь обращается в любящего сына: «Я умру со словами любви к Вам».

Как все это знакомо! Как все похоже! В 1934 году Гитлер чистил своих приспешников-штурмовиков. Арестованный руководитель СА Эрнст Рем просил передать Адольфу Гитлеру, что он умрет со словами любви к своему фюреру. То же самое просил передать группенфюрер СА Карл Эрнст.

Совпадения во всем: услышав уверения в любви, Гитлер назвал Рема и его сподвижников проститутками. А Геббельс на эти слова фюрера изрек нечто такое, что в переводе на русский могло бы означать: совершенно точное определение!

Еще параллель. У наших у́рок мода была: на груди Ленина и Сталина выкалывать. Не затем выкалывали, что нежно Ленина со Сталиным любили, а затем, чтобы жизнь сохранить. Психология — как у Якира и Рема: кто же посмеет их стрелять, если они фюрера-вождя любят? Кто посмеет в Ленина — Сталина стрелять?

Расчет верный. В Ленина и Сталина на уголовной груди никто стрелять не смел. У нас вообще в грудь не стреляли. У нас — в затылок. Или в карьер толпой гнали и садили из пулеметов, не разбираясь, у кого что наколото на груди, на спине и ниже.

Загадка истории: любил Якир Сталина или нет?

Если любил то одним сталинцем стало меньше. О чем же мы жалеем?

Но более похоже, что любил Якир Сталина лукавой любовью. Работал на публику. На эффект. На показуху. А вообще-то не любил. Только прикидывался. Только придуривался любящим.

Не сплю ночами, ворочаюсь, все думаю, как назвать человека, который в глаза вождю в любви клянется и с высокой трибуны — тоже клянется, а оставшись один, кукиши в кармане крутит; его поймали с теми кукишами, и он снова в любви клянется...

Как такого назвать, чтобы получилось совершенно точное определение?

Глава 12

ПРО ДЕКАВИЛЬКИ И ПОЛЕМОСТРАТЕГИЮ

Я всегда считал Сталина великим противником.

Г. Геринг. Протокол допроса 18 июня 1945 года

1

Кто первым объявил Тухачевского гениальным стратегом?

Хрущев.

А почему?

Потому, что загубил Хрущев целину. Потому, что довел Советский Союз до ручки. Хрущев обещал капиталистам показать кузькину мать, но в то же время был готов целовать им ручки, чтобы они накормили голодную Россию хлебом. В мирное время в великой крестьянской стране, которая веками не вывозила ничего, кроме хлеба, Хрущев правил так, что хлеба не стало. Красная пропаганда объявила, что при Хрущеве якобы началась либерализация. Хрущев одарил дачами человек пять поэтов-писателей, и те закричали дурными голосами: «Мы — дети XX съезда! Наступает оттепель!» Никаких доказательств оттепели и либерализации никто никогда не представил. А творилось при Хрущеве жуткое: наши танки давили людей в Восточной Германии, в Польше, в Венгрии, солдаты-освободители расстреливали народные демонстрации в Новочеркасске. Ради светлого будущего. А прикормленные горлопаны, «дети XX съезда», вопили, что жить им стало лучше, жить им стало веселей. Коммунистический фанатик Хрущев ради коммунизма был готов уничтожить весь мир, он подвел планету к порогу ядерного уничтожения. Ради жизни на земле. Мир был спасен Олегом Владимировичем Пеньковским, храбрым полковником ГРУ, который отдал жизнь, чтобы остановить хрущевское безумие.

Интересно мы устроены — лепим в Москве памятник на памятник. Уже и не знаем, кому бы еще памятник водрузить. А человека, который спас планету от всемирного Чернобыля, считаем предателем — уродила же земля такого мерзавца: не позволил нашему дорогому Никите Сергеевичу Третью мировую войну развязать. Вот жизнь после Третьей мировой была бы распрекрасная! Без капиталистов!

Здорово, конечно. Но кто бы нас тогда кормил?

Мы можем говорить о Сталине что угодно, но все же Сталин не додумался поставить мир на грань уничтожения. До жизни такой дошел только наш дорогой, наш миролюбивый и либеральный Никита Сергеевич. Ничего более страшного, чем Хрущев и закормленные им до полной сытости «дети XX съезда», ничего более тупого, дикого и зверского в человеческой истории раньше не встречалось. Разве что Ленин с Марксом да Гитлер с Пол Потом.

В 1961 году Хрущев торжественно объявил, что «нынешнее поколение советских людей будет жить при коммунизме», что каждый будет иметь всего в соответствии со своими потребностями. Это как? Каждый будет иметь квартиру такого размера, как душе угодно, и именно там, где нравится? И всем — на солнечную сторону? И мебели сколько пожелаешь? А если всем пожелается — из карельской березы? Так не хватит тех берез. И каждому книг, каких хочешь? И каждому дачу с бассейном? Каждый будет иметь машину той марки, которая соответствует потребностям широкой русской души? А если у кого потребность иметь больше одной машины? И каждому будет икры осетровой сколько хочешь? И коньяку хоть залейся? И дубленок на выбор? И отдых в Крыму? И медицинское обслуживание как Хрущеву?

Такое мог обещать только идиот. Дело в том, что наши желания, наши потребности всегда опережают наши возможности. Всегда. Удовлетвори все потребности, а у нас новые возникнут. Можно удовлетворить все потребности свиньи, и она, довольная, будет хрюкать под забором. Можно удовлетворить все потребности человека, родственного свинье. Он тоже будет хрюкать под забором. Но удовлетворить все потребности человека настоящего нельзя. Оттого мы и людьми стали, что нам всегда чего-то не хватает. И мы будем оставаться людьми до тех пор, пока будем чего-то желать, к чему-то стремиться, о чем-то мечтать. Создать общество, в котором каждому будет по потребностям... Это мечта Емели-дурака, на печи лежащего. Такое приходило в голову только Марксу, Ленину, Троцкому и Хрущеву.

Хрущев обещал кисельные берега, а страна выстраивалась в очереди за спичками и солью. По приказу Хрущева два шустрых немца склеили фильм «Русское чудо» о том, как было раньше плохо и как теперь, при Хрущеве, хорошо. А в стране пропал хлеб. Отсутствием масла и мяса нас не запугать. Но исчез хлеб. И не к весне, а осенью, сразу после урожая. Потому разразилась паника. Доходило до мордобоя из-за буханки хлеба. А в Москве, на Хорошевке, кто-то своей пайкой пожертвовал: повесил на фонарь буханку хлеба из мякины с горохом и написал: «Русское чудо»...

И чем чище становились полки магазинов, тем громче хрущевские крикуны разоблачали Сталина. Чем больше сыпали гороха в хлеб, чем длиннее вытягивались очереди-сороконожки, тем больше Хрущеву требовалось отвести гнев народа от себя. В любую сторону. И он рассказывал, как плохо живется неграм в Америке. Не помогло. Он рассказывал, как плохо неграм живется в Африке. Снова не помогло. И тогда Хрущев решил изобрести героя-великомученика. На место свергнутого вождя надо было кого-то ставить. Нужен был новый культ. И никто на роль нового идола не подходил. Но велика ли разница, из кого идола лепить? Идола можно из кого угодно сотворить. Хрущев, не подумав (он никогда не думал), ткнул начальственным перстом в первый попавшийся портрет: пусть будет культ Тухачевского. И понеслось. И пошли мраморные доски на стены прикручивать.

Легенда получилась весьма складной: Сталин уничтожил Тухачевского — величайшего стратега всех времен и народов, обезглавил армию, оттого война пошла не так, как надо, оттого сгубили на войне столько народу и потеряли столько богатств, оттого разрушения, оттого никак восстановиться не можем, оттого нет мяса, масла и хлеба...

Тухачевская истерия захлестнула тогда страну и мир. Книги о великом гении писали целыми корзинками, статьи — во всех газетах, ветераны-тухачевцы из всех щелей высунулись, воспоминаниями делились. Тут же велено было монумент Тухачевскому воздвигнуть. А где? Ясное дело: на Красной площади. Где же еще? Но возмутилась Организация Объединенных Наций: Красная площадь внесена в число архитектурных памятников мирового значения, менять ее облик нельзя. Тогда где памятник ставить? Тогда рядом. За

Историческим музеем, на Манежной площади. Чтобы несся галопом.

Вовремя Хрущева свалили. На хрущевские затеи бюджеты обрезали. А то гарцевал бы гениальный стратег на Манежной площади.

Памятника нет, но легенда осталась: нехватка хлеба — из-за войны, а несчастная война — из-за отсутствия величайшего стратегического гения товарища Тухачевского. И все в этой легенде стыкуется, и одно из другого следует. Но если выбить самую первую карту из этого карточного домика, то домик рухнет.

А выбить карту легко: Тухачевский стратегом не был.

2

Итак, первым, кто объявил Тухачевского гением, был Хрущев. Уже одного этого достаточно, чтобы усомниться в правильности оценки.

Хрущев вообще мог сказать что угодно. Он за свои слова не отвечал. И за действия тоже. Ему ничего не стоило хулиганить на трибуне Генеральной Ассамблеи ООН, он мог отмочить такое, чему дивился весь мир. Его выходки и сейчас вспоминают.

Особую осторожность надо проявить, когда Хрущев говорит о стратегии.

Две самые страшные катастрофы во всей мировой военной истории: окружение советских войск под Киевом в сентябре 1941 года и окружение советских войск под Харьковом в мае 1942 года. Непосредственные виновники первой катастрофы: Еременко и Хрущев. Виновники второй катастрофы: Тимошенко, Хрущев, Баграмян. Из пяти главных виновников четверо провинились по одному разу, а Хрущев дважды. Никто в мире не допустил столь диких просчетов в стратегии. Никто в мире не сгубил зря столько танков, пушек, самолетов, боеприпасов, не угробил без толку столько солдат и офицеров, как Хрущев.

И не поверим Хрущеву, если он указал на кого-то перстом: вот то был стратег!

Слишком сомнителен послужной список стратега Хрущева, чтобы верить его рекомендациям.

3

В 1964 году в февральском номере «Военно-исторического журнала» была опубликована статья Маршала Советского Союза С.С. Бирюзова о Тухачевском. Бирюзов поведал миру, что еще в 1927 году начальник Штаба РККА (с 1935 года — Генеральный штаб) Михаил Тухачевский написал письмо Сталину и в нем изложил программу глубокой и полной реорганизации Красной Армии. Тухачевский настаивал на развитии авиации, артиллерии, воздушно-десантных и танковых войск, на глубоком техническом переоснащении армии. Маршал Бирюзов подчеркивал: «Учитывая бурный рост военной техники и ее влияние на характер будущей войны, М.Н. Тухачевский проявил большую заботу о развитии новых родов войск, и прежде всего авиации, мотомеханизированных и десантных войск... Однако эти предложения М.Н. Тухачевского не только не были по достоинству оценены и поддержаны Ворошиловым и Сталиным, но и встречены враждебно. В заключении Сталина, к которому полностью присоединился Ворошилов, утверждалось, что принятие этой программы привело бы к ликвидации социалистического строительства и к замене его какой-то своеобразной системой «красного милитаризма»... После этого Тухачевский неоднократно обращался к Сталину с просьбой снова рассмотреть его предложения о реконструкции РККА... Вот в какой сложной и трудной обстановке приходилось работать М.Н. Тухачевскому...»

Тухачевский настаивал, Сталин отмахивался от него как от назойливой мухи. Тухачевский упорствовал. И тогда Сталин снял его с поста начальника Штаба РККА и назначил с понижением — командующим войсками Ленинградского военного округа. Предложения Тухачевского так и не были приняты. Их не оценили. Не поняли. Реорганизацию запретили. Не позволили. Удавили на стадии замысла. В 1937 году великий стратег Тухачевский был арестован. Во время судилища, помимо прочих обвинений, Тухачевскому припомнили его попытки реформировать Красную Армию. Предложения Тухачевского были расценены как вредительские и использованы против него как доказательство подрывной деятельности...

Вот такую историю во времена Хрущева рассказал маршал Советского Союза С.С. Бирюзов.

4

И пошло, и поехало. Заскрипели перья, застучали машинки пулеметными очередями с перезвоном в конце строки. Загремело с высоких трибун научных конференций: Сталин стратегии не понимал! Сталин был врагом технического прогресса! Сталин окружил себя тупыми кавалеристами-рубаками. Сталин ориентировался на дураков, которые жили вчерашним днем и победами в Гражданской войне. Кавалеристы ничего не смыслили в современной стратегии, выступали против танков и самолетов, кроме коней, седел и сбруи, ничего не признавали: «Пики к бою! Шашки вон! Рысью размашистой, но не раскидистой! Вперед, марш, марш! Руби контру!» Ворошилов, Буденный, Щаденко завидовали Тухачевскому, его широкой образованности, его глубоким познаниям, дерзости его замыслов. Бездари кавалеристы всячески препятствовали осуществлению военной реформы и сделали все возможное, чтобы она не состоялась...

Все, что писал маршал Бирюзов о Тухачевском в 1964 году, повторено тысячи раз мировой научной братией. То, что писал Бирюзов, слово в слово повторял полковник А. Хорев четверть века спустя в «Красной звезде» (4 июня 1988 г.): «Нарком Ворошилов недолюбливал своего заместителя, потому что завидовал его таланту и широкой образованности. Вместе со Сталиным Ворошилов скептически и даже враждебно относился к некоторым предложениям о реорганизации армии. В заключении Сталина по одному из докладов Тухачевского утверждалось, что принятие его программы привело бы якобы к ликвидации социалистического строительства и к замене его системой “красного милитаризма”».

И тут надо передохнуть. Дыхание перевести. Мы на пороге великого открытия!

5

Тухачевский действительно уникален. В чем угодно наших маршалов упрекали и обвиняли: в бездарности, в пьянстве, в глупости, в разгильдяйстве, в морально-бытовом разложении, в стяжательстве, воровстве, продажности. Наших маршалов обвиняли в бонапартизме, измене Родине, шпионаже в пользу Германии, Японии, Британии, Польши, Франции, обвиняли в передаче секретов всем разведкам мира, в подготовке заговоров против товарища Сталина и против товарища Хрущева, в симпатиях к Троцкому, в правых уклонах, в левых уклонах... Маршалу Советского Союза

Берии Лаврентию Павловичу, кроме всего прочего, на суде было предъявлено обвинение в изнасиловании несовершеннолетней...

Но вот поистине уникальное обвинение нашему маршалу... в «красном милитаризме»!

Уж на что, на что, а на оружие мы денег не жалели, и времени не жалели, и жизней человеческих. Ради оружия мы разорили страну и загнали ее в «третий мир». Ради оружия мы загадили сибирские реки радиоактивными отходами навсегда. Ради оружия мы губили моря, озера, леса и степи. Ради оружия мы закоптили свои города немыслимым количеством ядовитых отходов. Ради оружия мы довели страну до вырождения, продолжительность жизни у нас на уровне Верхней Вольты и Судана. Ради оружия мы губили миллионы людей. Ради оружия мы перегораживали реки чудовищными плотинами: нужен алюминий. Ради оружия наш народ голодал, одевался в тряпье и жил в земляных норах. Ради оружия мы ограбили наши церкви. Ради оружия мы продавали сокровища наших музеев. Ради оружия мы промотали золотой запас великой страны. Ради оружия мы заставили великих конструкторов и инженеров думать только о войне. И вот, оказывается, находились люди, которые против всего этого безумия, против «красного милитаризма» протестовали.

Получить в нашей стране упрек за «красный милитаризм»?! Вот, оказывается, какой был случай. Нет, Тухачевский определенно был великим человеком. Для того чтобы в НАШЕЙ стране получить такой упрек, надо было совершить нечто выдающееся.

И кто упрекает Тухачевского в «красном милитаризме»? Товарищ Сталин упрекает. Может быть, товарищ Сталин был пацифистом? Может быть, он хотел мира между народами и дружбы? Ой как интересно! Товарищи генералы и маршалы, товарищи кремлевские историки и идеологи, за всем этим что-то кроется. Почему никто из вас не обратил наше внимание на столь интересные подробности?

И как на партийном собрании при разборе персонального дела о морально-бытовом разложении, то есть об излишнем увлечении прекрасным полом, хочется орать из заднего ряда: «Подробности давай! Подробности!» Но не сообщали нам подробностей. Казалось бы, Тухачевский предлагает реорганизацию армии, Сталин и Ворошилов возражают — вот и опубликуйте документы, вот и расскажите, что конкретно Тухачевский предлагал и с чем конкретно Сталин не соглашался. Но нет... Государственная тайна. Если Тухачевский что-то дельное предлагал, то сообщите нам не в чужом пересказе, не общими фразами, подробности давайте! Но не сообщали предложений Тухачевского. Секрет! С 1927 года вон сколько лет прошло... Да и предложения ведь не приняты, так почему же их хранят в тайне?

6

Первое заблуждение человечества: каждому кажется, что он говорит понятно. Однако подавляющее количество конфликтов между людьми возникает именно на почве элементарного непонимания. Мы имеем в виду одно, а нас понимают иначе. Низкая успеваемость в школах объясняется не слабыми умственными способностями школьников, а прежде всего неумением преподавателей легко, просто, ясно, доходчиво и интересно изложить содержание изучаемого материала.

Сталин был одним из очень немногих, кто мог предельно ясно и предельно четко выразить свою мысль. Это свойство Сталина отмечают все.

Личный представитель президента США Гарри Гопкинс встречал Сталина в самые страшные дни войны, в июле 1941 года. Он свидетельствует: «Сталин ни разу не повторился. Он говорил метко и прямо... Казалось, что говоришь с замечательно уравновешенной машиной... Его вопросы были ясными, краткими и прямыми... Его ответы были быстрыми, недвусмысленными, они произносились так, словно были им обдуманы много лет назад».

Роберт Конквест отмечал, что сила Сталина лежала в абсолютной ясности его доказательств.

Уинстон Черчилль: «Сталин обладал большим чувством юмора и сарказма, а также способностью точно выражать свои мысли. Статьи и речи Сталин писал сам, и в них звучала исполинская сила».

Маршал Советского Союза Г.К. Жуков: «Я всегда ценил — и этого нельзя было не ценить — ту краткость, с которой он умел объяснять свои мысли и ставить задачи, не сказав ни единого лишнего слова. Эту краткость он в свою очередь сам ценил в других и требовал докладов содержательных и кратких. Он терпеть не мог лишних слов и заставлял в таких случаях сразу переходить к существу дела» (ВИЖ. 1987. № 9. С. 55).

О Сталине писали многие — маршалы А.М. Василевский, И.С. Конев, К.К. Рокоссовский, М.В. Захаров, А.И. Еременко, Е.Я. Савицкий, генералы С.М. Штеменко, А.С. Яковлев, — всех не перечислить. И все описания Сталина совпадают: выдержка, феноменальная память, способность к анализу и обобщениям, которую не смог превзойти ни один из его современников, сила воли, которая явно не знала пределов, и главное — умение кратко, четко, понятно и для всех ясно выразить свою мысль.

Этой ясности Сталин добивался от своих подчиненных. Он считал, что, если человек не способен говорить просто и понятно, значит, и в голове у него хаос. Особая четкость мысли и слова требуются на войне. Представим: командир имел в виду одно, а подчиненные его не так поняли... Тут примеров можно много привести.

Сталин готовился к войне, потому отбирал таких полководцев, которые мыслили ясно и столь же ясно говорили и писали. 1937 год — это момент, когда Сталин формировал свою команду для войны. Дураков следовало убрать, умных возвысить. Сталин справился с этой задачей. Сталин выбрал правильных людей. Пример — Маршал Советского Союза Р.Я. Малиновский. Он считал так: приказ надо писать короткими фразами, понятно и просто, чтобы читающий понял в любом случае, даже и тогда, когда ему понимать не хотелось.

А вот Маршал Советского Союза М.Н. Тухачевский явно под этот стандарт не подходил. Интеллектуальный уровень Сталина, который говорил и мыслил ясно и четко, настолько превышал уровень Тухачевского, что их совместная работа была невозможна. Это классический случай умственной и психологической несовместимости.

Тухачевский любил показать ученость, он любил слова непонятные: полемостратегия! Стратегия по Тухачевскому — это одно, а полемостратегия — нечто другое. Звучит красиво и загадочно. Никто этого, придуманного Тухачевским, термина не понимал, потому некоторые его гением считали: это надо же до таких слов додуматься! Непонятно, но как здорово!

А вот еще термин: декавильки. Тухачевский со свойственной ему страстностью доказывал, что в войнах XX века декавильки имеют огромное значение. Кто посмеет оспаривать гения? Лично я не спорю. Я согласен. Раз Тухачевский сказал, что декавильки надо развивать, значит, так тому и быть.

Только малая заминочка: я не знаю, что такое декавильки. Не глядя в «Советскую военную энциклопедию», готов спорить, что в ней такого термина нет. А словари не потрошу из-за принципа: считаю, что полководец должен говорить так, чтобы каждому было понятно. Даже дураку. Кроме того, сдается мне, что не в каждом словаре найдешь те самые декавильки, за развитие которых ратует Тухачевский.

Или вот: «увеличивается железнодорожный факультатив».

Хорошо это или плохо? Если факультатив увеличивается, должен ли я ликовать? Или должен печалиться?

Больше всего шума было вокруг книги Тухачевского «Новые вопросы войны». Лучшие куски были помещены в сборник «Тактика и стратегия в советских военных трудах», их публиковал «Военно-исторический журнал» (1962. № 2). А термины там такие: «внеуплотняющая оборонительная завеса». Что сие означает? Уплотняется завеса или не уплотняется?

Там же: «гармоника расчленения сил». Сразу признаюсь: я этого понять не могу. Умные люди, растолкуйте, что это за гармоника такая?

А Тухачевский, не жалея наших дурацких голов, гвоздит никому не понятными терминами — «авиамотомехборьба в тылу противника».

Есть порода ученых людей, которым непонятные термины нравятся. Они кивают головами — сильно сказано. А я не хочу ученым прикидываться. Признаюсь: мне это не понятно. Я не могу представить, что есть авиамотомехборьба. Да еще и в тылу противника.

Это несколько примеров из двух томов сочинений выдающегося военного мыслителя. Там такие примеры весьма часто встречаются. Ученость выпирает.

И фразы Тухачевского — с тройным смыслом: можно так понять, можно иначе, а еще можно и совсем не так понять. Или не понять вообще. Вот один пример из многих тысяч. В 20-х годах разразилась грызня в высших эшелонах Красной Армии. Одни доказывали, что законы стратегии являются вечными для всех армий и государств, только под влиянием обстоятельств и времени слегка преломляются. Другие столь же яростно доказывали, что Гражданская война явила совершенно новый, высший тип стратегии, которой никогда нигде не было. Грызня была обыкновенной дракой за начальственные кресла, а прикрывалось все это красивым термином — дискуссия. Дискуссия о вечных законах стратегии, как и многие ей подобные дискуссии, никакого практического значения не имела. Если победит первое мнение, то на войне в действиях каждого конкретного командира ничего не изменится. Если второе мнение победит, тоже ничего не изменится в действиях командиров. Речь шла не о том, как в бою действовать. Речь о другом: вы — дураки, а мы — умные; нас повышать надо, а вас гнать из высоких кабинетов. А противники доказывали как раз обратное: это вы — дураки, это вас надо гнать. Спорили, спорили, копья ломали. Умные люди в такие дискуссии не вступали: что от них толку? А Тухачевский выступил. Интересно, как же он считал: вечны законы стратегии или в нашей Гражданской войне родилась совершенно новая, уникальная, ни на что не похожая стратегия? Вот мнение Тухачевского: «Не отрицая вечных сторон стратегии, наоборот, анализируя сущность гражданской войны, мы, руководствуясь этими вечными истинами, хотим указать на те новые данные стратегии гражданской войны, которых нам раньше не приходилось учитывать» (Тухачевский М.Н. Избр. произв. М.: Воениздат, 1964. Т. 1. С. 32).

Понимай как знаешь. По такому вопросу Тухачевский мог бы в словесную перепалку и не бросаться. А уж если бросился, то объясни просто и четко: эта точка зрения, на мой взгляд, правильна, а эта — ошибочна. Да объясни, почему так считаешь. Но у Тухачевского любую фразу можно трактовать как нравится.

Величие Тухачевского в том и состоит, что в его трудах каждый может отыскать все, что ищет, и трактовать идеи так, как требует установка сегодняшнего дня. А завтра можно доказать, что Тухачевский имел в виду не это, а нечто совсем другое...

В теории это проходило. Но как только Тухачевский таким же языком пробовал объясняться со своими подчиненными на войне, так немедленно дивизии, корпуса и армии, а то и целый фронт попадали в глубочайшие безвыходные положения.

Кроме употребления нарочито непонятных терминов и длинных фраз, значение которых каждый мог понимать как угодно, Тухачевский имел в виду еще одну слабость — он не понимал значения цифр.

7

Ему всегда хотелось поразить воображение читателей и слушателей цифрами небывалыми. При Хрущеве в период расцвета культа Тухачевского были изданы два тома его лучших работ. Их, понятно, ставили на книжные полки начальственных кабинетов, но сомневаюсь, чтобы кто-то эти сочинения когда-то читал.

Если это лучшее, что написал Тухачевский, то как же в таком случае выглядит худшее? И не будем зарываться в заумные научные теории и термины. Обратим внимание только на цифры: «Многомиллионные армии вызвали на сцену фронты протяжением в сотни тысяч километров». Это Тухачевский описывает Первую мировую войну. Фронты протяжением в сотни тысяч километров? Это ли не бред? Франция, Британия, их вассалы из колоний, а затем и США воевали против Германии. Западный фронт — от побережья Северного моря до швейцарской границы. По прямой никак до пятисот километров не дотягивает. Фронт, понятно, не по прямой линии начертан. Но и тогда со всеми извилинами и изломами на тысячу километров никак не наскребем. И все миллионы французских, британских, австралийских, новозеландских, канадских, а затем и американских войск сидели на этих километрах. А если бы фронт был протяженностью в сотни тысяч километров, это сколько же миллионов солдат для него потребовалось бы?

Восточный фронт — от Балтики до Черного моря. Это менее двух тысяч километров. Фронт не прямой, ладно, допустим, три тысячи километров. Где же фронты протяженностью в СОТНИ тысяч километров? Если бы Северное полушарие воевало против Южного и если бы траншеи прорыли по дну морей и океанов, то и тогда получилось бы всего только сорок тысяч километров. Знал ли Тухачевский длину экватора? Куда же на этой маленькой планете впихнуть фронты протяженностью в сотни тысяч километров?

Подойдем к этому вопросу с другой стороны. В Русскую армию было мобилизовано более десяти миллионов солдат. И все они сидели в окопах от Балтики до Карпат. На двух тысячах километрах. А если бы фронт был протяженностью в сотни тысяч километров, это сколько же миллионов потребовалось мобилизовать?

Двадцать километров — фронт обороны дивизии. На тысячу километров надо иметь 50 дивизий. В первом эшелоне. Еще и во втором. И в резерве. А на сто тысяч километров надо иметь 5000 дивизий. В первом эшелоне. Но и противнику на том же фронте тоже надо иметь 5000 дивизий только в первом эшелоне. А если фронт не одна сотня тысяч километров, а несколько сот тысяч... Где же товарищ Тухачевский такие армии видел?

И вот десятилетиями такое публикуется не только в «лучших сочинениях» Тухачевского, но и в сборниках, демонстрирующих высшие достижения нашей стратегической мысли. Пример: «Вопросы стратегии и оперативного искусства в советских военных трудах (1917 — 1940 гг.)» (М.: Воениздат, 1965). На с. 117 отрывок из статьи Тухачевского про фронты протяженностью в сотни тысяч километров.

И десятилетиями собирают научные конференции, и с высоких трибун большие начальники говорят о величайшем военном мыслителе товарище Тухачевском... И бьет полусонный зал в ладоши. И я на тех конференциях просиживал штаны, и я научные доклады слушал, и сам в ладоши бил. Бил и думал: товарищ докладчик, товарищ Маршал Советского Союза, а вы сами читали гениальные творения Тухачевского?

О чем мы? А мы о том, что в 1927 году Тухачевский написал письмо Сталину и предложил военную реформу. Об этом Маршал Советского Союза С.С. Бирюзов в своей хвалебной статье как бы между прочим замечает: «Постановка этих вопросов М.Н. Тухачевским была правильной и своевременной, что же касается конкретных показателей, то они подлежали дальнейшему уточнению...» (ВИЖ. 1964. № 2. С. 41).

Вот оно! Все у гениального Тухачевского великолепно, вопросы он ставит правильно и своевременно... Только с цифирью у него, как всегда, немного... Одним словом, цифры, предложенные Сталину, нуждались в некотором уточнении. Представим себе: мальчик умненький задачку решил хорошо и правильно. Похвалим его. По головке погладим. Только у него ответ немного не сходится, ответ нуждается в некотором уточнении... Или, допустим, буфетчица Нюрочка перед ревизией отчитывается, и все обстоит просто великолепно... Только в финансовом отчете цифирки не стыкуются... Ноликов не хватает в столбике. Ну ведь мелочь, не правда ли?

А вот товарищ Тухачевский. Вместо выполнения прямых служебных обязанностей он ударился в разработку некоего прожекта. Гений, да и только. И все у него правильно, все своевременно и крайне необходимо. Вот только с цифирью там что-то не так. Стоит ли на такие мелочи внимание обращать? Думаю, стоит.

Генеральный штаб — мозг армии. В государстве не может быть более аккуратного человека, чем начальник Генерального штаба. И аккуратность его проявляется прежде всего в работе с цифрами. У начальника Генерального штаба в подчинении тысячи офицеров самой высокой квалификации. Для того Генштаб существует, чтобы все обмозговать, все учесть и рассчитать, а потом, взвесив все, приняв во внимание тысячи сопутствующих и противодействующих обстоятельств, обращаться к главе государства. А Тухачевский выходит с предложением о реорганизации Красной Армии, но цифры...

Понимал ли сам Тухачевский, что цифры нуждались в уточнении?

Если понимал, если требовал реорганизации, заведомо зная, что план не продуман, цифры ничем не обоснованы, то его действия следует квалифицировать как безответственность, если не вредительство. Безответственного начальника Генштаба, который предлагает необоснованный и непродуманный план, надо гнать с высокого поста. Нечего ему там делать.

А может быть, он не знал, что цифры нуждаются в уточнении? Если так, значит, он был дурак. Все понимают, что надо уточнить цифры, один начальник Генштаба этого не понимает. В этом случае его тоже следовало гнать с высокого поста. Ибо самый опасный человек в Генштабе — это человек глупый. Придурковатый начальник Генштаба — это вроде безалаберного оператора на чернобыльском реакторе.

И о каких, собственно, цифрах речь? Что именно Тухачевский Сталину предлагал? Десятилетиями хвалят ученые товарищи новатора Тухачевского, который предлагал что-то очень интересное, но почему-то никто не говорит, что именно он предлагал. Возможно, предложения Тухачевского были ужасно интересными, но никто из поклонников Тухачевского не говорит, в чем же они заключались.

Мы скоро узнаем, что именно предложил Тухачевский Сталину. А пока подумаем вот над чем: мог ли предложить что-либо толковое (речь не о школьной задачке, а о реорганизации самой мощной армии мира) человек, который не умел ясно выражать свои мысли и не понимал значения цифр?

У Тухачевского толпы защитников. Но вышибить из седла любого из них труда не представляет. Надо просто задать вопрос: какие работы Тухачевского вы читали?

Это зубодробительный удар. Действует безотказно. Как кувалдой в челюсть. Этот вопрос я много лет задаю поклонникам Тухачевского. От такого удара они почему-то теряют дар речи. Правило без исключений: если кто-то восхваляет Тухачевского, значит, он о Тухачевском ничего не знает, значит, Тухачевского не читал. Тот, кто прочитал хоть десять страниц из творений Тухачевского, хвалить Тухачевского не может.

И еще прием: встретив горластого защитника Тухачевского, я осторожно беру его за пуговку пиджака и ласково спрашиваю: «А что такое декавильки?»

Глава 13

ПОЛИТРУК ТУХАЧЕВСКИЙ

> Мало быть только честным коммунистом. Надо еще быть втянутым в политическую жизнь части, надо иметь опыт в политработе и быть достаточно подготовленным марксистом.
>
> *М.Н. Тухачевский.*
> Циркуляр РВС Западного фронта.
> Февраль 1922 года

1

Доказательств гениальности Тухачевского два.

Первое: он предлагал реорганизацию и перевооружение армии.

Второе: за много лет до нападения Германии на Советский Союз великий мыслитель, гигант стратегической мысли предвидел такое развитие событий и предупреждал... Но Сталин, как нам объяснили, поверил Гитлеру, а Тухачевскому не поверил, предупреждениям не внял, гиганта стратегической мысли сгубил. Вот результат — 22 июня 1941 года.

О том, что Тухачевский предвидел и предупреждал, говорят тысячи экспертов, а экспертам вторят миллионы. О том, что Тухачевский предвидел и предупреждал, написаны статьи, книги и диссертации. В библиотеке Института славистики Лондонского университета, как, впрочем, и в любой другой научной библиотеке, — целая полка книг с такими названиями: «Тухачевский», «Маршал Тухачевский», «М.Н. Тухачевский», «Красный маршал», еще один «Тухачевский» и еще один «М.Н. Тухачевский», и еще, и еще, и еще. И в каждой книге: предвидел и предупреждал, предвидел и предупреждал, предвидел и... Кроме того, уйма книг о других гигантах стратегической мысли: Блюхере и Якире, Уборевиче и Дыбенко, Путне и Примакове, и в каждой книге упомянут Тухачевский, который предвидел и предупреждал. Каждый автор, прославляя своего гиганта мысли, пропихивает его ближе к Тухачевскому — мол, Тухачевский предвидел и предупреждал, а мой гений тоже при том присутствовал... Кроме книг, статьи, статьи, статьи. На всех языках мира: предвидел и предупреждал...

Простительно некоторым западным исследователям: пишут о нашей стране, но русским языком не владеют, с первоисточниками свериться не могут, им приказали повторять, что Тухачевский предвидел и предупреждал, они и повторяют. Но у наших-то исследователей доступ к первоисточникам открыт. Предвидения и предупреждения Тухачевского не секретны, грифа на них нет, однако...

Однако одна за другой идут и идут статьи о том, что Тухачевский предвидел и предупреждал. Вот в 1995 году газета «Новости разведки и контрразведки» (№ 40—41) ошарашила читателей огромной статьей Владимира Кукушкина о том, как мудрейшая гитлеровская разведка обманула глупого Сталина и сталинской рукой обезглавила Красную Армию. Кукушкин разъясняет, почему гитлеровцам надо было извести именно Тухачевского, а не какого-либо другого стратегического гиганта: «Выбор М.Н. Тухачевского главной жертвой дискредитации был вполне обоснован. Один из крупнейших советских военачальников и видных военных теоретиков того времени, он никогда не скрывал свою обеспокоенность германской угрозой». В подтверждение своего тезиса Кукушкин ссылается на Маршала Советского Союза Г.К. Жукова, который писал: «Еще в 30-е годы М.Н. Тухачевский предупреждал, что наш враг номер один — это Германия, что она усиленно готовится к большой войне и, безусловно, в первую очередь против Советского Союза».

Дальше читать нет смысла. Сложим аккуратно газету с новостями разведки и контрразведки, опустим в корзину для мусора. Посидим, помолчим, подумаем.

2

Думать есть над чем. Товарищу Кукушкину приказали восхвалять великого стратега Тухачевского. Тысячам других товарищей приказали делать то же самое. И они стараются. Но почему Кукушкин, как и тысячи его предшественников и последователей, ссылается на мнение какого-то Жукова? При чем тут Жуков? Если Кукушкин получил приказ воспевать Тухачевского и его гениальные предвидения и предостережения, то и следует прямо на эти предостережения ссылаться, следует рассказать читателю, где, когда, кого и в какой форме Тухачевский предупреждал, следует эти предостережения опубликовать. При чем тут мнение постороннего дяди, пусть даже трижды гениального? Удивительный у некоторых исследователей подход: своего мнения не иметь, а повторять чужое — вот, мол, маршал Жуков на сей счет изрек... Хотел бы я знать, почему предупреждения и предсказания одного маршала мы должны читать в пересказе другого маршала?

В 1964 году, под самый хрущевский закат, за несколько месяцев до свержения нашего дорогого Никиты Сергеевича, в момент, когда тухачевская истерия вышла за все мыслимые рамки, ученые товарищи собрали самые выдающиеся произведения гениального предсказателя, и Воениздат опубликовал двухтомник «М.Н. Тухачевский. Избранные произведения». Так давайте же откроем всем доступное собрание сочинений и сами прочитаем предупреждения Тухачевского. Давайте учиться иметь свое мнение, давайте не будем повторять чужое. Ведь Маршал Советского Союза

Г.К. Жуков мог и ошибиться в своей оценке. А могло случиться, что маршал Жуков вовсе не читал книг маршала Тухачевского и ничего о нем не знал. Все говорят, что Тухачевский предвидел и предупреждал, вот и Жуков мог повторить то, что все говорят. Разве такого быть не могло?

3

А кто первым сказал, что Тухачевский предвидел и предупреждал?

Первым был еще один Маршал Советского Союза — Сергей Семенович Бирюзов. Он написал предисловие к двухтомнику Тухачевского. Он же в «Военно-историческом журнале» (1964. № 2) опубликовал статью и сообщил нам следующее: «Михаил Николаевич Тухачевский призывал советский народ и его воинов быть начеку. В статье «Военные планы нынешней Германии», напечатанной в 1935 году, Тухачевский подчеркивал особую опасность германского милитаризма. Задолго до начала Великой Отечественной войны он обращает внимание на агрессивность немецкого фашизма и подготовку им войны против СССР».

В 1964 году та статья и тот двухтомник Тухачевского наделали много шуму, всенародно обсуждались. Я тогда был молодым кадетиком. Ясное дело — у нас обойтись не могли без семинара, без публичного обсуждения трудов великого военного мыслителя.

А мне за пару дней до того семинара выпало в наряд заступать. Всю ночь не спать. Вот и решил: дай-ка я два тома выучу. Благо, томики тощие. Все равно не спать, а дело нужное, потом на всю жизнь пригодится, в любой ситуации можно будет мнение свое подпереть мудрой мыслью великого полководца: так сказал Тухачевский, том такой-то, страница такая-то.

Взял в библиотеке те тома, начал читать и вдруг сообразил, что учить это мне не надо. Все, что тут написано, всем нам давно известно. Без Тухачевского.

Раскрыл тома, и вдруг повеяло на меня ветром Мировой революции. Вдруг из-за плакатных образов и казенных лозунгов высунулась козлиная борода Троцкого, а-ля черт. Я-то надеялся найти в книге Тухачевского что-то вроде шахматного учебника, как у Сунь Цзы: вот стандартная ситуация на войне, варианты действий полководца такие-то; это — плохой вариант, этот — лучше, а этот — великолепный. И еще ситуация...

А у Тухачевского — никаких ситуаций, никаких вариантов и решений. У Тухачевского, как у Троцкого, — лозунги и призывы, лозунги и призывы. Надо с врагами бороться! С ними надо уметь бороться! Врагов надо побеждать! Их надо всегда побеждать!

Представим себе, что чемпион мира по шахматам, тот же Гарри Каспаров к примеру, написал книгу о том, как играть в шахматы, но вместо описания ситуаций, вместо анализа и возможных решений наполнил бы книгу призывами типа: «В шахматы надо играть! Надо не просто играть, а играть хорошо! А для того чтобы играть хорошо, надо тренироваться! Тренироваться надо упорно! Каждый день! А если не будешь тренироваться, то проиграешь!»

Можем ли мы представить, чтобы хороший шахматист написал такую книгу?

Не можем.

А книги Тухачевского написаны именно в этом ключе. Эти книги писаны не полководцем, но политруком. Вот образцы стратегической мысли великого военного мыслителя: «Индустриализация СССР, социалистическая перестройка деревни и громадная культурная работа в нашей стране дают нам все более и более культурного и классово сознательного бойца, а также все большее количество технических средств борьбы. Красноармеец должен принимать активное участие в выполнении пятилетки, в социалистическом переустройстве деревни и овладевать той техникой, которой с каждым годом все больше и больше насыщается Красная Армия. Красная Армия является величайшей силой, обеспечивающей строительство социализма».

Каково?

Это из Тухачевского (Т. 2. С. 166). А вот еще: «Генеральная линия партии обеспечивает укрепление обороноспособности страны». «Маневры — это высшая ступень тактической и политической учебы и полевой закалки войск, отчет о достижениях в учебе. Маневрами завершается годовая учебно-воспитательная работа, а потому они являются наиболее широким полем для социалистического соревнования между войсковыми частями, для проверки выполнения контрольных цифр боевой подготовки». «Международный пролетариат на страже СССР». «Рабочий класс всех стран, ведя ожесточенную классовую борьбу со своей буржуазией, вместе с тем мешает нападению империалистов на наш Советский Союз, сознательно защищая его как ударную бригаду мирового пролетариата».

И все это — на той же 166-й странице. И таких страниц сотни! Ура! Вперед! Партия — наш рулевой! Учиться, учиться и учиться! Никогда не унывать! Соревноваться! Проявлять героизм! Ура! Ура! Ура!

Массовикам-затейникам на заметку: перепишите куски из творений Тухачевского и из передовых статей «Правды» и «Красной звезды», и пусть кто-нибудь попробует угадать, что откуда взято. То-то смеху будет.

4

Главная проблематика книг Тухачевского: организация партийно-политической работы в войсках и на оккупированных территориях. «Если мы медленно и постепенно будем вливать агитационные силы, то влияние их будет ничтожно. Необходимо одновременное шумное влитие свежего революционного потока, способного сломить апатию и одухотворить войска желанием боя и стремлением к победе. Но движение этого потока обязательно должно быть поставлено на рельсы. Должны быть заранее разработаны лозунги и тезисы, с которыми вся агитационная масса должна с полным единомыслием влиться в войска. Только при таких условиях может получиться ударная успешная пропаганда. Эти удары должны сопровождаться самыми интенсивными кампаниями — литературными, плакатными и пр. Организация агитпунктов на всех этапах, широкое применение музыки, широкое развитие плакатной системы и прессы, устройство театров и проч. — все это может и должно дать блестящие результаты» (Т. 1. С. 104).

И далее в том же духе: надо развесить портреты вождей, надо обклеить стены плакатами, надо устроить агитпункты. И пусть играет музыка!

В двух томах Тухачевского нет ни одной рекомендации о том, как надо прорывать фронт противника. Зато указаний по организации политической подготовки предостаточно: «Вся эта подготовка должна быть регламентирована определенными тезисами, охватывающими понятия: о целях войны, о неминуемости революционных взрывов в буржуазных государствах, объявивших нам войну, о сочетании социалистических наступлений с этими взрывами, об атрофировании национальных чувств и о развитии классового самосознания» (Т. 1. С. 94).

Полководец Тухачевский «академиев не кончал», высшего образования не имел, и боевой опыт его невелик. В Первой мировой войне Тухачевский воевал полгода. А Гражданская война — это вовсе не война, а карательные экспедиции против мужиков. Основные тактические приемы: сжигание сел, порка шомполами и массовые расстрелы. Главную задачу не только Гражданской, но и любой другой войны Тухачевский формулировал четко: «Железной рукой обуздывать местные враждебные классы» (Т. 1. С. 58). И все боевые приказы Тухачевского не о том, как небывалым маневром обойти противника и ударить во фланг и тыл, а о том, сколько заложников брать и когда их расстреливать. Об этом впереди особый разговор.

А пока для примера вот эта рекомендация войскам:

ПРИКАЗ

Полномочной Комиссии ВЦИК № 116
г. Тамбов
23 июня 1921 г.

Опыт первого боевого участка показывает большую пригодность для быстрого очищения от бандитизма известных районов по следующему способу чистки. Намечаются особенно бандитски настроенные волости, и туда выезжают представители уездной политической комиссии, особого отделения, отделения военного трибунала и командования вместе с частями, предназначенными для проведения чистки. По прибытии на место волость оцепляется, берутся 60—100 наиболее видных лиц в качестве заложников, и вводится осадное положение. Выезд и въезд в волость должны быть на время операции запрещены. После этого собирается полный волостной сход, на коем прочитываются приказы Полномочной Комиссии ВЦИК № 130 и 171 и написанный приговор для этой волости. Жителям дается 2 часа на выдачу бандитов и оружия, а также бандитских семей, и население ставится в известность, что в случае отказа дать упомянутые сведения заложники будут расстреляны через 2 часа. Если население бандитов и оружия не указало по истечении двухчасового срока, сход собирается вторично и взятые заложники на глазах у населения расстреливаются, после чего берутся новые заложники и собравшимся на сход вторично предлагается выдать бандитов и оружие. Желающие исполнить это становятся отдельно, разбиваются на сотни, и каждая сотня пропускается для опроса через опросную комиссию (представителей Особого отдела и Военного трибунала). Каждый должен дать показания, не отговариваясь незнанием. В случае упорства проводятся новые расстрелы и т.д. По разработке материала, добытого из опросов, создаются экспедиционные отряды с обязательным участием в них лиц, давших сведения, и других местных жителей и отправляются на ловлю бандитов. По окончании чистки осадное положение снимается, водворяется ревком и насаждается милиция.

Настоящее Полномочная Комиссия ВЦИК приказывает принять к неуклонному исполнению.

Председатель Полномочной Комиссии
Антонов-Овсеенко

Командующий войсками
Тухачевский

Так что Тухачевский все-таки давал рекомендации войскам, как надо действовать. Только те рекомендации в двухтомник великого стратега не вошли, а всплыли через 70 лет, да и то только потому, что в 1991 году власть коммунистов на короткое время чуть ослабла.

Тухачевский и все другие участники той войны против народа объявили себя героями

Гражданской войны. Сын Антонова-Овсеенко потом всю жизнь воспевал отца — верного ленинца: ах, если бы не Сталин, ах, если бы Антонов-Овсеенко в Кремле засел да с Тухачевским, вот то бы был настоящий социализм!

5

Обратим внимание на дату приказа Тухачевского — 23 июня 1921 года. Через двадцать лет придут другие оккупанты, но будут творить почти то же самое. Разница в том, что гитлеровцы гнали людей в яр и гвоздили из пулеметов, а Тухачевский, кроме того, вязал круговой порукой все население. Позже этот план назовут ссучиванием. Именно этим занимались Антонов-Овсеенко, Тухачевский, его заместитель Уборевич и все прочие стратеги — они ссучивали народ, заставляя всех стать стукачами и предателями, заставляя выдавать соседа, кума, отца и брата, а потом еще и ловить их по лесам. И убивать. Тухачевский вводил поголовное стукачество, давил страхом и разрушал вековую мораль русской деревни. Вместо всех нравственных устоев — только страх за свою шкуру и ответственность каждого за всех остальных. Идея Тухачевского: раздавить в народе чувство Родины и собственного достоинства. Национальные чувства во всех народах должны, по мысли Тухачевского, атрофироваться. Когда мы говорим о поражениях 1941 года, то виновником называем Сталина. А между тем именно Сталин начал будить в людях чувство Родины. И начал он это делать в конце 30-х годов, только после того, как ему удалось частично очистить страну от троцких, тухачевских и уборевичей. Давайте же не забудем, что ссучивание народа проходило под непосредственным руководством и по инициативе тех самых стратегов, которых в годы очищения убрал Сталин.

И не могли в 1941 году ссученные толпы, которые были приучены Тухачевским дорожить только собственной шкурой, поначалу проявлять героизм. Все это приходилось в народе пробуждать и снова воспитывать.

И еще одно. Замечено было еще на Соловках: тот, кто людей принуждает становиться стукачами, сам не стесняется стукачества, сам становится стукачом, если не был им раньше. Тот, кто ссучивал воров, тот и сам ссучивался, тот сам при изменении обстоятельств отказывался от всего, во что верил, чем дорожил. Не могли уборевичи, корки, эйдеманы ссучивать народ и при этом не ссучиваться сами. Не могли, делая всех стукачами, не вляпаться в тот же грех. И не могли уншлихты, тухачевские, якиры быть людьми храбрыми. Если они хотели все подчинить страху, значит, знали его силу, значит, были трусами. И дальнейший ход событий показал, что в своем подавляющем большинстве сдавали они друг друга, не дрогнув лицом, они клеветали друг на друга и на себя и признавались во всем. Сам Тухачевский на следствии раскололся сразу, проявив сучью натуру, трусость и угодливость.

Вот вам и причина очищения армии в 1937 году: Сталин готовился к войне против Германии. Потому Сталин должен был освободиться от самых кровавых палачей: от Антонова-Овсеенко, Тухачевского, Якира, Уборевича, Блюхера и других, им подобных. Они сами называли себя оккупантами, и народ их ненавидел. Таких полководцев нельзя было ставить во главе народных масс, мобилизованных на войну. Народ за этими стратегами не пошел бы в бой, а при случае припомнил им и Тамбов, и Кронштадт, и Крым, и Варшаву, и Муром, и Рыбинск, и Дон, и Ярославль, и все другие их заслуги и подвиги.

С другой стороны, все эти стратеги и не смогли бы вести народ на войну. Давно известно, что армия, которая измазала свой мундир кровью собственного народа, не способна воевать против внешних врагов. Первая причина разложения любой армии — использование ее против своих. Каждый, кто в этом деле активно участвовал, полководцем быть уже не мог.

И вот «Красная звезда» воспевает патриота Тухачевского: уж он бы повел народ на великую войну за отечество! Да... Уж он бы повел... «Патриот» Тухачевский гордился тем, что у него атрофированы национальные чувства, об этом он заявлял устно и печатно.

«Патриот» Тухачевский повел бы в бой за Родину ссученные массы, у которых он невероятной жестокостью вытравливал чувство любви к Родине...

Когда правитель проявляет жестокость, цель которой — защита страны, народ принимает эту жестокость. А Тухачевский проявлял дикую жестокость, переходящую в садизм, ради того, чтобы национальные чувства в народе истребить. И за это народ его ненавидел.

И сколько бы музыка ни играла, заглушить народной ненависти к завоевателю Тухачевскому она не могла.

6

Вот еще жемчужина из сокровищницы боевого опыта.

НАЧАЛЬНИКУ ШТАБА ВОЙСК
КАКУРИНУ ДЛЯ ДАЧИ НА ПОДПИСЬ

Предуполиткомиссий 1, 2, 3, 4, 5 и 6-го участков

8 июля 1921 г.

Разгромленные банды прячутся в лесах и вымещают свою бессильную злобу на местном населении, сжигая мосты, портя плотины и прочее народное достояние.

В целях охранения мостов Полномочная Комиссия ВЦИК приказывает:

1. Немедленно взять из населения деревень, вблизи которых расположены важные мосты, не менее пяти заложников, коих в случае порчи моста надлежит немедленно расстреливать.

2. Местным жителям организовать под руководством ревкомов оборону мостов от бандитских налетов, а также вменить населению в обязанность исправления разрушенных мостов не позднее чем в 24-часовой срок.

3. Настоящий приказ широко распространить по всем деревням и селам.

Командующий войсками
Тухачевский

Логика у нашего стратега удивительная: «разгромленные банды прячутся в лесах и вымещают свою бессильную злобу на местном населении...», посему Тухачевский повелевает расстреливать заложников из числа этого самого местного населения.

Весь опыт Тухачевского: заложники, заложники, заложники, расстрелять, расстрелять, расстрелять. И чтобы музыка играла.

Между тем взятие заложников запрещено Гаагской конвенцией 1907 года.

Во все времена заложничество считалось тягчайшим военным преступлением. Во все времена полководец, который опозорил свое имя этим недостойным приемом, презирался окружающими. На Нюрнбергском и всех последующих процессах над германскими социалистами практика взятия заложников рассматривалась как военное преступление и виновные в этом осуждались на смерть через повешение.

Вот где было бы достойное место Тухачевскому, Антонову-Овсеенко, Уборевичу, Примакову и всем другим военным преступникам — на скамье подсудимых в Нюрнберге, в компании с Герингом, Кейтелем, Йодлем и прочими.

Но, сравнивая наших социалистов с германскими, мы все же отметим разницу: гауляйтеры были оккупантами на чужой территории, а Тухачевский, Блюхер, Путна, Дыбенко и все прочие — в своей стране.

И вот после всего этого Никита Хрущев объявил военных преступников невинными жертвами... И встречаются еще люди, которым жаль Тухачевского, Якира, Примакова и прочих врагов народа. Есть еще люди, которым жаль, что Сталин остановил террор, наказал палачей, не позволив им и дальше лить народную кровь.

Есть еще люди, которые грустят, услышав имя Тухачевского, Гитлера, Уншлихта, Розенберга, Якира, Гиммлера, Гамарника.

Но почему мы должны разделять эту светлую грусть?

Нас стараются убедить в том, что наш народ любит страдание, любит кнут и своих палачей. И каждому из нас как дьявольское прельщение подсовывают приукрашенные хари тухачевских и всяких прочих блюхеров: возлюби палача своего, возлюби ссученного мерзавца и садиста, возлюби своего убийцу, возлюби его топор и кнут его...

7

Для войны против своего народа Тухачевскому требовались командиры особого склада. Важно было не профессиональное мастерство, а политическая благонадежность и готовность выполнять преступные приказы. Потому подбор командных кадров политрук Тухачевский вел не по профессиональному, а по политическому признаку: «Надо только дать широкий простор для продвижения и широко назначать комиссаров на командные должности, давая некоторым из них краткую теоретическую подготовку... Нужно только бросить лозунг о переходе к коммунистическому командному составу... В 5-й армии уже давно выдвинут этот лозунг, и командный состав в ней весь коммунистический» (Т. 1. С. 44). Легко догадаться, что это написано в момент, когда 5-й армией командовал сам Тухачевский. Он ставит 5-ю армию в пример, а с ней и себя, любимого: вот как надо действовать!

Такой подход оправдывал себя полностью, пока боевые действия сводились к расстрелу заложников. Главное было в том, чтобы командир считал себя марксистом и ради марксизма народной крови не жалел. Потому зов Тухачевского: комиссаров на командирские должности! Давая НЕКОТОРЫМ из них КРАТКОВРЕМЕННУЮ подготовку.

Все было чудесно, пока Тухачевский и его комиссары (некоторые из них уже имели кратковременную подготовку, а в большинстве своем — не имели) не встретились на поле брани с польской кавалерией. И побежали комиссары с кратковременной подготовкой...

Этот марксистско-троцкистский подход Тухачевского к подбору командных кадров из числа комиссаров потом был объявлен гениальным и единственно правильным. Маршал Советского Союза С.С. Бирюзов: «Во всей своей деятельности Михаил Николаевич Тухачевский руководствовался ленинским принципом о руководящей роли Коммунистической партии в строительстве Вооруженных Сил» (ВИЖ. 1964. № 2. С. 44).

Увлечение марксизмом-троцкизмом, как и все у Тухачевского, было раздуто до размеров невероятных. 31 января 1926 года начальник Штаба РККА Тухачевский направил народному комиссару обороны К.Е. Ворошилову доклад, в котором утверждал, что Штаб РККА превращается в «аполитичный орган» (Красная звезда. 20 августа 1994 г.). А почему самый главный военный штаб страны должен заниматься политикой? Политикой занимаются партии и правительства, а начальник

Генштаба и все его подчиненные должны служить Родине, выполнять возложенные на них обязанности и в политику носа не совать. Не солдатское это дело.

Интересно, что Ворошилов — член правительства, то есть политик. Кроме того, Ворошилов — профессиональный революционер с мощным дореволюционным стажем. Ворошилов еще в 1906 году возражал Ленину на IV съезде партии. Ворошилов — член ЦК, а с 1926 года — член Политбюро, то есть он трижды политик. А Тухачевский — примазавшийся. При царе — служил царю. Но даже до командира роты не дослужился. А потом примкнул к большевикам. Но примкнул только после того, как большевики прочно обосновались в Кремле. И вот примазавшийся Тухачевский желает показать, что он тоже революционер. И вот он указывает профессиональному политику на недостаточную политизацию Генштаба, который вовсе и не должен быть политизирован.

Не слишком ли заносило в политику примазавшегося политрука с атрофированными национальными чувствами?

8

Опубликованные работы Тухачевского — это троцкизм чистой воды: призывы, призывы, призывы. И вера в Мировую революцию.

Троцкий: «Надо выдвинуть лозунг революционного уничтожения национального государства. Сумасшедшему дому капиталистической Европы надо противопоставить программу Социалистических Соединенных Штатов Европы как этап к Соединенным Штатам всего мира» (Бюллетень оппозиции. № 84. С. 14). И Тухачевский о том же: надо забыть национальности, национальных интересов нет. Есть только классовые интересы. Главные работы Тухачевского — «Стратегия национальная и классовая» и «Война классов». Тухачевский доказывает, что надо бороться не за интересы своей страны и своего народа — ими надо жертвовать, а бороться надо за интересы мирового пролетариата.

Любой вопрос у Тухачевского преломлялся сквозь призму классовой борьбы. Он, например, доказывал, что партизаны бывают двух типов: те, которые защищают национальные интересы, — это плохие партизаны, и те, которые защищают интересы мирового пролетариата, — это хорошие партизаны... «Подразделим партизанство на две категории: партизанство национальное и партизанство классовое» (Т. 1. С. 50). Что же товарищ Тухачевский рекомендует делать с «национальным партизанством»? Оно, по мнению Тухачевского, «не могло идти рука об руку с нашей классовой армией чисто классового характера и духа. Такое партизанство, если оно не будет пресечено в корне, неминуемо гибельно отразится на нашей армии».

Дико все это читать после Второй мировой войны, которая опровергла ВСЕ, что писал Тухачевский. Воевали мы против Германии, в которой правила всенародно избранная краснознаменная социалистическая партия рабочего класса. Промышленность Германии была в основном поставлена под контроль государства, другими словами, гитлеровская Германия была социалистической не только по форме, но и по сути. Рабочий класс Германии — самый передовой в мире, самый любимый Марксом, Лениным, Троцким и Тухачевским, но наш народ никакой классовой солидарности со стороны германских рабочих во время войны не наблюдал. И другие народы тоже. И делили людей на войне не на буржуев и пролетариев, а на немцев и наших. И партизанское движение было не классовым, а сугубо национальным. А Тухачевский рекомендовал «национальное партизанство» пресекать в корне.

И помогали нам на войне не пролетарии всех стран, а как раз самые главные буржуины, каких только видел свет: Черчилль с Рузвельтом. И вместе с ними — рокфеллеры, ротшильды и прочие всякие форды. Вот вам и война классов.

Политрук Тухачевский давно занимался предсказаниями. И все его предсказания не сбывались. В 1920 году он предсказывал, что рабочие и крестьяне Польши восстанут против своих угнетателей. Тухачевский предсказывал, что пролетарии всех стран Европы тоже восстанут. Потому подготовка Тухачевского к походу на Европу ограничилась организацией агитпунктов, выпуском листовок и плакатов: «Через труп белой Польши вперед к Мировой революции!» Но вопреки прогнозам великого предсказателя пролетарии Польши не восстали. Пролетарии Германии, Франции, Испании тоже игнорировали гениальные предсказания.

Ничего, утешал политрук Тухачевский, в грядущей войне восстанут.

«Защита рабочим классом капиталистических стран своего международного социалистического отечества, батрачество и беднота деревни — все это будет создавать широкую базу для революционного повстанческого движения в тылу у наших врагов» («Новые вопросы войны» // В сб.: Вопросы стратегии и оперативного искусства в советских военных трудах. М., 1965. С. 126).

Все, что писал политрук Тухачевский про классовую стратегию, про солидарность, про то, что тыл буржуйский лопнет, что пролетарии восстанут, — все это оказалось темой интересной предвоенной политбеседы. Не более того. Тыл буржуазной Америки и Британии, слава Богу, не лопнул и не восстал, и мы от буржуйского пирога получили увесистый ломоть.

И германский рабочий класс во Второй мировой войне не восстал.

Тухачевский предсказывал восстания у капиталистов, а они почему-то полыхали в тылах рабоче-крестьянского государства. Все заслуги Тухачевского перед Лениным и Троцким как раз и сводились к подавлению народных выступлений и оккупации собственной страны.

Удивительный тип: сам же пишет, что в собственной стране он вел настоящую войну против всего народа, и тут же предсказывает, что пролетарии всего мира будут ждать его с распростертыми объятиями.

Если он оккупант в собственной стране, то кому он нужен в чужих странах?

Так что предсказатель Тухачевский большой точностью не отличался.

Крик не стихает: а вот германское нападение Тухачевский предвидел и предсказал. Он нас предупреждал... Он все предвидел... Он...

Когда крики защитников великого политрука-предсказателя переходят в вопль и рев, я задаю все тот же вопрос:

«Что мог предсказать пророк, который всегда ошибался?»

Глава 14

ПЕРВОЕ ПРЕДУПРЕЖДЕНИЕ ТУХАЧЕВСКОГО

Мы будем расширяться в социалистическую коалицию, когда будут вспыхивать новые социалистические революции или когда нам придется занимать тот или иной район, находящийся под владычеством капитала.

М.Н. Тухачевский.
Вопросы современной стратегии

1

Нападение врагов Тухачевский предвидел и нас предупреждал!

Это ли не проявление величия?

Правильно. Предвидел и предупреждал.

Я скажу больше: он не один раз предупреждал, а дважды. Так давайте же эти предупреждения и прочитаем.

Первое предупреждение Тухачевского о коварных замыслах врагов было опубликовано еще в 1931 году... За десять лет до 1941 года! Какая проницательность!

Текст великого предвидения настолько серьезен и важен, что я привожу его дословно (Тухачевский М.Н. Избр. произв. Т. 2. С. 165).

ПОДГОТОВКА НОВОЙ ВОЙНЫ ПРОТИВ СССР

С каждым днем все больше и больше расшатываются устои капиталистического мира. Небывалый в истории мировой экономический кризис, развивающийся на основе общего кризиса капиталистической системы, охватил все буржуазные страны и все важнейшие отрасли производства. Число безработных в капиталистических странах перевалило уже за 35 млн. человек и продолжает возрастать. Идет широкое наступление буржуазии на рабочий класс: сокращается заработная плата, уменьшаются пособия по безработице, удлиняется рабочий день и т.д.

Миллионные массы крестьян разоряются вследствие падения цен на сельскохозяйственные товары, высоких налогов, огромной арендной платы и высоких процентов по долгам.

Мировая буржуазия, опираясь на социал-фашистов, усиливает и без того жестокую эксплуатацию трудящихся, громит революционные и рабочие организации, расстреливает демонстрации, загоняет в подполье коммунистические партии. Но эти меры не помогают. Жестокий кризис ширится и растет, растет и борьба трудящихся масс всех стран за свое освобождение от гнета и эксплуатации.

Успехи строительства социализма в СССР все более убеждают трудящиеся массы всех стран, что из нищеты и угнетения можно выйти только путем пролетарской революции. Бурный рост СССР вызывает страх и бешеную ненависть буржуазии. Против СССР, занятого мирным строительством и твердо проводящего политику мира, готовится новая империалистическая интервенция. Еще никогда эта подготовка нового нападения на нас не проводилась так открыто и настойчиво. Министры Америки, Англии, Франции и других капиталистических стран непрерывно разъезжают из одной страны в другую в поисках выхода из кризиса, для спасения своих капиталов настойчиво и лихорадочно сколачивают антисоветский фронт. Подготовка к войне проводится и в виде прямых вооруженных нападений, как это было на Китайско-Восточной железной дороге. Война против СССР подготовляется и экономическим путем, путем борьбы с вывозом наших товаров за границу. Она организуется всей буржуазной печатью, которая непрерывно проводит кампанию лжи и клеветы против нашей партии, нашей страны, нашего строительства. Буржуазия выступает открыто в виде провокационных покушений и нападений на наших представителей за границей.

Вместе с ростом кризиса капитализма растет и военная опасность. Буржуазия ищет выхода из создавшегося положения путем новой войны и нового нападения на Советский Союз. Военная промышленность в капиталистических странах растет все время, несмотря на кризис.

2

Вот такое предупреждение.

Далее Тухачевский пишет много и красиво о том, что партия — наш рулевой, что партия нас ведет в светлое завтра, что выполнение пятилетнего плана обеспечит счастливую и радостную жизнь нашему народу, что красноармейцы обязаны счастье трудового народа беречь как зеницу ока, что красноармейцы на учениях обязаны соревноваться; кто не соревнуется, тот плохо готовится к обороне родины мирового пролетариата. Тухачевский просто и доходчиво объясняет, что социалистическое соревнование — ключ к повышению боеспособности частей и подразделений. Тухачевский настоятельно рекомендует учиться военному делу настоящим образом, всемерно укреплять воинскую дисциплину, беспрекословно и четко выполнять приказы командиров. Он пишет еще много всего, но это уже из другой оперы.

3

Хорошо быть предсказателем: называй все страны по списку. Не забывай в конце сказать: и другие! Случись потом война с любой из названных стран, и благодарные потомки вспомнят гения: а ведь он предвидел! А ведь он нас предупреждал!

Но злая судьба распорядилась так, что ни с одной из названных Тухачевским стран войны не случилось. Не берусь судить, кого Тухачевский имел в виду под многозначительными словами «и другие», но названные им Америка, Англия и Франция так на нас почему-то и не напали. Видимо, они готовили интервенцию, министры разъезжали из одной страны в другую, но так антисоветский фронт и не сколотили. Наоборот, США и Британия оказали неоценимую и безвозмездную помощь Советскому Союзу во время войны. Наши летчики воевали не только на советских самолетах, но и на британских и американских. А вместе с ними воевали летчики из Франции. Именно с правительствами США, Британии и Франции Сталин после войны делил Европу на части. Именно судьи СССР, США, Британии и Франции судили главных гитлеровских приспешников в Нюрнберге.

Тухачевский в своих гениальных предвидениях предсказал все с точностью до наоборот, в числе вероятных противников он назвал по именам наших будущих союзников во Второй мировой войне. А Германию в числе противников не назвал. Гений, да и только.

И была причина, почему Германия Тухачевским не названа. Причина в том, что Германия согласно Версальскому договору была разоружена и лишена права иметь танки, самолеты, подводные лодки, тяжелую артиллерию. Но именно в эти годы Тухачевский ковал тот самый фашистский меч, который потом на нас и обрушился. В Казани мы готовили немецких танкистов, в Липецке — летчиков, в Ленинграде немцы проектировали танки и подводные лодки, в Москве, в Филях, фирма «Юнкерс» испытывала и строила самолеты для грядущих завоеваний. И именно Тухачевский ко всему этому имел самое прямое отношение. Это его подпись стояла под большинством тайных соглашений с Германией.

4

Но Тухачевский в своем предупреждении говорил о каких-то социал-фашистах. Кто это, социал-фашисты? Гитлер и гитлеровцы? Нет. Социал-фашистами наша пропаганда называла социал-демократов и объявила их главными врагами рабочего класса.

В своем предсказании Тухачевский говорил: «и другие». Может быть, он под «другими» как раз и имел в виду Германию? Может быть, этим намеком он нас всех и предупредил?

Что ж, может быть, и так. Хотя, с другой стороны, если бы потом случилась война с Уругваем, то любители Тухачевского могли бы объявить, что гениальный мыслитель под «другими» имел в виду именно Уругвай.

А если говорить серьезно, то в 1931 году Тухачевский о германской опасности не предупреждал и не мог предупреждать, ибо он сам эту самую германскую опасность тогда и создавал.

5

Если признать, что предсказания и предупреждения Тухачевского гениальны, то ради исторической справедливости давайте признаем, что вся наша страна одними только гениями населена. Любой наш ротный старшина на утреннем осмотре начинал с предупреждений о том, что враги вынашивают замыслы, что враги изготовились, а у рядового Дуралеева сапоги не чищены: случись что — вот тебе и пожалуйста! И знатные наши доярки на каждом колхозном собрании предупреждали, что враг не дремлет, что надо потому надои поднимать. И наши шахтеры, спускаясь в забой, клялись выдать угля сверх нормы, потому как враг не дремлет. И Максим Горький писал Сталину письма о том, как советские рабочие все вдруг бросились записываться в партию в ответ на происки мировой буржуазии, которая готовит новую интервенцию против рабоче-крестьянского государства.

Мы всегда испуганно шептали, что окружены врагами. Чем длиннее становились очереди за кастрюлями и керосином, тем больше политруки тухачевской закваски находили изготовившихся к нападению врагов.

Тухачевский предупреждал, что Британия, США и Франция вынашивают планы нападения на СССР. По времени это предупреждение странным образом совпало с массовым насильственным разорением крестьянства войсками Тухачевского. Это время коллективизации, голода, выселения, уничтожения и истребления миллионов. Вот Тухачевский и стращает: лишь бы не было войны! Это ничего, что дети с голоду мрут, как мухи в октябре, зато войны нет! А то смотрите: из-за дальних морей, из-за вражьих земель понахлынет черная сила!

6

В 30-е годы не представляло особого труда вычислить, кто будет нашим противником в войне. Испания? Уж слишком она далеко. И Португалия тоже. Америка? Нам до нее в то время было не достать, а сама Америка была не так глупа, чтобы на кого-то нападать. Америка покоряла мир не оружием, а долларом.

Тогда кто же будет нашим противником? Франция? Она загородилась стеной, и стратегия у нее оборонительная.

Британия? Опять же нам до нее не достать, а ей самой не до нападения на нас — у нее и так колоний столько, что поди удержи. Тогда Тухачевский предупреждал о британской опасности, а теперь наш Генеральный штаб вынужден признать, что никакой опасности со стороны Британии не было. Заместитель начальника Генштаба генерал армии М.А. Гареев: «Англия крайне пассивно готовилась к войне. Она имела ограниченные сухопутные войска и авиацию, поэтому серьезно повлиять на ход военных действий была не в состоянии» (Мужество. 1991. № 5. С. 149).

Вот и выходило, что серьезными нашими противниками могли быть только Япония и Германия. Больше тогда было некому против нас воевать.

Советую всем почитать творения соратника Ленина Карла Радека. Он оставил потомкам целые тома о том, что на нас нападут не какие-либо враги, а именно германские. Сам Радек был в свое время арестован в Германии за подготовку заговора с целью свержения правительства и установления коммунистической власти. Свои действия коммунисты всегда прикрывали страхом: в начале 20-х годов, когда в Германии не было вообще никакой армии, когда в стране свирепствовали инфляция и анархия, Радек готовил государственный переворот в Берлине, при этом на весь мир заявлял о том, что Германия на нас собирается нападать.

На Японию Советский Союз напал в 1945 году с весьма хитрым объявлением войны: сначала нанесли удар, сожгли авиацию на аэродромах, а потом в тот же час, но только по московскому времени, то есть через восемь часов после случившегося, объявили войну, нарушив все заверения о мире. Для того наша пропаганда и кричала десятилетиями, что Япония нам угрожает, чтобы однажды нанести ей удар. И Германии готовилась та же судьба. Потому тысячи наших агитаторов стращали Германией, но было это только пропагандой, ибо, по признанию того же генерала армии Гареева, командование Красной Армии готовилось к войне только на территории противника, а «возможность ведения военных действий на своей территории практически исключалась» (Там же. С. 247).

Мы прикидывались запуганными, объявляли всему миру, что на нас сейчас нападут, но воевать готовились на чужой территории.

И пока Тухачевский предупреждал, что на нас нападут Британия, Франция и США, тысячи других агитаторов и политруков называли Германию и Японию по именам. И писатели о том же писали. И поэты. И футбольные комментаторы о том же нам сообщали. И лекторы-международники. И судьи наши на показательных процессах начинали с заявлений о том, что враг не дремлет. И врага по имени называли. Вот мне книга случаем досталась: К.И. Солнцев. «Воинские преступления» (М.: Юриздат НКЮ СССР, 1938). Этот самый К.И. Солнцев начинает книгу так: «Красная Армия в каждый момент готова, в случае нападения на нашу Родину, разгромить любого врага на его собственной территории». И далее: «Германский и японский фашизм лихорадочно готовят войну против Советского Союза».

Вот бы кому монумент воздвигнуть! Вот бы на стене Главной военной прокуратуры присобачить мемориальную доску с надписью: «Тут работал величайший и гениальнейший военный прокурор товарищ К.И. Солнцев, который еще в 1938 году предвидел и предупреждал о том, что Германия и Япония готовят войну против Советского Союза».

Проблема в том, что такие же мемориальные доски пришлось бы привинтить на каждом доме, ибо все предупреждали о том, что Германия и Япония готовятся к нападению.

А Николай Шпанов написал книгу «Первый удар» о том, как на нас Германия напала... И тут же мы ей разгром устроили. На ее территории. Сценарий войны таков: у нас все готово к немедленному переходу границы, только повода не хватает... Но вот они дали нам повод, и тут же мы перешли границу. Кстати сказать, такой сценарий войны не фантазия писателя Шпанова. Именно так наша армия «обеспечивала безопасность города Ленина»: сначала мы развернули четыре армии на границе Финляндии, затем они зачем-то в нас стрельнули из пушки, вот тут-то мы и возмутились: «Ах, вы так!» И понесла наша доблестная армия знамя свободы на чужую территорию...

А самый лучший фильм того времени — «Если завтра война». И песня над страной гремела с тем же предупреждением: если завтра война...

И эта война почему-то всегда завершалась тем, что наша армия несла красное знамя социализма соседним народам и странам.

Но ведь было еще одно предупреждение Тухачевского! Не так ли? Ведь потом Тухачевский исправился и назвал среди вероятных агрессоров не только США, Британию и Францию, но и Германию... Разве это можно отрицать?

Этого отрицать нельзя. Действительно, было и второе предупреждение Тухачевского в 1935 году.

Но неужто того, что мы уже узнали о Тухачевском, нам недостаточно для определения истинной ценности его предсказаний и предупреждений?

Глава 15

ТАК ЧТО ЖЕ ПРЕДЛАГАЛ ТУХАЧЕВСКИЙ?

А в общем-то, надо признать: по имеющимся ныне в широком пользовании материалам довольно трудно судить, кто же из военных руководителей за что ратовал в различные периоды развития Вооруженных Сил, кто что исповедовал, какие шли дискуссии по вопросам военного строительства. Наша военная история, увы, обезличена.

«Красная звезда». 4 апреля 1988 года

1

Нашелся честный человек и рассказал о том, какую именно реформу предлагал Тухачевский Сталину. Генерал-лейтенант авиации В.В. Серебряников приоткрыл (ВИЖ. 1989. № 7. С. 49) кусочек того секрета, который покрывает таинственные предложения Тухачевского вот уже более семидесяти лет. Оказывается, Тухачевский в декабре 1927 года, помимо прочего, предлагал Сталину произвести в течение одного 1928 года 50—100 тысяч танков.

Сравним. Оценим.

В 1928 году никакого Гитлера у власти не было. Ни одного танка в Германии тоже не было. Вся германская армия — это 100 тысяч солдат, унтеров, офицеров и генералов, и все это — пехота и кавалерия. Тухачевский предлагал иметь по одному нашему танку против каждого немецкого генерала, офицера, против каждого немецкого солдата в строю и в обозе, против каждого немецкого повара у полевой кухни, против каждого денщика и посыльного.

1 сентября 1939 года Гитлер вступил во Вторую мировую войну, имея 2977 танков, среди которых ни одного плавающего, ни одного среднего, ни одного тяжелого. Нам говорят: ясное дело, если у Гитлера такое огромное количество танков, аж 2977, значит, это не для обороны, значит, это не для одной Европы... Раз Гитлер настроил такое количество танков, значит, замысел его сам собой вырисовывается — он явно намерен завоевать мировое господство.

С этим я полностью согласен. Но что в этом случае намеревался делать Тухачевский с армадами в 50 000—100 000 танков?

2977 германских танков построены не за один год, а за все предвоенные годы. А Тухачевский предлагал построить 50 000—100 000 только за один год.

Интересно сравнить замыслы Тухачевского на 1928 год с реальным производством танков и самоходных орудий в Германии в ходе Второй мировой войны:

1939	743
1940	1515
1941	3113
1942	4276
1943	5663
1944	7975
1945	956

Итого — за грозные предвоенные месяцы 1939 года и за все годы войны — 24 241 танк (Encyclopedia of German Tanks of World War Two. Arms and Armor Press. London, 1978. P. 261).

Интересна другая цифра: за все годы Второй мировой войны Япония построила 3648 танков, все легкие (Советская военная энциклопедия. Т. 7. С. 664). А вывод вот какой: за десять лет до начала Второй мировой войны, когда ни Германия, ни Япония не имели ни одного танка, Тухачевский предлагал построить за один год в 2—4 раза больше танков, чем их построила Германия за все годы Второй мировой войны, и в 13—26 раз больше, чем построила Япония за все годы войны. Нас приучили к формуле: германские фашисты и японские милитаристы. Действительно, если они произвели столь огромное количество танков: 24 241 и 3648, то ясно каждому — это фашизм и милитаризм. Но возникает вопрос: кем же был Тухачевский на фоне фашистов и милитаристов, стремящихся к мировому господству?

2

Пик мирового танкового производства не только в войне, но вообще в мировой истории — 1944 год. К этому моменту экономика всех стран перестроилась на военный лад и разогналась до максимальной скорости. Так вот, в этот пиковый год Советский Союз, США, Великобритания, Германия, Япония, Италия, Канада и все остальные страны мира, вместе взятые, до 100 тысяч танков так и не дотянули.

А Тухачевский хотел в одном только Советском Союзе в мирное время за один год построить танков больше, чем вся мировая экономика построила в самый разгар войны. Вот какие у нашего стратега были замахи в 1927 году, ДО НАЧАЛА ИНДУСТРИАЛИЗАЦИИ СССР.

100 тысяч танков в мирное время Советский Союз произвести не мог. И 50 тысяч тоже. И никто не мог.

Уже после войны Советский Союз, неизмеримо более мощный индустриальный гигант, имел 50 000 танков. И даже чуть больше. Но эти танки были произведены не в один год, а накапливались десятилетиями. Пример: гордость советского танкостроения ИС-8 (он же Т-10). Начало разработки — февраль 1949 года. Т-10 принят на вооружение в 1953 году. Снят с вооружения в 1993 году (Карпенко А.В. Обозрение отечественной бронетанковой техники. 1905 — 1995. СПб.: Невский бастион, 1996. С. 425). 40 лет в строю. Секретов долголетия этого танка — два.

Во-первых, Т-10 был лучшим тяжелым танком мира. Во-вторых, практически всю свою долгую жизнь наши танки стоят в длительной многолетней консервации. В 60-х годах заводы добавляют к тому, что выпущено в 40-х и 50-х. В 70-х — к тому, что выпущено в предыдущие десятилетия. В 80-х добавляют еще и еще. В случае мобилизации первые эшелоны вступают на самый современной технике, а затем, когда стороны ослабят или вообще подорвут экономику друг друга, мы будем подбрасывать по мере отмобилизования новые и новые дивизии, корпуса и армии, вооруженные танками, выпущенными 10, 20, 30 лет назад.

Но и это осторожное постепенное накопление вышло нам боком. Великая индустриальная держава рухнула. Ноги подломились. Не последнюю роль в крушении Советского Союза играли те самые тысячи танков.

А гениальный Тухачевский предлагал Сталину не понемногу, десятилетиями накапливать танковую мощь, а выпустить сразу в один год 50 000—100 000 танков. Результат таких действий предсказать просто: ноги Советского Союза подломились бы немедленно.

3

Да и как их было возможно произвести?

Танковых заводов в то время у нас не было. Но если бы и были, все равно потребовалось бы прежде всего остановить производство на всех заводах тяжелого машиностроения — станкостроительных, автомобильных, судостроительных, локомотивных, вагоностроительных, тракторных и всех прочих — и перестроить их на производство танков. Представим себе, что завод производит паровозы серии ОВ — «Овечки». Пришла вводная: строительство «Овечек» прекратить, строить паровозы ФД — «Феликс Дзержинский». Может ли человек с улицы представить себе стоимость, сложность и болезненность перехода на производство новой продукции? На заводе — разгром. Годами налаженный ритм ломается. Отлаженные технологические цепочки рвутся. Все нервничают и матерятся. Завод лихорадит. В цехах — комиссия за комиссией: уж не вредительство ли? Премий в это время никому не дают. Наоборот, сажают чаще обычного. Приспособиться, приладиться к производству новых деталей и агрегатов — это примерно то же самое, что привыкнуть-притереться к новой жене, со всеми ее причудами и капризами... Это привыкание происходит годами. Уж лучше с прежней не расходиться.

А теперь представим себе, что паровозному заводу приказали освоить не новый тип паровоза, а нечто совершенно для данного завода необычное — танки. И судостроительному заводу — танки. Да не одному, а всем. И всем станкостроительным заводам — танки. И вагоностроительным. И всяким прочим.

Если принять предложения Тухачевского, то следовало остановить всю промышленность огромной страны минимум на год и переналаживать ее на производство танков.

Прямое следствие такой перестройки: огромные трудовые, материальные, энергетические и финансовые затраты при полной остановке всех крупных заводов страны минимум на год. Страна в этом случае будет тратить, но ничего производить не будет. Такого эксперимента никто никогда в мировой практике не делал, ибо каждому ясно — это означало бы немедленный и полный крах.

Но если бы мы потратили весь 1928 год на перестройку экономики на производство только танков и если бы весь следующий 1929 год промышленность страны выпускала только танки и ничего более, то это во второй раз означало бы полный крах.

Затем (допустим) произвели мы все эти танки, что теперь с заводами делать? Сохранять танковое производство и на следующий год снова производить танки десятками тысяч? А нам столько не нужно. Куда их девать? Следовательно, после выпуска требуемого Тухачевским количества танков надо было снова все заводы останавливать и переделывать их в паровозные, автомобильные, тракторные, станкостроительные и т.д. Это означало бы дикие затраты средств и времени на восстановление производства паровозов, тракторов, вагонов, станков, кораблей и всего прочего. Практика показывает: на выпуск танков мы весьма быстро переключаемся, а вот назад — никак. Конверсия — дело долгое, мучительное, разорительное. Она растягивается на годы и влечет за собой все новые и новые расходы.

4

200—300 танков, по стандартам любой армии, — это танковая дивизия. Напоминаю еще и еще раз: в 70-х годах, в разгар «холодной войны», американская армия — армия самой мощной страны мира — имела в своем составе 16 дивизий, в том числе 4 танковые.

Гитлер ринулся завоевывать мировое господство, имея в сентябре 1939 года 6 танковых дивизий.

В 1927 году ни Германия, ни США, ни Франция, ни Япония танковых дивизий не имели. Если послушать Тухачевского и произвести 50—100 тысяч танков, то следовало развернуть в Советском Союзе за один год от 166 до 500 одних только танковых дивизий.

Экипаж танка того времени — 3 человека. 50— 100 тысяч танков означает, что в танковых войсках надо иметь 150—300 тысяч солдат. Так? Нет, не так.

Танкисты в танковой дивизии — незначительное меньшинство. И вот почему. Прежде всего танки постоянно и своевременно надо обеспечивать жидким топливом и смазочными маслами. Потому за каждой колонной танков надо иметь колонну машин с цистернами. А еще танкам нужны снаряды и патроны. Потому нужна еще колонна машин с боеприпасами. Кроме того, танки надо ремонтировать. Причем ремонтировать не в стационарных мастерских, а там, где танки действуют. Для этого надо иметь подвижные танкоремонтные мастерские и даже подвижные танкоремонтные заводы. Это снова люди и машины. Много людей, много машин.

Но для того чтобы танк отремонтировать, его надо из оврага, из болота или с поля боя под огнем противника вытащить и до подвижной танкоремонтной мастерской дотащить. Для этого нужны специальные ремонтно-эвакуационные подразделения.

Но для того чтобы танк ремонтировать в полевых условиях, надо в район сражения постоянно подвозить необходимые запасные части. Один танковый двигатель на поле боя доставить — прикинем, сколько мороки. А раненых, обгоревших танкистов надо из танков извлекать и доставлять в эвакуационные госпитали. Так что позади нашей танковой колонны вытягивается длинный хвост, без которого танковые подразделения действовать не могут. Зубы дракона — штука важная, но и без хвоста он жить не может. А еще ему нужна голова. Штаб. Да не одна голова. Дракон у нас многоголовый. Каждому батальону — штаб.

Маленький, но все же. И каждому полку — штаб, и каждой дивизии, и каждому корпусу. И все это машины, машины и машины. И все это надо охранять. И всю эту братию надо кормить. А продовольствие — подвозить. Это опять же машины. Но дракону нужны глаза и уши, разведка нужна. Хорошо, когда из штаба армии и из штаба фронта сообщат сведения о противнике, но этого недостаточно. Представьте: вам завязали глаза и кто-то рядом стоящий советует, как надо драться, — левой двинь, теперь правой, чуть выше... Так дело не пойдет. Потому каждому подразделению, части, соединению, объединению требуется своя собственная разведка, свои собственные глаза и уши. А это — снова люди и машины.

Путь танкам прокладывают саперы, они наводят мосты и переправы, ищут и обезвреживают мины и другие заграждения, они возводят укрытия и маскируют позиции, в случае необходимости ставят минные поля, обеспечивают миллионные армии водой и делают еще много нужной работы.

Потому в танковых соединениях надо иметь много саперов и специальной саперной техники.

Танки надо охранять и защищать в ближнем бою, успех танков надо закреплять. Этим занимается мотопехота. Каждой танковой дивизии нужен свой собственный мотострелковый полк, а каждому корпусу еще дополнительно — своя мотострелковая дивизия. Действия танков надо поддержать огнем. На это у нас артиллеристы и минометчики. Действия танков, мотопехоты, артиллеристов надо прикрывать. На это у нас зенитчики. Всем этим надо управлять, действия всех надо координировать. Управление войсками — это поток информации по тысячам каналов. Обеспечивают эти сообщения подразделения и части связи. Все это — машины, машины и еще раз машины. И много, много людей.

Наш стандарт 1940 года: для непосредственного обеспечения действий одной тысячи танков (один мехкорпус) требовалось 36 080 солдат и офицеров, 358 орудий и минометов, 266 бронеавтомобилей, 352 трактора и 5165 автомобилей. Это непосредственно на поле боя. И это не считая усиления, не считая авиации, не считая тыловых учреждений, которые будут питать всю эту массу войск.

Мы думали, что на один танк нужно три танкиста, три веселых друга, а их надо 36. Потом война показала, что предвоенные расчеты были занижены. Для обеспечения действий каждого танка непосредственно на поле боя надо иметь 70—80 человек, вдвое больше машин, чем предполагалось перед войной, и втрое — артиллерии.

Но даже если исходить из заниженных предвоенных стандартов, то и тогда для выполнения программы Тухачевского следовало иметь в танковых войсках от 1 800 000 до 3 600 000 солдат и офицеров, 18 000—36 000 тракторов, столько же орудий и минометов, 13 000—26 000 бронеавтомобилей, от 250 000 до 500 000 автомобилей.

В вооруженных силах Германии в то время 100 тысяч солдат, унтер-офицеров, офицеров и генералов. А в Красной Армии Тухачевский в одних только танковых войсках одних только водителей автомобилей должен был иметь полмиллиона. Не считая водителей танков, артиллерийских тягачей и бронеавтомобилей. Не считая наводчиков, командиров, связистов, саперов, разведчиков и всех остальных.

Или, может быть, Тухачевский считал, что танковые войска без автомобилей обойдутся? Прут танки по дороге, а впереди разведка на лихих конях, а пехота бегом за танками, командиры на тройках с бубенцами, а позади, поскрипывая колесами, — телеги, запряженные волами, боеприпасы везут, бензин, запасные части...

Не мог Советский Союз в то время дать полмиллиона автомашин танковым войскам. И четверть миллиона не мог. Не то что танковым войскам, но и всей армии такого количества дать не мог. А если бы дал, то без машин и тракторов остались бы сельское хозяйство, и промышленность, и транспорт, и строительство. И если бы отдать все машины в танковые войска, то сколько бы те машины пожирали в год бензина, масел и запасных частей?

5

А как комплектовать такие танковые войска? Всеобщей воинской обязанности в то время в Советском Союзе не было. Вводить всеобщую? Это уже за пределами компетенции начальника штаба РККА. Тухачевский предлагал всего только реконструкцию танковых войск, а это влекло за собой глубокие изменения в социальной структуре государства. Начальника штаба РККА явно понесло в сферы, куда забираться без разрешения не рекомендуется.

Но Тухачевский в такие сферы явно забираться и не намеревался, он просто был не способен думать о последствиях своих предложений. А ведь должен был сообразить: если в армии будет 50—100 тысяч танков, то какова же должна быть ее численность? С другой стороны, если бы и ввели всеобщую воинскую обязанность в то время, то все равно призывников не хватило бы даже для укомплектования одних только танковых войск. Если бы и собрали три миллиона призывников для танковых войск сейчас, то в другие годы призывать было бы некого.

Существует проверенное веками правило: в вооруженных силах государства в мирное время не может быть более одного процента населения. Один процент — это критический максимум. Перейдите этот рубеж, и защищать будет нечего — государство будет отброшено в своем развитии на десятилетия назад, оно разорится и обанкротится. В свое время наши мудрейшие стратеги пытались обмануть сами себя бюрократическими финтами: это — внутренние войска, они никакого отношения к армии не имеют, это — МВД. А это пограничные войска. Они тоже отношения к армии не имеют — это КГБ... Такими трюками обманывали американскую делегацию на переговорах в Женеве. А экономику не обманешь. Трюки эти вышли боком стране, ее экономике и народу. В конечном итоге — и самой армии. Знал ли Тухачевский это простое правило про один процент?

Знал ли он, что в мирное время Советский Союз из 150 миллионов населения мог иметь в армии, на флоте, в авиации, в пограничных, внутренних и всех других войсках только полтора миллиона человек? Понимал ли он, что это последний рубеж, выше которого забираться нельзя? Знал ли Тухачевский, что все великие империи как раз и гибли не под ударами внешних врагов, а из-за чрезмерного внутреннего военного напряжения?

6

Ладно, допустим, что Тухачевский решил в одних только танковых войсках держать от 1,8 до 3,6 миллиона солдат. Но где их готовить? Практически все, кто попадает в танковые войска, нуждаются в специальной подготовке. Им быть радистами, ремонтниками, разведчиками, наводчиками, командирами танков и орудий. Пропустить всех через учебные дивизии? Сколько же надо этих учебных дивизий?

А что делать с офицерами? Предложение Тухачевского: танки производить сейчас. Хорошо. Произведем. Но сколько же нам надо офицеров для укомплектования хотя бы ста новых танковых дивизий? Ладно. Развернем военные училища. В мирное время офицера готовили три года. Танки с заводов поступают сейчас, как планирует Тухачевский, — в 1928 году, а офицеров из училищ выпустят через три года, в 1930 — 1931-м. И все они молоденькие и неопытные, а нам нужны командиры батальонов, полков, дивизий, корпусов...

И где жить тем офицерам? Мы и сейчас офицерам жилья построить не можем. А если бы тогда развернули такое количество дивизий, то куда девать товарищей офицеров? В палатки? А где тех палаток набрать?

А где те танки хранить? На войне было просто: эшелоны с танками поступали с заводов прямо на фронт и сразу шли в дело, жизнь танка на войне короткая, очень скоро танк попадал на восстановление или шел на переплавку, а на его место шли новые танки. Их не надо было хранить. Они не накапливались: пока танки разгружали с одного эшелона, танки с предыдущего уже горели ярким пламенем.

П.Е.Дыбенко

И.Э.Якир

М.Н.Тухачевский

В.К.Блюхер

И.Р.Апанасенко

И.П.Уборевич

Н.И.Муралов

А.Лапин, В.Блюхер, М.Губельман, Б.Мельников
среди командиров штаба Восточного фронта ДВР

Командующий войсками Украины и Крыма М.В.Фрунзе
и командующий войсками Киевского военного округа
И.Э.Якир. Киев, 1923 год

Маршал Советского Союза М.Н.Тухачевский (слева), командующий войсками МВО командарм 1 ранга И.П.Белов (справа) и командарм 2 ранга И.Н.Дубовой. 1936 год

Сталин со своими приверженцами. 1936 год

Первые маршалы Советского Союза М.Н.Тухачевский, К.Е.Ворошилов, А.И.Егоров, С.М.Буденный, В.К.Блюхер

М.Н.Тухачевский, Я.Б.Гамарник, К.Е.Ворошилов, А.И.Егоров

Г.Г.Ягода, Н.С.Хрущев и другие на строительстве канала Москва – Волга. 1935 год

⟶

Пленные немцы в Москве. 1944 год

Парад Победы на Красной площади в Москве 24 июня 1945 года. Парад принимает Маршал Советского Союза Г.К.Жуков, командует парадом Маршал Советского Союза К.К.Рокоссовский

М.А.Чижов. Крестьянин в беде. Скульптура из собрания Государственной Третьяковской галереи

Но вот ситуация: в мирное время вдруг хлынула с заводов стальная лавина. И что с ней делать? В чистом поле держать? На морозе под снегом? Это как у Хрущева при подъеме целины: мы завалим Россию хлебом! И завалили. Распахали целину, собрали невиданный урожай, а девать зерно некуда, негде хранить. Засыпали все дороги зерном, все станции железнодорожные, где оно и сгнило. Куда его везти? А распаханные земли разнесло ветром, вся Европа форточки закрывала, когда ветер с востока дул и нес черную пыль. После того — ни целины, ни хлеба.

Тухачевский был из той же породы реформаторов, которые о последствиях не заботились.

7

Если у нас от 166 до 500 танковых дивизий, то ими надо управлять. Их надо объединять в корпуса. Две танковые и одна мотострелковая дивизии — это танковый корпус. Потому следовало развернуть дополнительно 83—250 мотострелковых дивизий и 83—250 управлений танковых корпусов с комплектами корпусных частей. Всего у нас получилось бы 249—750 мотострелковых и танковых дивизий.

Но и танковыми корпусами следовало управлять. Потому потребовались бы штабы танковых армий. От 26 до 83 танковых армий. В 60, 70, 80-х годах во всем мире было восемь танковых армий. Понятно, все восемь принадлежали миролюбивому Советскому Союзу. Так вот, миролюбивый Советский Союз такой тяжести не вынес и лопнул. Тухачевский в 20-х годах предлагал взвалить на плечи неизмеримо более слабого Советского Союза неизмеримо более тяжелый груз.

Но не могли Вооруженные Силы того времени состоять только из танковых корпусов и танковых армий. На каждую танковую и моторизованную дивизию надо иметь минимум три-четыре стрелковые дивизии. Следовательно, надо было иметь от 847 до 3000 стрелковых дивизий. В то время в Германии было 12 дивизий. Всяких. А мы одних только стрелко ых должны были... Если в мирное время в каждой стрелковой дивизии иметь не полный состав, а только половину людей, 6—7 тысяч человек, то и тогда...

Для руководства двумя-тремя стрелковыми дивизиями надо иметь штаб стрелкового корпуса с комплектом корпусных частей, включая тяжелые корпусные артиллерийские полки, зенитные дивизионы, батальоны связи и т.д. Сколько их потребуется? Тухачевский явно в такие расчеты не ударялся. Кому не лень — посчитайте, сколько же нужно было развернуть корпусных штабов! Считайте за гениального полководца. И воспевайте его мудрость.

А для управления двумя-тремя корпусами надо иметь штаб армии с комплектом армейских частей. Это сколько же армейских штабов надо иметь, чтобы управлять тремя тысячами стрелковых дивизий? И как действия тех армий координировать?

Кому не лень, восхваляйте стратегического гения.

8

На войне дивизии, корпуса и армии жили в окопах, землянках, блиндажах. А в мирное время где Тухачевский хотел их держать? Армия у нас и без того была гигантской. И без того техника под открытым небом ржавела. И без того офицерам было негде жить. «Красная звезда» (2 июня 1990 г.) описывает условия размещения тех лет: «Сложными оставались социально-бытовые условия. Более половины командиров и политработников, хозяйственников не имели жилья. Доходило до абсурда. Так, из Среднеазиатского военного округа сообщали: ряд командиров вынуждены были устроить себе «жилье»... на деревьях, сделав помосты в их кронах». Читаю и узнаю родную армию, в которой мне выпало служить. И то, что знаю о современной армии, не отличается сильно от того, что было тогда.

У начальника Штаба РККА господа офицеры на деревьях живут, как мартышки и орангуташки, а сам товарищ Тухачевский обитал во дворцах. Кстати, обвинительное заключение против Тухачевского начинается именно с указания размеров его служебной дачи

(ВИЖ. 1990. № 8. С. 96). Каждый, кто побывал в его служебном кабинете (например, генерал-майор П.Г. Григоренко), был сражен размерами помещения. Любил пролетарский полководец красивую жизнь. У него все было беспредельно.

Красные командиры жили как папуасы, а барин Тухачевский бредил Мировой революцией. Ему хотелось, чтобы не только наши офицеры были счастливы, ему хочется насильственно осчастливить все население Земли. Слезут наши командиры с деревьев и понесут Европе свободу, равенство, братство, счастье и процветание. Страна не способна обеспечить офицеров даже палатками, а стратег Тухачевский намерен увеличивать армию в десятки раз. Впрочем, страна у нас большая, деревьев на всех офицеров хватит.

«М.Н. Тухачевский не только разоблачает истинную сущность буржуазной военной науки, он смело вскрывает ее слабость в стратегических и тактических вопросах. Работы Тухачевского ярко показывают, насколько слабы позиции Фуллера, сбрасывающего со счетов человека и отдающего свои симпатии исключительно танкам и авиации...» — это Маршал Советского Союза С.С. Бирюзов воспевает Тухачевского (ВИЖ. 1964. № 2. С. 41).

Фуллер — британский военный теоретик. Фуллер, оказывается, о человеке не заботился. Фуллер отдавал свои симпатии танкам и авиации, а человека со счетов сбросил... Это только наш Генштаб и его начальники М.Н. Тухачевский, С.С. Бирюзов, Н.В. Огарков, С.Ф. Ахромеев о человеке заботились... Маршал Советского Союза Ахромеев во времена перестройки побывал в одном британском полку. Ему показали стандартную квартиру британского солдата: небольшая комната, совсем крошечная кухня, ванная комната, балкончик, подземный гараж для его машины... Маршал никак не мог сообразить, что это жилье солдата, что британский офицер так не живет. У офицера — дом. Всегда двухэтажный. С садом, с гаражом на две-три машины. Иногда — с бассейном. Второй этаж — спальный, первый — жилой.

Я бы мог рассказать, как живет британский солдат, сколько получает, как его кормят, как одевают... Но речь не о Британской армии, а о Тухачевском, который о людях заботился и со счетов их не сбрасывал...

9

Есть два подхода к строительству вооруженных сил.

Первый — иметь небольшую профессиональную армию, обеспечить ее всем необходимым, освободить ее от всех побочных забот и заставить заниматься только тем, чем она должна заниматься — обороной страны.

А есть второй подход — бить врага не умением, а числом. Иметь гигантскую армию. Все средства государства отдать на строительство танков, самолетов, подводных лодок. И настроить танков так много, что водить их будет разорительно для страны. И мы не будем их водить. Пусть стоят. А танкистов будем учить «пеше по-машинному». И столько кораблей настроим, столько самолетов, что будет дешевле их не использовать. Потому корабли будут стоять в базах, самолеты — на аэродромах. А армию, чтоб не скучала, бросим на строительство БАМа, на целину, на картошку, на уборку улиц. И ради экономии не будем обеспечивать офицеров квартирами, пусть на деревьях живут, пусть солдаты воруют кирпич, цемент, доски, бревна и прочее и пусть сами для себя возводят жилье. И пусть подрабатывают войска на стороне, а за это пусть получают на заводах и на стройках гвозди, краску, стекло и все прочее...

Первый подход — готовить летчиков индивидуально. Дать летчику-истребителю еще в училище 200 часов летной практики. И на войне не спешить выпускать его в бой. Пусть летает над полем боя, но в схватки не ввязывается, пусть присмотрится к обстановке. Пусть пообвыкнет.

Второй подход — штамповать самолеты десятками тысяч. И летчиков тоже. Дать летчику пару часов. И в бой его. А производство самолетов наращивать. И производство летчиков, сокращая расходы на их подготовку.

Первый подход — в США, в Британии, во Франции экипаж подводной лодки, которая вернулась с боевого дежурства, имеет две задачи:

восстановить свои силы, то есть отдохнуть, разгрузиться (или нагрузиться), а отдохнув, заниматься совершенствованием своего мастерства и готовиться к следующему выходу в море.

Второй подход — из-за того, что флот столь огромен, а на обслуживающих подразделениях экономим, экипаж, вернувшись на базу, будет чистить снег, пойдет в наряд на кухню, в патруль, в караулы, на разгрузку вагонов, на уголь, на картошку, на капусту...

Тухачевский был самым ярым сторонником выпуска танков, танков и танков... Он не думал, сколько надо отдать земли на строительство танкодромов и полигонов для такого количества танков, сколько надо будет построить ремонтных мастерских, казарм, клубов, квартир, складов и прочего, и прочего, и прочего. Он не думал, сколько на это потребуется рабочих... Ибо знал: рабочие не потребуются. Подразумевалось, что командиры украдут все необходимое и силами солдатиков все, что нужно, возведут...

Некоторые считают, что сила армии — в численности.

Тухачевский был из той самой породы стратегов — воевать числом. Но и с числами, как мы видим, у него были определенные трудности.

Он так и не понял значения цифр. Он так и не научился с ними работать.

Тухачевский был не способен провести самый простой расчет последствий своих дей ствий и предложений.

Приходится удивляться терпению Сталина: как можно было держать такого стратега на столь высоких государственных постах?

Не в том беда, что самолеты у нас плохие или танки, — это лучшая в мире техника. Не в том беда, что люди глупые, — люди у нас удивительно талантливы.

А в том беда, что некоторые наши полководцы создавали армию, расходы на содержание которой превышали возможности государства. Потому наш офицер был вынужден думать не о боевой подготовке, не о том, как бить врага в бою, а о дереве, на котором ему предстоит ночевать...

Тухачевский был самым ярым сторонником именно такого подхода к строительству вооруженных сил: все средства государства — на производство оружия, почти ничего — на его содержание, почти ничего — на его освоение, ничего — людям, которые будут это оружие применять в бою.

Потому лучшее в мире оружие становилось неэффективным.

Если Тухачевский не понимал, к чему ведет его «реорганизация», значит, был он полным и беспредельно опасным идиотом.

Если он понимал, куда ведет его «реорганизация», но все равно на ней настаивал, значит, был он врагом народа и вредителем.

Глава 16

ДО РАЗУМНЫХ ПРЕДЕЛОВ

«План» т. Тух-го является результатом модного увлечения «левой» фразой, результатом увлечения бумажным, канцелярским максимализмом. Поэтому-то анализ заменен в нем «игрой в цифири», а марксистская перспектива роста Красной Армии — фантастикой. «Осуществить» такой «план» — значит наверняка загубить и хозяйство страны, и армию.

И. Сталин. Резолюция на плане Тухачевского

1

«Красная звезда» (25 июля 1997 г.) сообщает радостным заголовком: «ФЛОТ РОССИИ БУДЕТ СОКРАЩЕН ДО РАЗУМНЫХ ПРЕДЕЛОВ».

Я горжусь своей страной.

Совсем недавно мы воспевали наш флот как великий, могучий, несокрушимый, непобедимый. Было чем гордиться. Теперь его сократят до разумных пределов. Опять есть чем гордиться. Жаль, что раньше не сократили. Фраза о том, что он еще только будет сокращен до разумных пределов, есть признание того, что в данный момент эти пределы неразумные.

Проще говоря — дурацкие.

А ведь было бы здорово, если бы каждое решение наших вождей предварительно взвешивалось: мы еще в пределах разумного или за эти пределы немного выскочили?

Вот именно с этого ракурса и оценим предложения Тухачевского.

Несомненно, был он гением. Он предлагал усиление армии. Он хотел как лучше. И все у него правильно, верно, прогрессивно.

Только пределы неразумные.

Если выпустить 50—100 тысяч танков в год, то одновременно следует выпустить примерно такое же количество самолетов — без поддержки авиации танки превращаются в гробы. 50—100 тысяч самолетов? В один год? А где их строить? На каких заводах? Мебельные фабрики в авиационные заводы превратить? Так не было у нас тогда столько мебельных фабрик, как нет их и сейчас.

Допустим, построили столько самолетов. 100—120 самолетов — это авиационная дивизия. Формировать 416—1000 авиационных дивизий? Это сколько же летных и технических училищ надо открыть? Сколько аэродромов построить? Самолеты построим сейчас, а когда летчики появятся? Через три года? Нет, не через три. Сначала надо будет потратить несколько лет на подготовку инструкторов, а потом уж инструкторы подготовят летчиков. Самолеты — сейчас, а летчики придут минимум через пять-шесть лет. Что же делать с десятками тысяч самолетов, для которых нет летчиков? Пусть в поле стоят, дожидаются? Или, может быть, самолеты пока производить не будем? Наштампуем танков и оставим их без авиационной поддержки? Так это преступление. Это вредительство. За такие дела нужно расстреливать.

Но если и подготовить летный состав, так ведь не на одном летном составе стоит авиация. Самолетам нужны техники, механики, инженеры, охранники. Авиационным полкам, дивизиям, корпусам и армиям нужна разведка, нужна связь, нужны штабы, ремонтные заводы, метеорологическое и навигационное обеспечение, нужны госпитали, казармы, комендатуры, гауптвахты, парашютные хранилища и парашютные сушилки и много, много еще всякого.

Какую же армию хотел развернуть Тухачевский? Или он планировал иметь одни только танки без самолетов и артиллерии?

2

Тухачевский требовал: нужно производить танки!

Тут возникает множество вопросов. Не последний из них: КАКИЕ ТАНКИ?

Для массового производства нужна не только индустриальная база, но и образец машины, которую мы собираемся выпускать. Индустриальной базы в 1928 году не было, но не было и подходящего образца для производства. В 1927 году на вооружение Красной Армии был принят танк МС-1. Мощность двигателя говорит обо всем — 35 л.с. Ну-ка вспомним для сравнения, сколько у «Запорожца»? Но «Запорожец» не несет на себе брони, и по полю вспаханному ему не каждый день ходить... Броня танка МС-1 — на заклепках. Максимальная скорость 16 км/ч. По Красной площади — до 19. Это наш первенец. Небольшая (по нашим понятиям) серия этих танков была нужна: конструкторы получили первый опыт создания танка, войска получили возможность использовать на учениях настоящие, живые танки, пусть еще предельно слабые и несовершенные. Для пограничных стычек этот танк — тоже подмога войскам. За неимением лучшего... Но наклепать их многими десятками тысяч? Кому они нужны? Может, купить зарубежный образец? Нечего покупать. В 1928 году во всем мире никто не мог предложить образец, достойный большой серии.

По этой теме комедию снимать: великий полководец Тухачевский настаивает, кричит, требует производить танки! Немедленно! Вот сейчас! Десять тысяч! Двадцать! Пятьдесят! Сто тысяч!

Но полководец не учел самую малость: производить было нечего.

3

Много пирогов надо печь прямо перед приходом гостей. Если мы напечем пироги за месяц до их прихода, то они слегка зачерствеют. Так и с оружием: если мы произведем его много, а войны не будет, то оно устареет. Применять устаревшее оружие на войне — это вроде как угощать гостей окаменевшими пирогами.

Хорошая хозяйка печет пирогов ровно столько, сколько нужно семье, и имеет все необходимое для того, чтобы их напечь много, когда потребуется. Именно так поступают умные правители с производством оружия. В мирное время его не надо много. Производство оружия требует колоссальных затрат. Потому умные люди ведут разработку оружия, выпускают его небольшими сериями и имеют производственные мощности и мобилизационные запасы всего необходимого для того, чтобы обеспечить массовый выпуск самых последних образцов в угрожаемый период.

Развитие боевой техники идет быстро. Все время появляются новые образцы, мы принимаем их на вооружение, а старые снимаем. Если оружия не много, то смена образцов неразорительна. Там, где правят умные люди, армия всегда уважаема, ибо небольшую армию можно содержать в порядке, в нее можно набирать людей высшей пробы, небольшую армию можно обеспечить хорошими квартирами, можно платить солдатам и офицерам достаточно много, чтобы офицер и солдат стояли на социальной лестнице выше по крайней мере бездомных бродяг. Такую армию можно вооружать самым современным оружием.

Там же, где правят не очень умные люди, армия мирного времени огромна. Страна надрывается, стараясь обуть, одеть, прокормить и вооружить такую армию. Эта армия требует в мирное время титанического количества оружия. А оно устаревает. Приходит время его менять, и это настоящая катастрофа для государства. Развитие техники идет быстро, чудовищные арсеналы приходится без конца обновлять, и это превращается в постоянную катастрофу. Результат: мы побеждаем сами себя. После великих побед, после десятилетий без войны мы вдруг осознаем, что оказались в побежденной стране. Мы вдруг осознаем свою отсталость во всех областях. И самое удивительное — отсталость в области вооружений. Казалось бы, ведь все на вооружение отдавали...

Вот почему во всех государствах, где правят умные люди, начальником Генерального штаба назначают самого умного из генералов. Работа начальника Генерального штаба трудна в военное время, но не менее трудна и в мирное. Трудность его работы вот в чем: он как бы идет по канату. С одной стороны, надо обеспечить безопасность государства. С другой — нельзя на это истратить ни одного лишнего рубля.

Не надо много ума для того, чтобы требовать новые и новые крейсера десятками, новые подводные лодки — сотнями, стратегические бомбардировщики — тысячами, самолеты-истребители и танки — десятками тысяч... Потребуем все это — народ затянет пояса, отдаст последние штаны, но построит подводные лодки, танки и бомбардировщики. Пройдет время, вооружение превратится в горы ржавого лома... А кто нам вернет наши последние штаны?

Зачем Тухачевскому в 1927 году потребовалось так много оружия? В сотни раз больше, чем имели все потенциальные агрессоры, вместе взятые. Нам тогда кто-то угрожал? На нас кто-то мог напасть в 1928 году? Кто именно? Румыния? Финляндия? Эстония в союзе с Латвией, подстрекаемые Литвой? Разоруженная Германия? Может быть, Япония? Но она на островах, и для борьбы с ней, для того чтобы не допустить переброски японских войск на континент и их снабжения, для того чтобы не допустить подвоза в Японию стратегического сырья, следовало строить мощный флот на Дальнем Востоке. Но Тухачевский был против флота. 100 тысяч танков для того, чтобы обороняться против Японии, у которой тогда вообще танков не было?

Итак, 100 тысяч танков ДЛЯ ЧЕГО?

Нарком обороны Ворошилов был не самым умным человеком. Но все же его интеллектуальный уровень был неизмеримо выше уровня Тухачевского, и в военных вопросах Ворошилов разбирался гораздо лучше Тухачевского. Такое невозможно представить, но все же постараемся, представим, что Ворошилов был так же глуп, как и Тухачевский, представим, что Ворошилов поддержал Тухачевского в его начинаниях. Сталин, допустим, в подробности не вник и дал зеленый свет «великому скачку» Тухачевского. В этом случае на страну обрушился бы голод куда более страшный, чем голод 1933 года. В этом случае мы бы убили голодом больше людей, чем их можно было потерять на войне, а выжившие превратились бы в тайных врагов этого режима и ждали бы прихода любого агрессора с нетерпением и надеждой. Своим перевооружением Тухачевский разорил бы страну хуже всякой войны.

4

Массовое производство вооружения надо начинать в момент, когда мы решили на кого-то напасть или получили сведения о том, что на нас кто-то хочет напасть. В 1928 году Советский Союз не был готов к большой «освободительной» войне. Потому 100 тысяч танков для «освобождения» Европы в тот момент не требовались.

Если Тухачевский думал, что на нас кто-то готовил нападение в 1929 году, в 1930-м, в 1931-м, значит, Тухачевский жестоко просчитался, значит, на высоких должностях его нельзя было держать.

Если Тухачевский понимал, что в 1929, 1930, 1931 годах никто на нас не нападет, но при этом предлагал выпускать в 1928 году невиданные в мировой истории массы оружия, значит, он предлагал пустить на ветер материальные, энергетические, трудовые и интеллектуальные ресурсы страны, ничего не получив взамен. Это злостное и сознательное вредительство. Тухачевский предлагал разорить страну ради оружия, которое в обозримом будущем не будет использовано. С каждым годом ценность этого оружия становилась бы все меньшей и меньшей, при этом затраты на хранение возрастали бы.

Маршал Советского Союза Бирюзов писал, что предложения Тухачевского были своевременны... Наклепать в 1928 году примитивных танков, сшить из парусины самолетов и поставить их на 13 лет под дождь, ветер, снег и мороз, с тем чтобы в 1941 году отразить нашествие?

Ясное дело, в 1927 году было трудно рассчитать, когда именно начнется большая война, но ясно было, что не в ближайшие два-три года. А раз так, то и момент для массового производства оружия не наступил. Массовый выпуск оружия самых последних образцов надо было начинать в 1939 году. Именно так Сталин и поступил. Все, что было выпущено раньше 1939 года, в войне против Германии имело меньшую ценность. И чем раньше оно поступило в войска, тем хуже.

С определением срока начала массового производства вооружения Тухачевский просчитался на две пятилетки. И кто-то будет доказывать, что его требования были своевременными?

Нет, уж лучше за пару лет до прихода гостей своевременно пирогов напечь... Да побольше. Чтобы всем вдоволь.

5

Во всей этой истории удивительных моментов множество. Вот один из них. Пятилетние планы, как известно, были планами развития РККА. Промышленность работала на войну. Сначала военное ведомство составляло заявки, сколько и какого оружия ему требуется, а потом экономисты, исходя из этого, определяли потребность в строительстве новых военных заводов, шахт, рудников и т.д. Оружие — конечный продукт. А что еще, кроме оружия, мы производили? Кровати и кастрюли, утюги и серпы — все это побочная продукция военных заводов. Итак, составление первого пятилетнего плана развития Вооруженных Сил началось в Штабе РККА в 1927 году под непосредственным руководством М.Н. Тухачевского (ВИЖ. 1968. № 8. С. 95). В основу плана легли следующие соображения: «Решающим средством будущего вооруженного столкновения являются:

а) стрелковые войска с мощной артиллерией;

б) стратегическая конница;

в) авиация» (Там же).

О танках Тухачевский в начале 1927 года вообще не вспомнил и их промышленности не заказывал.

Все, что потребовал Тухачевский, было включено в государственный план. На основе заявок армии экономисты разработали пятилетку. Центральный Комитет одобрил. Съезд партии программу принял. На основе пятилетнего плана заложили новые электростанции, доменные и мартеновские печи, прокатные станы и прочее, и прочее, и прочее. План утвержден съездом партии, работа закипела. Не прошло и года, как вдруг Тухачевский объявляет, что план этот неправильный, что нужно строить 50 000—100 000 танков, причем немедленно.

Во-первых, как мы уже видели, это невозможно. Тем более невозможно в один год. А вовторых, что это за скачки? Что за прыжки? Что это за шараханья? В начале года Тухачевский о танках даже не вспомнил и в план их не включил, и в том же году, когда план сверстали, утвердили и начали выполнять, стратег опомнился...

Сверстать пятилетний план развития экономики страны предельно трудно. Последующий опыт показал, что это вообще невозможно — у нас была постоянная нехватка всего. Кроме оружия, понятно. Год старались экономисты, кое-как увязали показатели первого пятилетнего плана, и вдруг Тухачевский выдвигает новые предложения. Коренной порок плановой системы в том, что любые попытки изменить выбранный курс ведут к разрушению самого плана. Если кому-то не дать запланированный планом миллион тонн стали, то эффект от этого отразится на всей экономике страны. Это примерно как из часов вынуть одно колесико. Но Тухачевский предлагает не просто львиную долю лучшей стали отдать на производство танков, речь идет о переключении всей тяжелой промышленности на новую, неизвестную ей продукцию. Но если не прокатывать рельсы, а вместо этого катать броневые листы, то это отразится на всей транспортной системе страны, а затем и на всей экономике. Если не варить трубы, то и нефти нашим танкам однажды не хватит, то и резиновых шин для автомобилей не будет. Если сократить или вовсе прекратить производство паровозов и вагонов... Одним словом, Тухачевский ломал план, который по его же заявкам и составлялся.

Непосредственной угрозы войны в тот момент не было, потому товарищ Сталин правильно решил: не танки сейчас нужны. Сталь Сталин пустил на рельсы. Легкие рельсы заменялись тяжелыми, одноколейные железные дороги превращались в двухколейные. Конструкцию железнодорожных мостов усиливали. А рядом строили новые мосты для второго пути. Старые, оставшиеся от Николая «Овечки» меняли на мощные локомотивы ФД и СО, парк двухосных двадцатитонных вагонов решительно дополнялся четырехосными шестидесятитонными вагонами. Все это — стальной фундамент будущей победы. А еще — Днепрогэс. Это алюминий для самолетов. Это будущие наши танковые дизели В-2, лучшие в мире.

Все усилия — на Уралмаш, на Комсомольск, на Магнитку, на Кузнецк. База нужна.

6

Представим себе, что план Тухачевского был принят. Представим, что в 1928 году мы выпустили эти орды маломощных, примитивных, предельно несовершенных танков. Через 13 лет, к 1941 году, все они проржавели бы насквозь, ибо хранить их было негде. И устарели бы безнадежно. Но из-за этих танков мы встретили бы войну с допотопной железнодорожной сетью, с музейными паровозами и вагонами. Все те экономические чудеса, которые Советский Союз продемонстрировал миру во время войны, были бы невозможны. Подумать только, сколько краски надо было бы тратить каждый год, чтобы закрашивать ржавчину на таких несметных полчищах танков. Представим себе, что встретили мы войну с этими допотопными ржавыми танками, но без Магнитки, Танкограда и Кузбасса.

Защитники Тухачевского говорят, что все в его предложениях правильно, только цифры надо было уточнить. Но если цифры уточнить, то от предложений Тухачевского вообще ничего не останется. Кроме безумных цифр, в них ничего не было.

Да и как уточнить? Про 100 000 танков не говорим. Это бред. 50 000 — тоже бред. Так сколько же тогда? 49 000? 48 000? Невелика разница, экономика рухнула бы и от 47 000. Так сколько же? Вдвое меньше? 25 000?

Примерно столько Советский Союз и имел к моменту германского вторжения. Разница с предложениями Тухачевского в том, что более двух десятков тысяч танков были построены не одним махом, а постепенно. Количество производимых танков росло, и повышалось их качество. Старые модели заменялись новыми, в процессе эксплуатации выявлялись недостатки и устранялись в следующих моделях. К началу войны в Советском Союзе была создана поистине уникальная конструкторская и производственная база, были отработаны лучшие в мире образцы танков, танковых двигателей, лучшие в мире гусеничные ленты, самое мощное в мире танковое вооружение, было налажено единственное в мире производство плавающих танков, единственное в мире производство тяжелых танков, единственное в мире производство танковых дизелей. И все это не помешало столь же мощному становлению авиационной и артиллерийской промышленности, модернизации железных дорог, созданию мощной топливной, энергетической и металлургической базы и т.д., и т.д. — всего того, что позволило завершить войну в Берлине.

Оттого что танки выпускались постепенно, мы вступили в войну с танковым парком, три четверти которого имели возраст до пяти лет.

Другими словами, наш танковый парк был новейшим как морально, так и физически. Марксистско-гитлеровские академики смеются над сталинскими танками: мол, все они устарели... Я не говорю про танки КВ-1, КВ-2, Т-28, Т-34, Т-35, Т-37, Т-38, Т-40 — ничего подобного ни у кого в мире в 1941 году просто не было. А количества только этих лучших в мире и уникальных по своей конструкции танков было больше, чем всех танков во всех странах мира, вместе взятых.

Но возьмем «устаревший» БТ-7М. Он был принят на вооружение в 1939 году. В 1941 году танки этого типа имели возраст 2 года. 45-мм пушка этого танка пробивала броню любого иностранного танка того времени. До 1940 года никто в мире столь мощной танковой пушки не имел. Британия и США до таких показателей дошли только в 1942—1943 годах. БТ-7М имел двигатель мощностью 500 л.с., вдвое больше, чем самый мощный зарубежный танковый двигатель того времени. И это был дизель. Никто в мире таких двигателей не сумел создать и к концу войны. БТ-7М имел запас хода 700 км — это втрое больше, чем лучший зарубежный показатель того времени. Скорость — вдвое выше, чем у любого зарубежного танка того периода. Ну а броня? Броня противопульная. Но в то время только Советский Союз имел танки с противоснарядным бронированием, а все остальные страны мира имели танки только с противопульной броней. И вот этот танк и марксисты, и гитлеровцы отнесли к разряду устаревших, настолько устаревших, что до 1991 года наши историки эти танки вообще в статистику не включали. Эти танки как бы не существовали. Зачем старье учитывать?

И весь мир смеялся над глупым Сталиным, над его «устаревшими» танками, а заодно и над всеми нами: вот загубили гения, не сберегли, не послушались его советов... а ведь предлагал же он модернизацию, ведь он настаивал на перевооружении.

Вот и допустим, что гения уберегли и все его требования выполнили. Страна наша перед войной была в штанах, хотя и латаных. А если бы гения послушались, то встретили бы войну в набедренных повязках, но с сотней тысяч танков Тухачевского — клепаных МС-1. Неужто бензиновый двигатель мощностью 35 л.с. был бы лучше дизеля в 500 «лошадей»? Неужто скорость 16 км/ч была бы лучше, чем 86? Неужто запас хода в 100 км лучше, чем 700? Неужто 37-мм короткоствольная пушка со скорострельностью два выстрела в минуту была бы лучше длинноствольной 45-мм пушки со скорострельностью 15 выстрелов в минуту? Неужто танк в возрасте 13 лет был бы лучше того, который в прошлом году с завода вышел? Мой читатель, держите свою дорогую, свою любимую легковую машину 13 зим на улице без гаража — что от нее останется? А ведь наши солдаты-невольники, которые заняты только тем, что считают часы и минуты до дембеля, не стали бы тухачевские танки беречь так, как вы бережете свой «Запорожец». Так что бы от тех танков осталось к 1941 году?

Если бы послушались Тухачевского, то наштамповали бы в 1928 году десятки тысяч бомбардировщиков со скоростью 176 км/ч и истребителей со скоростью 209 км/ч... Двигателей авиационных у нас тогда не было. Как и танковых. Надо было бы десятки тысяч авиационных и танковых двигателей покупать в Британии и во Франции, платить за это нашим полновесным золотым червонцем. Такой щедростью мы бы обеспечили работой пролетариат Британии, Франции и Америки, буржуев — капиталами, зарубежных конструкторов — средствами на ускорение технического прогресса, а всей экономике Запада обеспечили бы процветание. Сами бы остались в набедренных повязках.

Допустим, накупили бы мы тех двигателей, настроили бы тех полотняных самолетов на бамбуковых каркасах... И что бы мы с ними делали в 1941 году?

И вот весь мир смеется над «устаревшими» сталинскими самолетами. И над всеми нами. И марксисты-гитлеровцы наш дальний бомбардировщик ДБ-3Ф выпуска 1940 года в число новейших не записали, потому что он автоматически попал в разряд устаревших. А у немцев такого самолета не было и до конца войны не появилось. И вступили мы с такими самолетами в войну потому, что Сталин имел достаточно ума, чтобы Тухачевского не послушать; если бы Сталин Тухачевского послушал, то самолетный парк СССР к 1941 году имел бы средний возраст не три с половиной года, а в три-четыре раза больше, и была бы эта техника конца 20-х годов. Точнее, выпуска 1928 года, а разработки 1927 года и раньше...

7

Как началась человеческая цивилизация? Очень просто. Большой зверь — уже не обезьяна, но пока еще не человек — собрал зернышки в горсть. Дальше было два пути. Первый — простой и привлекательный. Сунуть их в рот, прожевать и проглотить. Второй путь был менее привлекательным: расковырять землю дубиной, высыпать туда зерна и ждать год. Большой зверь вздохнул глубоко и высыпал зерна в землю. Вот именно в тот момент он и стал человеком. Он пожертвовал сегодняшним днем ради завтрашнего, он впервые задумался о завтрашнем дне. Кстати, на той же простой вещи цивилизация и рухнет. Мы опустошаем наши недра и губим природу, нам привольно живется и дышится. О том, что будет завтра, мы думать разучились. Как обезьяны.

Тухачевский был из породы обезьян: давай танки сейчас!

А Сталин думал о завтрашнем дне.

Но Тухачевский упорствовал.

Сталин в 1928 году лично объяснил Тухачевскому, что нужны сейчас не клепаные танки, которые все равно хранить негде, которые до начала войны все равно устареют, а нужно в данный момент базу создавать для будущего производства танков.

Но Тухачевский был из тех, кто о завтрашнем дне не беспокоился: давай 100 тысяч, и черт с ней, с экономикой.

Сталин терпеливо разъяснял Тухачевскому, что начальник Штаба РККА тоже иногда должен думать. Но Тухачевский настаивал. Сталин снял его с должности начальника Штаба РККА и отправил командовать Ленинградским военным округом. А Тухачевский вместо выполнения служебных обязанностей терзался все новыми фантазиями.

8

В январе 1930 года еще один прожект Тухачевского: Красная Армия мирного времени — 260 стрелковых и кавалерийских дивизий, 50 артиллерийских дивизий плюс артиллерия большой мощности и минометы, 225 пулеметных батальонов, 40 тысяч самолетов и 50 тысяч танков в строю (Красная звезда. 20 августа 1994 г.).

Оценим.

40 тысяч самолетов в строю, то есть не считая учебных самолетов в каждом боевом полку, не считая учебных полков и летных школ. По современным понятиям, 30—40 самолетов — это полк. 40 тысяч самолетов — тысяча полков. С гаком. Каждому полку — один основной и пара запасных аэродромов. 3000 аэродромов. Попробуйте их охранять. Попробуйте организовать их оборону. Попробуйте прикрыть их зенитной артиллерией. Или Тухачевский хотел их оставить без зенитного прикрытия? Это вредительство. А сколько потребуется летчиков? Сколько военных училищ? Как тысячи аэродромов расчищать от снега? Сколько автомобилей потребуется для обслуживания этой воздушной армады? Или боеприпасы, топливо, экипажи к самолетам на телегах подвозить? Сколько телег тогда потребуется? А сколько парашютов, меховых курток, радиостанций?

50 артиллерийских дивизий? Все страны мира вступили во Вторую мировую войну без артиллерийских дивизий. В ходе войны в Германии была сформирована только одна такая дивизия — 18-я артиллерийская. Номер взят не с потолка. 18-я танковая дивизия была разгромлена на Восточном фронте, остался только штаб. Танков германская промышленность давала мало, Германия вообще к войне была не готова, потому решили дивизию восстанавливать не как танковую, а как артиллерий-

скую. Понятно, промышленность Германии не могла выпускать во время войны столько пушек и снарядов, чтобы обеспечить целую артиллерийскую дивизию. Потому использовались захваченные в первые дни войны наши лучшие в мире 152-мм гаубицы-пушки МЛ-20. 18-я артиллерийская дивизия существовала с 25 сентября 1943 года до апреля 1944 года (Мюллер-Гиллебрандт Б. Сухопутные войска Германии. Т. 3. С. 393). «Недостаток материальной части артиллерии не позволил в дальнейшем восстановить или вновь формировать новые артиллерийские дивизии» (Там же. С. 300). В Германии такая дивизия долго существовать не могла. Она пожирала слишком много боеприпасов. Германской промышленности в ходе войны было не по силам снабжать одну такую дивизию снарядами.

А Тухачевский в мирное время предлагал 50 артиллерийских дивизий развернуть. Не считая артиллерии большой и особой мощности. Не считая артиллерийских батарей в каждом стрелковом полку, артиллерийских полков в составе каждой стрелковой дивизии и в каждом корпусе, не считая артиллерии укрепленных районов и береговой артиллерии флота, не считая зенитной артиллерии. И мы про немцев говорили, что у них пушки вместо масла. А Тухачевский вместо чего предлагал?

Общее количество стрелковых, кавалерийских и артиллерийских дивизий по новому предложению Тухачевского — 310.

Это в 25 раз больше, чем в те времена имела Германия. Не точно в 25 раз, а с хвостиком.

И 50 000 танков в строю. Это опять же — без учебных танков в каждом батальоне и полку, без учебных полков и дивизий, без танковых училищ и академий.

И тут у Тухачевского опять нестыковка. Он предлагает иметь 50 тысяч танков, следовательно, нужны танковые дивизии. А Тухачевский про танковые дивизии забыл. План предусматривает иметь только 260 стрелковых и кавалерийских и 50 артиллерийских дивизий. Куда же девать танки? Единственное решение — распределять их по стрелковым и кавалерийским дивизиям. Получается по 192 танка на дивизию. Но если стрелковой дивизии дать 192 танка, то она перестанет быть стрелковой. А если столько танков дать кавалерийской дивизии, то она перестанет быть кавалерийской...

Это не все. Для обеспечения действий танков надо, как мы уже знаем, иметь много автомашин — минимум в пять раз больше, чем танков. Потому каждой из этих дивизий надо было дать по тысяче автомашин. Если в дивизиях иметь столько танков и автомашин, значит, все они превратятся в танковые или механизированные. Но без чистой пехоты в то время обойтись было нельзя. Следовательно, пришлось бы дополнительно формировать еще и обыкновенные стрелковые дивизии, о которых Тухачевский не подумал, но без которых было невозможно воевать.

***

Защитников Тухачевского нам не переспорить.

А мы и не будем. Будем считать, что был он гением. Предлагал реформы, предлагал модернизацию. Всего только ему и требовалось, что цифры уточнить.

До разумных пределов.

Глава 17

ВТОРОЕ ПРЕДУПРЕЖДЕНИЕ ТУХАЧЕВСКОГО

«Дипломатия» Тухачевского была прямой угрозой политики Сталина и в конечном счете его личной безопасности. Поскольку не удалось, видимо, ни убедить Тухачевского прекратить эти попытки, ни устранить его одного, было решено искоренить все советское высшее командование, за исключением сторонников Сталина.

«Вопросы истории». 1989. № 6. С. 62—63

1

Говорят, что Тухачевский предупреждал не только об опасности французского, американского и британского нападения на СССР, но однажды предупредил и о германском нападении. Статья называлась «Военные планы современной Германии».

Что ж, откроем «Военный вестник» № 4 за 1935 год и сами прочитаем то самое предупреждение. У кого нет «Военного вестника» за 1935 год, тот может прочитать ту же статью во втором томе избранных произведений Тухачевского (с. 233—239).

Так вот, дорогие товарищи, Тухачевский о возможном нападении Германии не предупреждал.

Как же так?! Ведь статья Тухачевского об агрессивных планах Германии!

Правильно. Но кто удосужился ее прочитать? Защитники тухачевской гениальности, поднимите руку, кто читал это предупреждение?

2

Обратим внимание на название статьи: «Военные планы современной Германии» — не о грядущих планах речь, а именно о тех, которые существовали в Германии на момент написания статьи. Но доподлинно известно, что никаких планов нападения на Советский Союз в апреле 1935 года у Германии не было. Их и не могло быть просто потому, что между Советским Союзом и Германией не было общей границы. Если бы Германия решила пробивать коридор к советским границам через территорию Польши, то немедленно, как в калейдоскопе, изменилась бы вся политическая и стратегическая ситуация в Европе и во всем мире, сложилась бы новая ситуация и все заранее подготовленные планы нападения на СССР все равно теряли бы смысл.

Статью Тухачевский начинает с анализа состояния вооруженных сил Германии: ужасающая военная мощь! Тухачевский сообщает, что, помимо прочего, в германском флоте девять линкоров. Он оговаривается: это включая те, которые находятся в постройке. Тут товарищ Тухачевский слегка перебрал. В 1935 году Германия не имела линкоров. Кстати говоря, она и во Вторую мировую войну вступила, не имея ни одного линкора в строю. «Бисмарк» вошел в состав флота только в 1940 году, был полностью готов в апреле 1941 года, а в мае утоплен британским флотом. И «Тирпиц» вошел в состав флота в 1941 году. Когда Тухачевский в 1935 году писал о девяти германских линкорах, «Тирпиц» даже не был заложен. Остальные семь линкоров — это из области дерзких замыслов германских адмиралов и буйной фантазии советского маршала.

Если верить Тухачевскому, в 1935 году в составе германской авиации одних только бомбардировщиков и разведчиков было 2100. Но мы Тухачевскому не поверим. Даже через четыре года «бешеной гонки вооружений» Германия вступила во Вторую мировую войну, имея 2765 боевых самолетов всех типов, включая и истребители (Goralski R. World War II Almanac. London, Hamish Hamilton, 1981. P. 89).

В сообщениях о сухопутных войсках Тухачевский более правдив, хотя и тут правда обильно перемешана с вымыслом. Вымысел виден невооруженным глазом, а правда никого испугать не могла. Тухачевский сообщает, что Германия намерена создать «гигантскую армию» в составе... аж 36 дивизий. Тухачевский сообщает, что каждая германская пехотная дивизия будет иметь в своем составе, помимо прочего, по одному танковому батальону и по два артиллерийских полка. Это он наши планы переносит на немцев. Именно такая организация предусматривалась для наших стрелковых дивизий на случай войны. В 1939 году в момент начала тайной мобилизации Красной Армии именно такая организация и была принята для наших стрелковых дивизий: в каждой дивизии, помимо трех стрелковых полков, два артиллерийских полка, танковый батальон и другие части. А в германской армии пехотные дивизии и в мирное, и в военное время имели много людей, много лошадей, много телег, но мало оружия; немцы имели в своих пехотных дивизиях лишь по одному артиллерийскому полку, а танковых батальонов не имели вообще.

И если Тухачевский говорит о том, что в 1935 году в составе германских пехотных дивизий были танки, то это все из той же области его вымыслов.

Тухачевский сообщает, что одна из немецких дивизий моторизована, а кроме того, есть четыре механизированные бригады и 12 танковых батальонов. Тухачевский сообщает, сколько людей в этих частях: 15 тысяч человек в моторизованной дивизии, 12 тысяч в четырех бригадах, вместе взятых, и 6 тысяч в двенадцати батальонах, вместе взятых. Вот это и есть армия вторжения. И этой мощи мы должны бояться? Одна дивизия, четыре бригады и двенадцать батальонов. Да у нас в любом военном округе было больше. Тухачевский говорит о численности личного состава этих соединений и частей, но вот количества танков не сообщает. И есть тому причина: танков в Германии в то время не было. Было в тот год в германской армии 219 машин Т-1, которые по классификации всех стран того времени назывались бы не танками, а танкетками: вес — 5 тонн, броня — противопульная, двигатель — бензиновый мощностью 57 л.с., вооружение — пулеметное. Разделим 219 танкеток на одну дивизию, четыре бригады и двенадцать батальонов. Ах, не густо.

Тухачевский сообщает, что, кроме того, есть танковые части в пехоте и коннице. Это опять из области фантазий. Никаких танковых частей в составе пехоты и конницы у немцев в 1935 году не было, до начала войны не появилось, как не появилось и до самого ее конца. Если бы немецкая пехота и конница имели в 1935 году в своем составе танковые подразделения, то 219 танкеток пришлось бы разделить не только на одну дивизию, четыре бригады и двенадцать батальонов, но еще и на пехотные и кавалерийские дивизии. Тогда эти жалкие танкетки были бы вообще распылены по множеству частей.

Сам Тухачевский у Сталина требовал 50 000—100 000 танков, а нас пугает немецкими танкетками в количестве 219 штук.

Тухачевский сообщает, что в Германии «танковые части находятся в процессе все растущего оснащения танками последних типов». Это опять фантазии. Никаких «танков последних типов» в 1935 году в Германии не было, как, впрочем, и первых типов тоже. Обрисовав эту потрясающую военную мощь, прибавив от себя девять линкоров, тысячи несуществующих бомбардировщиков и танки последних типов, Тухачевский переходит к предостережениям.

Вот тут-то комедия и начинается.

3

Никто из писавших о предупреждениях Тухачевского не удосужился этих предупреждений прочитать. Если бы прочитал, то о предупреждениях не писал бы. Ибо их не было. Тухачевский не верил в возможность германского нападения на Советский Союз и на этот счет оставил весьма серьезный документ, написанный им самим от руки в последние дни перед судом. К этому мы еще вернемся. А в статье Тухачевского действительно содержатся предупреждения, но адресованы они вовсе не советскому народу и не Красной Армии, а французскому народу, французской армии и правительству Франции. Тухачевский говорит о реваншистских планах Гитлера. Но Россия вышла из Первой мировой войны до ее окончания, она не была в числе победителей Германии. Потому никакого реванша против России быть не могло. Реванш — это против Франции-победительницы, сосущей кровь из Германии. Вот именно Франции Тухачевский и шлет свои предупреждения: «Французская армия с ее 20 дивизиями и большими сроками мобилизационного развертывания и сколачивания частей уже не сможет активно действовать против Германии. Наоборот, прежде чем начать такое столкновение, ей придется потерять много времени на развертывание своих сил... Гитлер стремится успокоить Францию... Гитлер усыпляет Францию, ибо он не хочет давать повод к росту французских вооружений... Антисоветское острие является удобной ширмой для прикрытия реваншистских планов на западе (Бельгия, Франция) и на юге (Познань, Чехословакия, аншлюс). Помимо всего прочего, нельзя отрицать того, что Германии нужна французская руда. Ей необходимо и расширение ее морской базы. Опыт войны 1914—1918 годов показал со всей очевидностью, что без прочного обладания портами Бельгии и северными портами Франции морское могущество Германии невозможно построить».

В этой статье предупреждения Франции, Бельгии, Польше, Чехословакии и Австрии. Но нет ни единого слова о том, что далее Гитлер повернет против Советского Союза. Нет этого. Нигде нет. В двухтомнике нет, и за его пределами тоже.

4

Хорош стратег: в 1931 году он публично объявил о том, что на нас Франция собирается нападать, а в 1935 году публично объявляет, что Франция ни на кого нападать не собирается, у нее вряд ли хватит сил для самообороны, и предупреждает Францию, Бельгию, Польшу, Австрию и Чехословакию о германской угрозе. А свою армию, свой народ не предупреждает.

Наоборот, Тухачевский объявляет, что никакой угрозы для нас и нет: Гитлер только на словах против нас, но эти слова — только ширма для подготовки агрессии совсем на других направлениях...

Товарищ Тухачевский брал на себя слишком много.

Представьте себе, что посторонний человек начнет вам давать указания о том, как вам воспитывать детей и вести домашнее хозяйство. Вполне возможно, что это очень дельные советы, но непрошеных советчиков обычно принято посылать в известном направлении. Тем более не терпят советов постороннего в международных отношениях. Самые ценные, но непрошеные советы, исходящие от официальных лиц одного государства другим государствам, расцениваются как вмешательство во внутренние дела и оскорбление. Заместитель народного комиссара обороны СССР, который совсем недавно вел красные орды в Европу с целью сокрушить все государства и превратить их в советские республики, теперь раздает советы одновременно пяти государствам: кого им бояться и против кого готовить оборону. Конечно, это оскорбление: правительства пяти суверенных государств, как слепые котята, опасности не видят, а премудрый Тухачевский ее видит и на нее указывает. Да еще и публично. В печати.

Если бы у Тухачевского было хоть немного понимания психологии, то он бы с публичными предложениями не лез, он бы сообразил, что непрошеные советы постороннего отметаются начисто. Такие советы надо давать не через газету и не через самый агрессивный журнал, а по каналам тайной дипломатии, осторожно, не раскрывая всему миру своих карт. Но и тогда к предостережениям Тухачевского все страны должны были бы отнестись настороженно. В 1935 году мир еще не знал, что есть Гитлер. А что есть Тухачевский, знали все, и потому неизбежно возникали вопросы: что это ты, товарищ коммунист, о нашей буржуазной безопасности беспокоишься? Подменили тебя или перековался? На груди твоей орден Красного Знамени, и на нем золотая надпись: «Пролетарии всех стран, соединяйтесь!» Отказываешься ли от лозунга, на твоей груди написанного? Если отказываешься, то зачем его носишь? А если не отказываешься, то плыви, дорогой товарищ, со своими советами мимо нашего берега...

Особенно дико такие предупреждения должны были звучать для поляков. В 1920 году Тухачевский подписывал приказы про «труп белой Польши» и через этот «труп» вел своих комиссаров к стенам Берлина и Парижа... Теперь он вдруг Польшу возлюбил, теперь он вдруг озаботился ее безопасностью...

5

Много себе товарищ позволял. Для того чтобы давать ценные указания иностранным государствам, любой, кто занимает официальный пост, должен иметь на то соответствующие полномочия. Посол, прибывая в чужую страну, наносит визит главе государства и вручает верительные грамоты: верьте мне, меня мое правительство уполномочило говорить от его имени, на то грамоты и верительные. А если посол хоть на одно слово отступит от инструкций своего правительства, то его немедленно отзовут и за его поведение извинятся: это он от себя сморозил то, что ему морозить не предписывали. Были ли у Тухачевского верительные грамоты от своего правительства, чтобы давать ценные указания суверенным государствам? Были ли у него такие полномочия? Да и его ли это дело — советы другим государствам давать? Внешнюю политику определяет правительство и проводит ее через Народный комиссариат иностранных дел и другие государственные структуры. Заместитель наркома обороны товарищ Тухачевский мог говорить с другими государствами только в случае, если бы его назначили в состав делегации и дали полномочия. Каждый сверчок знай свой шесток. Крайне неосмотрительно заместителю наркома обороны влезать в дела, которые в его компетенцию не входят, в дела, в которые ему по рангу влезать не положено.

6

Тухачевский щедро раздавал ценные указания суверенным государствам и тем самым вставлял палки в колеса нашей пропаганды. Весь Агитпроп многие годы доказывал, что на нас хотят напасть враги, и сам Тухачевский тем же занимался, а тут вдруг Тухачевский объявил, что Гитлер нам не угрожает, что гитлеровские выпады против Советского Союза и антисоветские планы — это всего лишь ширма для подготовки нападения на другие страны, ширма для того, чтобы усыпить бдительность Франции. Так Тухачевский и выразился: ширма. Не призывал Тухачевский наш народ к обороне, а, наоборот, расхолаживал. Вся его статья о том, что Германия будет воевать против Франции. Если так, то кто же на нас будет нападать?

Товарищ Сталин призывает народ сохранять революционную бдительность, народ песни поет:

Если в край наш спокойный
Хлынут новые войны
Проливным пулеметным дождем...

У нас на каждом углу плакаты: «Не болтай! Враг подслушивает!» А тут вдруг объявился большой начальник, который публично заявляет, что никто нам не угрожает, реальная угроза — Франции, без французской руды и французских портов Гитлеру не обойтись. А то, что Гитлер против нас иногда высказывается, так это для отвода глаз, чтобы французов усыпить...

Опасно играл Тухачевский. Самое интересное то, что своей глупости он не замечал. Он не улавливал, что прет наперекор всей государственной политике.

7

Было в поведении Тухачевского и нечто худшее.

План Сталина: пусть Гитлер-ледокол сокрушит Европу, пусть уничтожит все армии, партии, правительства, а после этого мы Европу «освободим». Понятно, никто в мире не ожидал, что Франция падет так быстро. Этого не ожидали ни французы, ни сами немцы. Сталину было бы лучше, если бы Гитлер повозился с Францией года два. Но в любом случае для Сталина было выгодно падение Франции — пусть Гитлер уйдет как можно дальше на запад и на юг, в Британию, в Испанию, к Гибралтару, в Африку. Чем дальше, тем лучше.

Тухачевский сталинского замысла не понимал и лез во Францию со своими непрошеными советами, которые были направлены на то, чтобы Франция в войне с Германией устояла.

Стоило ли тогда Сталину создавать «Ледокол революции», который забуксует у французских границ?

В случае если бы Франция и другие страны вняли советам Тухачевского и укрепили свою оборону, действия Гитлера-ледокола были бы не так эффективны и разрушительны, не так полезны Сталину. Тухачевский был такой же агрессор, как и Сталин. Только сталинские планы были коварными и мудрыми, а планы Тухачевского — примитивными и глупыми. Из-за своей ограниченности Тухачевский мешал выполнению сталинских планов.

Мешал, не понимая этого.

Как говорят у нас на Украине, поперек батька в пекло полиз.

Если подчиненный не понимает замысла командира, если ему, кроме того, не хватает ума молчать, когда его совета не просят, то такого подчиненного следует убирать. Просто для того убирать, чтобы он впредь своим недомыслием не тормозил выполнение плана.

Расстрелял ли Сталин Тухачевского сразу после выхода этой дурацкой статьи?

Вовсе нет. Расстрелять немедленно — раскрыть свои карты.

Сталин благосклонно улыбнулся. Сталин в том же году придумал воинское звание — Маршал Советского Союза — и присвоил это звание пяти своим полководцам, в том числе и Тухачевскому: красуйся!

Пока.

8

И был Тухачевский не один. Разгром червонных казаков был обусловлен не тем, что они спорили с первоконниками о заслугах в Гражданской войне.

Нет, дело тут было куда серьезнее.

Первоконники, от Буденного, Ворошилова, Панасенко и ниже, в международную политику не лезли и публично не указывали Франции и Польше, кого им бояться. Первоконники — люди военные, дисциплинированные — помалкивали. Не их ума это дело.

А у Тухачевского и червонных казаков на будущую войну был свой особый план. Заключался он в том, чтобы все повторить как в Первой мировой войне: Германия посредине, а с двух сторон — Россия и Франция. Франция обороняется, а мы наступаем и Германию сокрушаем.

С намеками на такой вариант Тухачевский неоднократно выступал перед французскими коллегами. По настоянию Тухачевского французские офицеры и генералы все чаще появлялись в советских дивизиях и корпусах. Вошли в моду делегации, стажеры и прочие формы обмена...

Червонец Илья Дубинский описывает одного такого стажера из Франции. Его звали Луи Легуэст. Дубинский рассказывает о настроениях тех лет среди окружения Якира и Примакова: «Судя по ситуации, по звериному реву берлинского радио, всем нам, всему Киевскому гарнизону, и не только ему, предстоит дальний путь на запад, на встречу с фашистским воинством. А пока мы туда дойдем, с ним сцепятся наши союзники — чехословацкие и французские дивизии. И может быть, где-нибудь на Рейне еще встретимся с нашим стажером Легуэстом» (Особый счет. С. 116).

По замыслу Тухачевского, Якира, Примакова, Дубинского и других червонных казаков, Франция будет отсиживаться за своими укреплениями на Рейне, а нам придется наступать через всю Польшу, через всю Германию...

Россия в Первой мировой войне уже пыталась сей вариант осуществить. И сломала себе шею. Три года русские армии рвались на Запад, положили миллионы лучших солдат, а тыловики, отсидевшие всю войну в столице, в последний момент на войну идти не пожелали. Вот и весь рецепт революции и крушения монархии. Германия была обескровлена Восточным фронтом, а Британия и Франция, воспользовавшись этим, стали победителями.

Сталин решил этот сценарий не повторять. У Сталина все было придумано куда лучше. Сталин своих планов и не скрывал. Он намеревался выступить последним, и только после того, «когда капиталисты перегрызутся между собой» (речь 3 декабря 1927 года).

Первые два года Вторая мировая война шла вполне по сталинскому замыслу. Только потом сбой получился.

Тухачевский и червонные казаки Сталина не слушали, планов его не понимали и не старались понять. Они не придумали ничего лучшего, кроме повторения сценария Первой мировой войны.

Представим себе: главарь банды замыслил великолепную комбинацию, в которой его соперники из других банд перестреляют друг друга... Все хорошо, но один из приближенных главаря начинает болтать глупости, своей болтовней срывая гениальный замысел. Что с этим болтуном прикажете делать? На мой взгляд, надо заткнуть говорливый рот, причем заткнуть так, чтобы к этой болтовне не привлекать внимания. А то вопросы начнутся: а что, собственно, он сказал не так?

Все у Сталина шло по расписанию, но вдруг объявился Тухачевский, который через голову Сталина обращается к соседям Германии с призывом готовить оборону против Гитлера...

Тухачевский лез в дела, в которых ничего не понимал.

В которые его не просили лезть.

В которые он не имел права лезть.

Глава 18

НЕМЕЦКИЙ СЛЕД

Я лично никогда не использовал в своих целях разведку и не принимал у себя шпиона. А тем более шпионки. Что-то в этом есть очень грязное!

Адольф Гитлер. 10 марта 1942 года

1

Слишком долго во всем мире звучала история о том, что немецкая разведка подбросила Сталину документ...

К этому вопросу мы подойдем издалека. Вся история большевизма — это история чисток. Большевизм и начался с раскола: это наши — большевики, а это не наши — меньшевики. Ленин только тем и занимался, что чистил свою партию от тех, кто ему неудобен. Полистаем тома ленинских сочинений, и удивленного стона нам не сдержать: Ленин, как пес в своре, неустанно грызется со своими соратниками и товарищами по борьбе, а с царизмом он никак не борется. Объем ленинской ругани в адрес единомышленников-социалистов в сотни раз превосходит объем ругани в адрес царя Николая.

И, захватив власть, Ленин только чистками и занимался. Ленинская партия выросла в борьбе, и это совершенная правда. Царскую семью истребили. Буржуев истребили. Дворянство, купечество, интеллигенцию, крестьянство. Куда ни кинь... И ленинские соратники все до одного только чистками и занимались. Своих союзников-эсеров истребили. Анархистов — тоже. И меньшевиков. А потом пошла борьба с национализмом, с религией. «Промпартию» выдумали. Да с кем мы только не боролись! И всех уничтожали. Для того и Кирова убили, чтобы за него отомстить. И сразу — чистка НКВД: вы же Кирова не уберегли! И чистка Ленинграда — кировский поток: вы, гады, за Кирова ответите! И по всей стране — поиск злоумышленников, которые готовили покушение на Кирова. Были раскрыты тысячи преступных организаций: и все на Кирова охотились. И в самой партии — аресты: не оставим смерть Кирова без ответа! Вообще в партии борьба с врагами не прекращалась никогда. Товарищ Сталин придумывал правый уклон и гнал из партии правых уклонистов. Потом придумывал левый уклон и гнал из партии левых уклонистов. А как ударить по тем, кто сохранял полную верность и колебался вместе с генеральным курсом партии? Гениальный Сталин и тут нашел решение: объявил, что в партии есть (ужасно опасный) право-левацкий уклон. Тут уж никому от сталинского удара не уклониться. Кого нельзя уличить в правом уклоне и нельзя — в левом, можно уличить в право-левацком извращении линии партии. А еще были центристы. Это когда уж совсем невозможно придраться, тогда спрашивали: что же ты все по центру держишься? А ведь и вправду подозрительно: все колебались и уклонялись, а ты всегда с партией был. Вот этим-то ты вражью свою суть и проявил!

Но во всех этих чистках а́рмия составляла как бы исключение. Ее чистки обходили стороной. Товарищ Сталин только следил за тем, чтобы на самом верху был свой человек. Стараниями Сталина с поста наркома по военным и морским делам был свален Троцкий. Его заместитель Склянский был отправлен в Америку с поручением, там он, развлекаясь, один плавал в лодке по озеру. Лодка опрокинулась сама собой, а товарища Склянского кто-то из-под воды за ноги дернул. На место Троцкого встал Фрунзе. Его по приказу Сталина оперировали, хотя Фрунзе и отбивался. Операция прошла неудачно. Не уберегли врачи товарища Фрунзе. За что и ответили по всей строгости наших законов. Вот, пожалуй, все самые важные кадровые перемещения в Народном комиссариате обороны на первые годы. Но должен же был товарищ Сталин однажды добраться до армии! Неужто не добрался бы? Неужто, не получив немецкой фальшивки, он, вычистив все и всех, так бы и оставил армию нечищеной?

Чистки — это борьба за укрепление власти. За ее сохранение. Это борьба за личную безопасность вождя. Чистки — это предотвращение переворота. А перевороты всегда и везде совершают военные. Потому мы так их и называем — военные перевороты.

Неужто Сталин сам не додумался бы оградить себя от главной опасности?

Неужто без немецкой подсказки не сообразил бы?

2

В борьбе за власть — множество приемов и способов. Есть хорошие, великолепные, гениальные. Но есть и плохие, глупые, идиотские.

Самый дурацкий — это объявить всем своим соратникам-соперникам, что ты умнее всех, что твои заслуги превосходят заслуги всех остальных, потому-то именно ты, а не кто-то другой, должен быть самым главным.

Именно так поступил Лев Давыдович Троцкий. В 1924 году умер Ленин, и в том же году Троцкий выпускает книгу «Уроки Октября». Начинает он с того, что Октябрь надо изучать. Не все еще осознали, кто именно был самым главным героем Октября. По книжке то там, то тут проскальзывают замечания типа: «Ленин не понял и не оценил...», «Ленин сомневался...», «Ленин не знал...» Сталин в книге вообще не упомянут. Зиновьев и Каменев — предатели. А главным героем Октября, который все понимал и ни в чем не сомневался, был, понятно, сам Лев Давыдович...

Если это и так, то по чисто тактическим соображениям не следовало кричать об этом на весь мир. Не об уроках Октября речь, а о претензиях на власть. Объявив себя главным героем и претендентом № 1 на почести (и на власть), Троцкий объединил против себя всех остальных претендентов. Ответ последовал немедленный и сокрушающий — книга «Об "Уроках Октября"». Авторы Зиновьев, Каменев, Квиринг, Куусинен, Сокольников, Сталин, редакция «Правды» и ЦК комсомола. Эта книга положила начало открытой травле Троцкого в печати, которая никогда уже не прекращалась, даже и после убийства Троцкого. Интересно, что статья Сталина в этой книге — самая миролюбивая: «Говорят о репрессиях против оппозиции... Что касается репрессий, то я решительно против них» (С. 95).

Другие авторы сталинской мягкостью не отличались. Они высмеивали и обличали Троцкого. Для всей партийной бюрократии это было сигналом: свора восстала против вчерашнего вожака. Потому каждый спешит засвидетельствовать верность своре и ненависть к искусанному вожаку.

3

Тухачевский не усвоил уроков Троцкого.

Тухачевский рвался к власти тем же способом — самым дурацким. В Гражданской войне Тухачевский опозорился так, как никто другой. И вот именно он объявил, что является победителем. Он сам решил редактировать трехтомник «Гражданская война. 1918—1921», выставляя себя величайшим стратегом и обвиняя других в своих поражениях. Тут надо особо подчеркнуть: Тухачевский стремился именно редактировать историю, а не писать ее. Каждый, кто читал книгу Тухачевского «Поход за Вислу», согласится: Тухачевский был не способен изложить свою мысль. Маршал Юзеф Пилсудский, разгромивший Тухачевского, в своей книге «1920 год» показал и неумение Тухачевского воевать, и неумение рассказать о случившемся: «Чрезмерная абстрактность книги дает нам образ человека, который анализирует только свой мозг или свое сердце, намеренно отказываясь или просто не умея увязывать свои мысли с повседневной жизнедеятельностью войск, которая не только не всегда отвечает замыслам и намерениям командующего, но зачастую им противоречит... Многие события в операциях 1920 года происходили так, а не иначе именно из-за склонности пана Тухачевского к управлению армией как раз таким абстрактным методом». Пилсудский первым высмеял попытки Тухачевского свалить на чужую голову вину за разгром под Варшавой.

Но Тухачевский не мог успокоиться. Он-таки дорвался до желанного редакторства и воспел себя. Он восхвалял себя до того, что книга получилась неприличной. Но не в восхвалениях дело. Шла борьба за власть, и в этой борьбе споры о былых заслугах были только прикрытием грызни за должности.

Сталин понимал лучше всех, что за этим выпячиванием прошлых заслуг Тухачевского скрывается куда более мощный замах. Это заявка претендента на власть. Потому осадить Тухачевского следовало его же оружием. Сам Сталин в драку не лез, но каждая попытка Тухачевского и его друзей воспеть свои заслуги встречала непонятно откуда исходящий негромкий, но мощный отпор.

Теперь сопоставим даты.

Немецкая версия звучит так: в декабре 1936 года Гитлер устроил своим разведчикам нагоняй и потребовал результатов. В январе 1937 года возникла идея подбросить Сталину фальшивку. Потом фальшивку долго готовили, искали гравера, искали пишущую машинку, «такую, как в Кремле», писали ложные документы, распускали слухи. Эти слухи дошли до президента Чехословакии, потом до Сталина, потом были переговоры между ведомством Ежова и гитлеровцами, и в начале мая 1937 года документ попал на сталинский стол.

Это версия, которую рассказал В. Шелленберг.

А вот другая хронология.

В январе 1935 года был арестован Невский Владимир Иванович, директор Библиотеки им. Ленина. Причина: не те книги в главной библиотеке страны хранятся, не тех героев книги прославляют. Арест Невского сопровождался арестами директоров ведущих издательств и библиотек страны. Это был сигнал

Тухачевскому: уймись! Уж слишком бессовестно из себя героя корчишь!

13 июля 1935 года был арестован комкор Г. Гай. В битве под Варшавой главной ударной и маневренной силой Тухачевского был 3-й конный корпус, которым командовал Гай. В 1935 году Гай был начальником кафедры военной истории Военно-воздушной академии им. Жуковского. В те времена, кроме истории Гражданской войны, у нас никакой другой военной истории не было. Все, что Гражданской войне предшествовало, было предисловием. Причина ареста: историю преподавал вредительски. Арест Гая — третий звонок Тухачевскому.

17 апреля 1936 года арестован Н.И. Муралов, который стал командующим Московским военным округом еще в 1917 году, то есть за несколько месяцев до рождения Красной Армии. Это под прикрытием Муралова из Петрограда в Москву бежало правительство Ленина—Троцкого. В 1936 году Сталин начал прижимать тех, кто был выбран Лениным и Троцким, кто был при них на больших высотах.

9 июля 1936 года арестован червонный казак, комдив Д. Шмидт, друг Тухачевского, который Сталину обещал уши отрезать. С этого момента судьба Тухачевского, Якира и Примакова была решена окончательно.

14 августа 1936 года был арестован сам комкор Примаков, главный червонец. Примакова будут судить и расстреляют вместе с Ту-

хачевским, Якиром и Уборевичем. Примаков был связан с Тухачевским много лет. Примаков был в подчинении Тухачевского еще в 1920 году в «походе за Вислу».

20 августа 1936 года был арестован еще один будущий подельник Тухачевского комкор Путна. Двое из восьми подсудимых группы Тухачевского уже сидят. Процесс пошел.

2 сентября 1936 года арестован комкор С.А. Туровский.

25 сентября арестован комдив Ю.В. Саблин.

И вот только после этого, в декабре 1936 года, Гитлер якобы потребовал от своих спецслужб активизации работы. И пока гитлеровские разведчики размышляют, что им такое-этакое придумать...

24 января 1937 года собирается партийная конференция Белорусского военного округа, которым командовал командарм 1 ранга Уборевич. Подчиненные Уборевича словно с цепи сорвались — все бросились разоблачать своего командующего, обвиняя во всех возможных и невозможных грехах. Тот, кто хоть раз был в Советском Союзе на партийном собрании, знает: так просто, за здорово живешь подчиненные на начальника не бросаются. Тем более на командующего одним из самых мощных военных округов.

По странному стечению обстоятельств именно в тот день был нанесен удар чудовищной силы и по самому Тухачевскому. 24 января 1937 года на открытом судебном заседании обвиняемый в шпионаже, вредительстве и подготовке заговора Карл Радек назвал имя Тухачевского.

Тот, кто знает хоть что-нибудь об открытых сталинских процессах, тот, кто задумывался над смыслом и назначением этих процессов, тот согласится: случайно там имен не называли.

По словам обвиняемого Радека, Тухачевский посылал Путну в Берлин, где тот вел переговоры с троцкистами. Самого Тухачевского пока ни в чем не обвиняли: он-де послал Путну в Берлин по служебным делам, а Путна воспользовался случаем... Но если Тухачевский не имел никакого отношения ко всем этим темным махинациям, то зачем на открытом суде в присутствии иностранных наблюдателей называть его имя в прямой связи с действиями заговорщиков? Можно же было сказать: «Находясь в служебной командировке, Путна занимался чем-то недозволенным...» Ан нет, кому-то потребовалось уточнение: по приказу Тухачевского.

С этого момента Тухачевский мог смело стреляться — судьба его была не только решена, но и официально объявлена.

В это время немецкая разведка еще только искала гравера. А можно было и не искать. Без вашего гравера все будет сделано как надо. Гитлеровской разведке достаточно было иметь хорошего аналитика в немецком посольстве в Москве. По одному упоминанию имени Тухачевского на показательном процессе можно было делать выводы.

Тем временем аресты в армии пошли чаще.

19 февраля 1937 года арестован дивизионный комиссар И.С. Нежичек.

20 февраля 1937 года — дивизионный комиссар А.А. Гусев.

11 марта 1937 года было арестовано все высшее командование Уральского военного округа, в том числе командующий войсками комкор И.И. Гарькавый и его заместитель комкор М.И. Василенко.

25 марта 1937 арестован дивизионный интендант П.И. Курков.

Список весьма длинный, даты арестов опубликованы, и каждый может сам список дополнить и сделать вывод. А вывод простой: получил Сталин в мае 1937 года фальшивку от германской разведки или ее не получил, очищение высшего командного состава Красной Армии уже шло полным ходом, главные жертвы были уже намечены и объявлены публично, а свидетели давали командарму 1 ранга Фриновскому те показания, которые от них требовали.

4

Вымыслы про «обезглавленную» армию звенят уже полвека. Вот последняя на эту тему публикация: журнал «Новости разведки и контрразведки» (1995. № 40—41), огромная статья Владимира Кукушкина "Дело" Тухачевского — фальшивка нацистских спецслужб». Что же за новость расскажет нам товарищ Кукушкин?

А рассказывает он все то, что придумал недобитый гитлеровец В. Шелленберг. Все, что гитлеровец говорил 50 лет назад, Кукушкин повторяет слово в слово, выдавая бред фашиста за свои научные открытия. Сплетни, которые вот уже 50 лет обсасывает вся мировая бульварная пресса, товарищ Кукушкин рассказывает взахлеб как последние новости разведки.

Читая статью, перестаешь понимать, где Шелленберг, а где Кукушкин. Статья переплетена цитатами Шелленберга весьма густо, Кукушкин верит фашисту во всем, соглашаясь со всеми весьма дикими нестыковками. Версия Шелленберга—Кукушкина гласит: «Начало этой зловещей акции было положено в декабре 1936 года на совещании у Гитлера, где присутствовали также Гесс, Борман и Гиммлер. Фюрер раздраженно...»

Стоп. Тут я вынужден прервать захватывающий рассказ товарища Кукушкина для небольшого отступления. Названы четыре высших руководителя Германии. Четыре заговорщика, с которых все и началось. Среди них — трое политиков и один представитель спецслужб, рейхсфюрер СС Гиммлер. В конце войны Гиммлер пытался улизнуть, но его опознали, и он покончил жизнь самоубийством — раскусил ампулу. Случилось вот что. Германские солдаты сотнями тысяч и даже миллионами сдавались американцам и британцам, чтобы не попасть в советский плен. В руках западных союзников оказались необозримые массы немецких военнопленных. Это были огороженные проволокой поля, кишащие людьми, моря голов. Вот в этих-то морях и решил затеряться Гиммлер. Он переоделся солдатом, заготовил документы... Что ему стоило заказать солдатскую книжку на имя какого-нибудь Ганса или Фрица... Документы ему изготовили — залюбуешься. На том и сгорел... У солдат-фронтовиков документы затерты и истрепаны. Фронтовик горел в танке, плавал через реки, пробивался болотами и лесами, валялся в грязи и в крови. За годы войны документ фронтовика пропах дымом блиндажей, солдатским потом и табаком, пропитался запахом прифронтовых госпиталей, подвижных походных бардаков и полевых кухонь, измялся, изломался, искорежился. А у одного солдатика в этой необозримой толпе документ правильный-правильный, новенький-новенький, хрустящий и типографией благоухающий... А приметили этого солдатика в человеческом муравейнике и потребовали документ потому, что все фронтовики перепачканы грязью последних боев, пропитаны копотью разгрома, все они рваные, вонючие, лохматые, с оторванными рукавами, погонами и штанинами, перемотанные бинтами и грязными тряпками... А один пожилой солдатик с проседью — во всем новеньком, сапожки скрипят, чистенький, умытый, стриженый и французским одеколоном пахнет... Тут-то ему и сказали: «А повернись-ка, сын! Экой ты смешной какой!»

Своим тупым полицейским мозгом рейхсфюрер СС не сообразил, что сапоги на нем должны быть стоптанными, документы — рваными, а печати на документах — расплывшимися. И вот теперь нам товарищ Кукушкин рассказывает удивительную историю о том, что этот великий профессионал и трое любителей в декабре 1936 года вознамерились обмануть самого товарища Сталина, фальшивку ему решили подбросить...

5

Кукушкин продолжает свой рассказ о том, как великий профессионал и трое любителей вызвали Гейдриха, устроили ему разнос, и вот этот самый Гейдрих и придумал учинить подлог... Фальшивка вот какого смысла: советские генералы во главе с Тухачевским снюхались с немецкими генералами. Советские готовят переворот против Сталина, немецкие — против Гитлера. Немецкие спецслужбы якобы узнали о заговоре, добыли соответствующие документы и готовы их Сталину продать... «Вскоре из Москвы прибыл эмиссар Ежова, который заявил о готовности купить материал о «заговоре»... Гейдрих потребовал три миллиона золотых рублей... Названная сумма была выплачена... Инициаторы этого политического подлога из СД кичились тем, что нанесли тяжелейший удар по боеспособности Красной Армии и к тому же заработали на этом три миллиона рублей... Часть «Иудиных денег» В. Шелленберг приказал пустить под нож после того, как несколько немецких агентов были арестованы ГПУ, когда они рассчитывались этими купюрами. Сталин произвел оплату крупными банкнотами, все номера которых зарегистрированы ГПУ».

Вот такой рассказ.

Мы над этим посмеемся, но сначала...

6

Посмотрим на ситуацию из сталинского кабинета.

Сталину докладывают: гитлеровская тайная полиция вскрыла сговор немецких и советских генералов. Немецкие генералы намерены свергать Гитлера, советские — Сталина. Что же (по сталинскому рассуждению) в этой ситуации должен делать Гитлер? Он должен нанести удар по своим заговорщикам. Он должен арестовывать, судить, стрелять и вешать своих генералов.

Но удивительная вещь: докладывают, что Гитлер о заговоре германских генералов знает, однако ничего похожего на разгром заговора в Германии не происходит, все гитлеровские генералы на своих местах, их даже и не понижают в должностях. А ведь странно: гитлеровская разведка заботится о сталинской безопасности, документы достает, подталкивает Сталина стрелять своих генералов, но о своей безопасности ни Гитлер, ни его спецслужбы не заботятся и своих генералов стрелять не намерены.

И Сталин должен верить этой туфте?

Второй момент. Если Гитлер узнал о сговоре германских и советских генералов, то он должен обратиться к Сталину. Срочно и лично. Представим себе: в городе — две враждующие банды. Или группировки, если хотите. И вот братишки среднего уровня из одной и другой банд снюхались, паханов в известность не поставив, и порешили меж собой больше не воевать, а паханов, которые миру и дружбе мешают, зарезать. Допустим, один главарь банды пронюхал о сговоре. Что должен он делать? Где защиты и помощи искать? Да только у другого главаря. Больше негде. Вражда их временно прекращается. Они — друзья в беде. Они вдвоем под явной угрозой, и ни на кого больше им положиться нельзя. Ни о каких деньгах тут речь не идет, шкуры спасать надо. И один говорит другому: выкладывай все, что знаешь об этом деле, а я тебе расскажу, что я знаю. Потом каждый у себя в хозяйстве порядок наводит. А уж потом можно дальше воевать меж собой.

Так вот, если Гитлер узнал о сговоре советских и германских генералов, он должен был выходить на Сталина, не веря больше никому. Гитлер — под угрозой, и Сталин — под той же угрозой. Но Гитлер на контакт не идет. Вместо этого какие-то аферисты пытаются продать

Сталину компромат на Тухачевского и просят денег, но материалов на германских генералов-заговорщиков взамен не просят...

А это на правду не похоже.

Время спасаться от заговора, а Гитлер сам не спасается, но спасает Сталина и торгуется из-за денег. Вроде и нет у него в Германии никакого заговора...

Вывод: попытка обмануть Сталина, если она действительно имела место, была явно дурацкой, легенда — неправдоподобной и ничем не подкрепленной.

7

В отличие от Ленина и Троцкого Сталин формальной стороне юридического процесса придавал значение. Сталин не хотел прослыть злодеем, тем более в глазах своей армии. На сталинских судах признавались ВСЕ. На открытых судах и закрытых. Тот, кто не признался, тот просто на суд не попадал. Но если уж кого на суд выводили, то он свою вину подтверждал. Если кто-то вдруг упрямился, то объявлялся перерыв на пару часов, и после перерыва проблем с признанием не возникало. Зачем-то Сталин у всех вырывал признания. Это было важно ему. Сталин заботился о том, чтобы все поверили: он действительно уничтожает настоящих заговорщиков и шпионов. И если Сталин получил от германской разведки документ, то его следовало предъявить суду. Суд ведь закрытый, а судьи — высшие командиры Красной Армии, которые тайны хранить научены.

Стенограммы процесса над группой Тухачевского опубликованы. Никакие немецкие документы на суде не предъявлялись, и о них никто даже не упоминал. Протоколы допросов и очных ставок тоже частично опубликованы, но и там никаких упоминаний о немецком документе.

Да и о каком документе речь? Речь о письме Тухачевского, который тот якобы написал немецким генералам.

Нам говорят, что Сталин «фальшивке поверил». Допустим. Представим себе, что Сталин получил это самое письмо, которое Тухачевский написал немецким генералам. Допустим, что Сталин верит тому, что Тухачевский его действительно писал. Зачем тогда сталинский суд предъявляет Тухачевскому заведомо выдуманные обвинения, а письмо, которое изобличает измену, письмо, которому поверил сам Сталин, не предъявляет?

Вопрос убойный: почему Сталин это письмо никому не показывает? Зачем его прятать? Кому оно нужно?

Долго думали кремлевские историки, но ответ придумали: так ведь письмо-то получено по агентурным каналам, Сталин не хотел агентуру раскрывать!

Красиво придумано. Да только НАША агентура к этому делу отношения не имела. Наш официальный представитель якобы встретился с немцами, якобы купил у них письмо и отбыл в столицу мирового пролетариата. Если показать письмо Тухачевского нашим командирам, то кого и как мы этим раскроем? Наоборот, предъявив письмо Тухачевского, Сталин таким жестом только продемонстрировал бы свою силу: я все вижу! я все знаю! Не вдаваясь в подробности добывания, можно было бы намекнуть своим маршалам, чтобы они и не думали заговоры плести, ибо все их письма перехватываются и ложатся на сталинский стол. Но этого почему-то не было сделано.

Если в этом деле и была задействована агентура, так только гитлеровская. Если немецкая разведка действительно продала Сталину письмо Тухачевского, то тем самым она отдала право полностью им распоряжаться. Мы заплатили и теперь делаем с письмом все, что нам нравится. Немцы, отдавая письмо, не заботились о том, что кто-то по содержанию письма раскроет их агентуру. А товарищ Сталин, выходит, о гитлеровской агентуре заботится: как бы ее не раскрыть!

8

Теперь вернемся к рассказу Шелленберга—Кукушкина.

Первый момент: деньги, полученные в ГПУ, немецкая разведка использовала для агентурных операций, и сразу пошли провалы, так как номера банкнот были переписаны...

Агентурная разведка без денег работать не может, как паровоз без воды, но деньги разведчик не имеет права получить в банке и заплатить своему агенту. Для агентурной операции можно использовать только «фильтрованные» деньги, которые особыми, совершенно секретными способами где-то кем-то специально для такой цели размениваются. А доблестная германская разведка получила деньги не в банке, а в ведомстве товарища Ежова, которое занимается ловлей шпионов, и эти деньги немедленно использует в своих агентурных операциях на советской территории. Одно из двух: или В. Шелленберг этого никогда не писал, это просто какие-то идиоты, не служившие в разведке и детективных историй не читавшие, придумали глупость; или во главе германской разведки действительно стояли идиоты, которые не знали самых простых вещей, известных не только начинающим разведчикам, работающим на подхвате, но и просто любителям шпионских романов.

Второй момент: немецкие разведчики провалились, Шелленберг узнал об этом и... Опять чепуха. Наши ребята не так глупы, чтобы немедленно арестовывать шпиона. Шпион — на нашей территории, убежать от нас не так легко, граница на замке. Выявленного шпиона надо «вести» долго, осторожно и внимательно смотреть за ним, чтобы выявить связи. Потом неплохо ему подставить источник так, чтобы он сам еще не знал, что на нас работает, так, чтобы верил: удача сама к нему в руки идет. Выявленный на нашей территории настоящий шпион — огромная для нас ценность. Это наш канал дезинформации. Это козырный туз, из их колоды украденный. Арестовывают шпиона в крайнем случае, но и после того используют для игры против разведки противника. Даже если противник и догадался, что мы его агента накрыли и тот играет по нашим нотам, то и тогда от этого нам есть польза: такое наше поведение заставляет противников сомневаться в достоверности сообщений тех источников, которых мы пока еще не выявили. Противник-то не знает, кого мы застукали, а кого еще нет. Потому сомневается во всех. Одним словом, если бы наши засекли немецких агентов, то В. Шелленберг мог об этом узнать только после войны.

Немцы проявили потрясающую глупость, выдав шпионам деньги, полученные в ежовском ведомстве, потому советской контрразведке был смысл подождать, когда все денежки появятся на нашей территории, когда другие шпионы себя проявят таким же образом. Зачем же первых появившихся тут же и арестовывать?

Третий момент: с агентурой чепуха получилась, и Шелленберг приказывает пустить деньги под нож... Зачем? Неужто их нельзя использовать для легальной цели? Например, жалованье немецким дипломатам в Москве платить, воду газированную на Цветном бульваре покупать, пирожки на Ярославском вокзале, газетки всякие.

Все тот же момент: пустили деньги под нож... Но было сказано самим же Шелленбергом, что рубли золотые. Представляю: бедные немецкие разведчики стальными крупповскими ножами золотые рубли режут. Так ведь сколько их не режь, они цены не теряют. Я согласен получить сундук золотых рублей, изрезанных на половинки.

И что это за золотые рубли в крупных купюрах и с номерами? В. Шелленберг рублей явно никогда не видел, но, товарищи из «Новостей разведки и контрразведки», вы-то представляете себе наш червонец? Вы-то знаете, что это монета, а не купюра? И никаких номеров на монетах нет. И в те времена червонец из обращения был уже изъят. Неужто, товарищи разведывательные и контрразведывательные редакторы, эти, казалось бы, мелочи, не раскрыли вам глаза? Уж если врать, так хоть весело и складно. Неужто вы, товарищи редакторы, не понимаете, что Шелленберг врет бездарно и бестолково?

Куда ни кинь, везде смешно. Если я шпион, если продаю фальшивку, то, чтобы набить ей цену, должен требовать за нее большие и серьезные деньги. В те времена (да и сейчас) — доллары, швейцарские франки, можно бы фунты или золото в слитках, чем товарищ Сталин, кстати, всегда расплачивался. Отчего же германская разведка согласилась на рубли в крупных купюрах?

А вот еще анекдот. Операция задумана в декабре 1936 года. Проведена в 1937 году. Хитрые немцы обманули Сталина и получили деньги от представителя ГПУ... которое существовало до 15 ноября 1923 года. После того дня не было никакого ГПУ, а было ОГПУ, а с 10 июля 1934 года не было уже и ОГПУ. Доблестная германская разведка обманывала организацию, которая на момент обмана уже 13 лет не существовала.

Так может быть, В. Шелленберг просто оговорился? Вовсе нет. Через всю его книгу проходит именно этот термин — ГПУ. Великий немецкий разведчик не знал названия той организации, против которой боролся, не знал главного врага даже по имени. И этот кретин, который о России вообще ничего не знал, рассказывает нам, что он написал такую фальшивку, которой поверил сам Сталин.

9

Достал книгу Сунь Цзы в новом переводе Оксфордского университета, в новой интерпретации, с новыми комментариями. Великий китаец жил две с половиной тысячи лет назад, но все, что он писал о войне, надлежит знать каждому. Интересно, что всякий, кто переводит Сунь Цзы с того древнего китайского языка, понимает его иначе, по-своему. Потому я собираю эти книги в разных переводах. Уже почти целую полку набрал.

Сижу, читаю, уплываю за облака от счастья. Глава о разведке... И вдруг в заключении — современный комментарий оксфордского профессора: разведка имеет огромное значение. Пример: немецкая разведка подбросила Сталину фальшивку...

Немецкая разведка во Второй мировой войне проявила такую дурь, которая заслуживает многотомного романа в духе бравого солдата Швейка. О Советском Союзе германская разведка не знала вообще ничего. Эту тему я выделяю в особое производство. Сам Гитлер разведку не любил, не понимал, брезговал ею. И вот Гитлера и его разведку нам приводят в пример. А Сталина, который ценил, понимал, любил добывание, обеспечение и обработку, который находил высшее наслаждение в общении с лучшими разведчиками своего времени, считают дураком и приводят нам в качестве примера отрицательного: глупенький, доверчивый.

Но надо помнить, что архивы германских разведслужб накануне падения рейха были сожжены, а высшие руководители ликвидированы. Проверить по документам ничего нельзя. Вот где простор для брехунов! И пошли недобитые гитлеровцы, которые о разведке не имели представления даже в пределах бульварного чтива, сочинять удивительные истории. Тухачевского Сталин расстрелял? Так это ж я документ подбросил! Так это ж я самого Сталина обманывал! Это я Красную Армию обезглавил сталинской рукой, да еще за это получил три миллиона золотых рублей!

И мы хором повторяем выдумки брехунов. И мы над Сталиным смеемся.

Но смеяться надо не над Сталиным, а над некоторыми высоколобыми экспертами. Хронология действий Сталина всем известна и документирована, а хронология действий гитлеровцев нам известна только из ничем не подтвержденного рассказа многократно уличенного во лжи и полной некомпетентности Шелленберга. Даже простое сравнение показывает, что реальные действия Сталина больше чем на год опережали мнимые действия гитлеровцев. Шелленберг, выдумывая свои истории, даже не удосужился полистать всем доступные материалы о московских процессах. Если бы прочитал, то его рассказ о совещании у Гитлера сдвинулся бы на пару лет вперед.

Но если бы очищение Красной Армии было осуществлено Сталиным не по собственным планам, а с немецкой подачи, то и тогда действия немцев были бы глупостью. В этом случае они помогли Сталину избавиться от тупых заевшихся палачей и открыть дорогу новому поколению настоящих полководцев, которые и переломали хребет Гитлеру и его хвастливой разведке.

Не Сталин поверил немецкому вранью, а некоторые наши уважаемые академики. Это вам, ученые товарищи, Шелленберг подбросил фальшивку про полученные от ГПУ золотые рубли в крупных купюрах с переписанными номерами.

Глава 19

ПРО ПОЛКОВОДЦА, КОТОРЫЙ ОБЛАДАЛ АНАЛИТИЧЕСКИМ УМОМ

Иные коммунисты и сами не очень хорошо разбирались, что к чему. Их политическое мировоззрение ограничивалось иногда весьма простым понятием: «Все буржуи — враги революции. Поэтому с ними можно не церемониться».

Генерал-лейтенант *С.А. Калинин.*
Размышления о минувшем

1

После Гражданской войны у Советского Союза на востоке был один, но весьма грозный противник — Япония. В мирное время против Японии был развернут Дальневосточный фронт.

В течение двух межвоенных десятилетий почти бессменно верховным военным правителем советского Дальнего Востока был Маршал Советского Союза Василий Константинович Блюхер. В списке советских маршалов он был самым первым. Как мы уже знаем, советник президента России генерал-полковник

Д.А. Волкогонов в своих книгах описывает Блюхера как «сильного военачальника», который «обладал аналитическим умом». К этому генерал Волкогонов добавил, что «такие Сталину были вряд ли нужны».

Действительно, такие Сталину были не нужны.

Но по другой причине.

Маршал Блюхер был арестован 22 октября 1938 года. Сидеть ему пришлось не долго. «Военно-исторический журнал» (1993. № 2) сообщает, что Блюхер «умер в тюрьме» 9 ноября 1938 года.

Столь быстрая смерть имеет простое объяснение: он умер под пытками.

Из этого факта делают, казалось бы, неоспоримые выводы. Если Сталин — злодей, значит, убитый в сталинской тюрьме Блюхер — невинная жертва. Если Сталин — тиран, значит, Блюхер — добрый гений, защитник вдов и сирот. Если Сталин плохо начал войну, значит, Блюхер начал бы ее хорошо...

Вместо маршала Блюхера на должность командующего Дальневосточным фронтом вступил комкор Григорий Михайлович Штерн, который до этого был у Блюхера начальником штаба. С мая 1940 года Штерн — генерал-полковник. В начале 1941 года Штерн пошел на повышение, затем был арестован и расстрелян.

Для того чтобы оценить утрату Блюхера и Штерна, мы должны познакомится с тем, кто их сменил.

2

А сменил их матерый кавалерист-буденновец, ветеран 1-й Конной армии генерал армии Апанасенко Иосиф Родионович. Апанасенко — из самого верхнего этажа первоконников. Когда Буденный командовал корпусом, Апанасенко у него был командиром дивизии, то есть стоял всего на ступень ниже. Его фотография — в «Советской военной энциклопедии» (Т. 1. С. 216). Это лицо, скорее морда, свирепого пещерного человека.

О генерале армии Апанасенко лучше всех рассказал генерал-майор Петр Григорьевич Григоренко в своей книге «В подполье можно встретить только крыс» (Нью-Йорк, 1981). Перед войной подполковник Григоренко был офицером Оперативного управления штаба Дальневосточного фронта. Оперативное управление — самое важное подразделение штаба. Оно анализирует обстановку, вырабатывает решения для командующего, воплощает их в планы и приказы, контролирует и направляет ход боевых действий. Все другие подразделения штаба работают на Оперативное управление точно так, как все цеха завода работают в интересах одного сборочного.

Вот именно в этом, самом главном управлении штаба и служил Григоренко. Он имел уникальную возможность наблюдать командующего Дальневосточным фронтом генерала армии Апанасенко не на парадной трибуне, не на партийной конференции и даже не на пьянке после удачной охоты на волков, а в тиши главного рабочего зала бетонного бункера, там, где над картой обсуждаются варианты, там, где вырабатываются планы операций и войны.

Я вынужден цитировать большие куски из книги П.Г. Григоренко. На мой взгляд, они того заслуживают. Итак...

«За несколько месяцев до начала войны командующим Дальневосточным фронтом был назначен генерал армии Апанасенко Иосиф Родионович. Даже внешностью своей он был нам неприятен, не говоря уж о том, что за ним и впереди него шла слава самодура и человека малообразованного, неумного. По внешности он был как бы топором вырублен из ствола дуба. Могучая, но какая-то неотесанная фигура, грубые черты лица, голос громкий и хрипловатый, и в разговоре с большинством имеет какой-то издевательский оттенок. Когда ругается, выражений не выбирает, как правило, делает это в оскорбительном тоне и с употреблением бранных слов. И еще одно — несдержан. Может быстро прийти в бешенство, и тогда виновник пощады не жди. И хуже всего, что это состояние наблюдаемо. Вдруг из-под воротника кителя шея начинает краснеть, эта краснота быстро распространяется вверх — краснеют вся шея, подбородок, щеки, уши, лоб. Даже глаза наливаются кровью.

В общем, все мы были не в восторге от смены командующего. Однако очень скоро те, кто стоял ближе к Апанасенко, убедились, что идущая за ним слава во многом ни на чем не основана. Прежде всего мы скоро отметили колоссальный природный ум этого человека. Да, он необразован, но много читает и, главное, способен оценить предложения своих подчиненных, отобрать то, что в данных условиях наиболее целесообразно. Во-вторых, он смел. Если считает что-то целесообразным, то решает и делает, принимая всю ответственность на себя. Никогда не свалит вину на исполнителей, не поставит под удар подчиненного. Если считает кого-то из них виновным, то накажет сам. Ни наркому, ни трибуналу на расправу не дает. Я мог бы еще много хорошего сказать о нем, но лучше перейдем к примерам.

Почти одновременно с Апанасенко приехали много работников высшего звена фронтового управления, которые были отобраны им самим. Все эти люди — умные, что само по себе говорит в пользу Апанасенко. Ведь сумел же он их как-то распознать. Прибыл и новый начальник Оперативного управления генерал-майор Казаковцев Аркадий Кузьмич. Григорий Петрович Котов, как только передал ему оперплан, уехал к новому месту службы — на Украину. О передаче оперплана устно и письменно доложили начальнику штаба, а затем командующему. Апанасенко сразу же пожелал лично ознакомиться с оперпланом. Начали с плана прикрытия. Докладывал я, т.к. был ответствен за эту часть оперплана. Казаковцев стоял рядом. По мере доклада Апанасенко бросал отдельные реплики, высказывал суждения. Когда я начал докладывать о расположении фронтовых резервов, Апанасенко сказал:

— Правильно! Отсюда удобнее всего маневрировать. Создастся угроза здесь, мы сюда свои резервы, — и он повел рукой на юг. — А создастся здесь, сманеврируем сюда, — двинул рукой на запад.

Казаковцев, который молчал, когда рука Апанасенко двигалась на юг, теперь спокойно, как о чем-то незначительном, бросил:

— Сманеврируем, если японцы позволят.

— Как это? — насторожился Апанасенко.

— А так. На этой железной дороге 52 малых туннеля и больших моста. Стоит хоть один взорвать, и никуда мы ничего не повезем.

— Перейдем на автотранспорт. По грунту сманеврируем.

— Не выйдет. Нет грунтовки параллельно железной дороге.

У Апанасенко над воротником появилась красная полоска, которая быстро поползла вверх. С красным лицом, с налитыми кровью глазами он рявкнул:

— Как же так! Кричали: Дальний Восток — крепость! Дальний Восток — на замке! А оказывается, сидим здесь, как в мышеловке! — Он подбежал к телефону, поднял трубку: — Молева ко мне немедленно!

Через несколько минут вбежал встревоженный начальник инженеров фронта генерал-лейтенант инженерных войск Молев.

— Молев! Тебе известно, что от Хабаровска до Куйбышевки нет шоссейной дороги?

— Известно.

— Так что же ты молчишь? Или думаешь, что японцы тебе построят! Короче, месяц на подготовку, четыре месяца на строительство. А ты, — Апанасенко повернулся ко мне, — 1 сентября садишься в «газик» и едешь в Куйбышевку-Восточную. Оттуда мне позвони. Не доедешь, Молев, я не завидую твоей судьбе. А список тех, кто виновен, что дорога не построена, имей в кармане. Это твою судьбу не облегчит, но не так скучно будет там, куда я тебя загоню. Но если ты по-серьезному меня поймешь, то вот тебе мой совет. Определи всех, кто может участвовать в строительстве — воинские части и местное население, — всем им нарежь участки и установи сроки. Что нужно для стройки, составь заявку. Все дам. И веди строгий контроль. У меня на столе каждый день должна быть сводка выполнения плана. И отдельно — список не выполнивших план.

1 сентября 1941 года я приехал на «газике» из Хабаровска в Куйбышевку-Восточную и позвонил Апанасенко. На спидометре у меня добавилось 946 километров. Я видел, что сделано, и в начале и в конце этой дороги поставил бы бюсты Апанасенко. Любой более образованный человек остановился бы перед трудностью задачи. Апанасенко же видел только необходимость и искал пути достижения цели, борясь с трудностями и не останавливаясь

перед ними. В связи с этой дорогой легенда о его самодурстве пополнилась новыми фактами. За время стройки двух секретарей райкомов он сдал в солдаты, что впоследствии было использовано против него как доказательство его диктаторских замашек.

Когда он принял командование, дорожная сеть, особенно в Приморье, была уже относительно развита. Но части дислоцировались не на дорогах. А подъездные пути шоссированы не были. Потому в распутицу во многие части можно было пробраться только на лошадях. Апанасенко загонял легковую в самую грязь подъездных путей, бросал ее там, а на другой уезжал, заявив во всеуслышание: «К таким разгильдяям я не ездок». Затем вызывал командира части к себе. Слухи о жестоких взысканиях, о снятии с должностей и понижении в званиях быстро распространились по частям. Все бросили все и занялись строительством подъездных путей. За какой-нибудь месяц во все городки вели прекрасные шоссе, а сами городки — улицы, технические парки, хозяйственные дворы — были загравированы, а кое-где и заасфальтированы. Не самодурство было все это. До сего времени невозможно было в распутицу выйти из городков по тревоге. Теперь же — в любое время года и суток выходи в бой. Вообще же дороги были слабостью Апанасенко. Сознаюсь, я — генштабист — теоретически понимал значение дорог, но так их чувствовать, так заботиться о них, как Апанасенко, не мог. Только Апанасенко привил нам всем, дальневосточникам, подлинное уважение к дорогам. Время его командования Дальневосточным фронтом с основанием можно назвать эпохой дорожного строительства и отличного содержания дорог.

Не таким был и грозным, как казалось, этот командующий. Его страшные приказы о снятиях, понижении в должности и звании были известны всем. Но мало кто знал, что ни один из наказанных не был забыт. Проходило некоторое время, Апанасенко вызывал наказанного и устанавливал испытательный срок: «Сам буду смотреть, справишься, все забудем, и в личное дело приказ не попадет. Не справишься, пеняй на себя!» И я не знаю ни одного случая, чтобы человек не исправился...»

3

Теперь вернемся к загубленным полководцам.

Первый вопрос: чем занимался 17 лет на Дальнем Востоке «сильный военачальник», «обладавший аналитическим умом» Маршал Советского Союза товарищ Блюхер?

Дальний Восток — это наш второй фронт. А могло случиться, что и первый. И вот оказывается, что если бы боевая тревога на Дальнем Востоке совпала с дождем, то наши дивизии из военных городков выйти просто не могли. Тот, кто на Дальнем Востоке не бывал, тот не знает, что такое бездорожье и грязь. Некоторые думают, что на Дальнем Востоке дороги такие же, как и в Европейской части России. Нет, дорогие товарищи, там хуже. У нас, в Приморье, — сопки, а между ними болота. А на вершинах сопок — тоже болота. А там, где не болото, там тайга. Дождь начинается в мае, кончается в сентябре. Дороги — тяжелый, крутой, вязкий кисель или озера с кисельными берегами. В конце лета — дикие наводнения.

И вот сидел на Дальнем Востоке «сильный военачальник с аналитическим умом» Маршал Советского Союза товарищ Блюхер. Сидел там со времен Гражданской войны. Сидел почти двадцать лет. И ни черта не делал. Не приведи Господи воевать. У него ни одна дивизия из-за грязи из своего городка выйти бы не смогла. А если бы и вышла, то помочь ей было бы невозможно. Стоило японцам взорвать любой мост на Великой сибирской магистрали, завалить любой туннель, и наши командиры не могли бы перебросить пополнения к месту боев, не могли подбросить снарядов. Мало того, взорвут японцы один мост или туннель, и снабжение из центра станет невозможным, и будет нарушено не только обеспечение всем необходимым всего Дальневосточного фронта и Тихоокеанского флота, но и прервется связь центральных районов страны с Северным Сахалином и с Колымским краем, нарушится производственная кооперация с военной промышленностью Дальнего Востока, в том числе с Комсомольском, где находились самый мощный в мире авиационный завод и один из крупнейших судостроительных заводов.

Сидел у высоких берегов Амура сильный полководец с аналитическим умом маршал Блюхер и сообразить не мог, что весь Дальний Восток — мышеловка, что японцам захлопнуть эту мышеловку можно было парой диверсантов и десятком килограммов динамита.

А в своем штабе аналитик Блюхер держал таких стратегов, которые всего этого просто не видели и своему командиру не подсказали.

О чем же думал великий стратегический аналитик товарищ Блюхер почти 20 лет? А ни о чем. У гениального стратега была небольшая слабость. Увлечение. «Литературная газета» (19 июля 1996 г.) об этой слабости говорит мягонько и ласково: Блюхер попивал... Иногда. Наш народ к этой слабости относится снисходительно. Наш народ эту слабость у подобных себе не научен замечать. И для того чтобы об этой слабости помнили и 50, и 60, и 70 лет спустя, товарищ Блюхер должен попивать весьма много и регулярно, напиваясь досыта. Так оно и было. Блюхер попивал так, что о его кутежах знала вся страна.

И не верю я в чудеса. Не мог многоженец и алкоголик Блюхер быть стратегом. Настоящий стратег не имеет времени на пьянку, настоящий стратег слишком дорожит своим временем, чтобы попусту его тратить на запои.

Никаких открытий товарищ Блюхер в военной науке не совершил. Трудов потомкам не оставил. В области теории — ноль. В области практики — минус. Случился в 1938 году пустяковый конфликт с японцами из-за двух сопок, и весь Дальневосточный фронт во главе с «сильным военачальником» опозорился на весь мир, несмотря на «аналитический ум» великого стратега. Об этом речь впереди.

Откуда же он взялся, сей попивающий военный мыслитель?

4

Маршал Советского Союза Блюхер Василий Константинович военного образования не имел. И вообще образованностью не блистал. Работал по торговой части. В 1910 году сел. Срок — два с половиной года. За подстрекательство к забастовке. В августе 1914 года призван в армию. Попал на службу в Московский Кремль (ВИЖ. 1989. № 3. С. 95). Читаю такое, диву даюсь: судимого с политической статьей в Кремль забрали служить. Петроградский гарнизон комплектовался по тому же принципу. Вот на том-то и сгорела Российская империя: запасными на фронт не захотелось идти — и они поддержали Ленина—Троцкого, которые призывали к поражению собственной страны.

Но Блюхер на фронт попал. Там произведен в младшие унтер-офицеры. Далее журнал сообщает, что Блюхеру в 1916 году было ясно, что война проиграна. Грядущий стратег жестоко просчитался. Затяжная война прежде всего гибельна для Германии. Это у Германии нет природных ресурсов для войны. Это у Германии небольшая территория, которая при технике того времени не могла прокормить такое количество населения. Это Германия оказалась в клещах, это ей выпало воевать на два фронта. Все великие немцы считали такую ситуацию гибельной. Достаточно посмотреть на карту: Германия отрезана от всего мира и окружена со всех сторон. А подвоз морем блокирован британским флотом. Не надо было никаких битв и операций — ноги Германии подкосились бы сами собой. Понимая это, германский кайзер 12 декабря 1916 года обратился к русскому царю с предложением о заключении мира.

Для России в тот момент, вопреки мнению грядущего стратега Блюхера, война была не проиграна. Эхо войны доносилось откуда-то из Карпат да из белорусских болот, а вся огромная территория самой большой страны мира войной была не задета. В 1916 году неповоротливая Россия наконец раскачалась. Это был год, когда военная промышленность дала пушек, пулеметов, винтовок, снарядов и патронов вдвое больше, чем за два предыдущих года войны, вместе взятых. Фронт впервые насытился боеприпасами. Во всей Первой мировой войне сражения называли по названию рек, городов, районов: Мазурские озера, Галиция, Верден, Сомма. В правиле одно исключение: одна битва названа именем полководца — Брусиловский прорыв. Его совершила Русская армия и именно в 1916 году. Мы наконец научились воевать. Последующие события показали, что, даже полностью потеряв производственный потенциал 1916 года, мы могли еще воевать и воевать. И воевали. На остатках военных запасов 1916 года мы воевали аж до 1921 года и далее, неся неизмеримо более высокие потери, чем в Первой мировой войне. Так что не все было потеряно в 1916 году. Но из-за того, что Блюхеру и ему подобным не терпелось воткнуть штык в землю и бежать домой, Россия опозоренной вышла из войны. Эта капитуляция перед лицом уже издыхающей германской монархии вовсе не означала мира, а означала, как учил товарищ Ленин, превращение войны империалистической в войну гражданскую. Из-за того, что пораженцы типа Блюхера спешили Первую мировую войну проиграть, из-за того, что пошли за Лениным и Троцким, наша страна получила именно то, что Ленин с Троцким обещали: братоубийственную войну от Бреста до Владивостока, с уничтожением миллионов людей, с истреблением неисчислимых богатств.

Из-за пораженцев нашей стране пришлось воевать дольше всех и понести в Гражданской войне потери, бóльшие, чем все страны, вместе взятые, в Первой мировой войне.

И вот на братоубийственной Гражданской войне пораженцы отличились. Блюхер стал легендарным героем и заработал много орденов. А я — страстный любитель и собиратель орденов. Собиратель не только орденов, но и всяких интересных подробностей о них.

Просто зная номера орденов Маршала Советского Союза Блюхера, могу заявить, что не все с этим героем ясно.

Вплоть до 1930 года в Красной Армии был только один орден — Красного Знамени. Во время Второй мировой войны, особенно после нее, ценность этого ордена была подорвана обильными раздачами. Но во время Гражданской войны, особенно на первом ее этапе, орден имел огромную ценность. Кавалеров этого ордена чествовали так, как потом Героев Советского Союза. Биографии тех, кто имел два таких ордена, вписывали в официальную историю Гражданской войны и изучали в военно-учебных заведениях. У Блюхера таких орденов было аж четыре. Такое количество наград можно было бы объяснить исключительным геройством товарища Блюхера, но смущают номера: 1, 10, 11, 45.

Когда во всей огромной Красной Армии на все миллионы бойцов и командиров был всего только один орден, то он был у Блюхера. Когда на всю Красную Армию, на всех вождей, командиров и бойцов было всего только одиннадцать орденов, четверть этого количества — у товарища Блюхера. Во всей армии девять человек имели ордена: у восьмерых — по одному, у Блюхера — три. Чуть позже картина выглядела так: во всей Красной Армии на миллионные массы всего только 41 человек имел по одному ордену, а у Блюхера их уже четыре.

У нас было много героев: Чапаев, Щорс, Котовский, Тухачевский, Уборевич, Буденный, Троцкий, Склянский, Фабрициус... Когда ни один из них не успел получить еще ни одного ордена, у Блюхера их уже полная грудь.

Выходило, что Блюхер в несколько раз героичнее всех остальных героев, вместе взятых. Одним словом, такой героизм переходил пределы приличия, кто-то кому-то подсказал, и Блюхера стали реже награждать, а то бы к концу Гражданской войны он сломился под тяжестью своих орденов, как образцово-показательные мичуринские яблони на удивление всего прогрессивного человечества ломались под тяжестью своих плодов.

О том у нас и песни пелись:

> В закрома просторные
> Льется рожь отборная
> И от яблок
> Ломятся яблони в садах.

Это был особый шик: идешь по главной выставке страны, фонтаны ревут, железобетонные девушки серпы к небу вздымают, сады шумят листвой, а яблони все переломаны. Красота. Так их удобрениями закармливали, чтоб ломались. А на следующий год на ту выставку новые яблони в бочках привозили, на место поломанных вкапывали, расцветали яблони и груши, плодами созревающими глаз радовали, а к осени с треском ломались на радость и утешение рабочим и крестьянам.

Товарища Блюхера от такой участи спасли, не позволили сломаться под тяжестью наград.

Интересно, что сам товарищ Блюхер своих боевых наград как бы стеснялся, а гордился наградами карательными. Одна из жен Блюхера свидетельствует, что ордена он носил не все и не всегда, зато всегда носил Знак чекиста (ВИЖ. 1990. № 1. С. 81). И нужно признать, эту награду чекист Блюхер носил заслуженно, среди палачей и карателей он был в большом авторитете. Если бы установили почетное звание «Заслуженный палач республики» или «Народный палач СССР», то Блюхер мог бы поспорить за первенство не только с Тухачевским, но и с самим Якиром.

5

И еще один стратег-дальневосточник — Григорий Михайлович Штерн. Его служба в Красной Армии началась в 1919 году. Почему Штерн не примкнул к красным в суровом 1918 году, а примкнул в победном 1919-м, «Советская военная энциклопедия» не объясняет. Штерн, как и многие подобные ему стратеги, не был ни солдатом, ни курсантом, ни юнкером, ни унтером, ни младшим командиром, ни средним. Он — из комиссаров. С места — в карьер. Первая должность — комиссар полка. Работа непыльная —

надзирать за командиром, расстреливать солдат, рассказывать истории про светлое будущее. Далее — без задержек: комиссар бригады, сотрудник политотдела 46-й стрелковой дивизии. После Гражданской войны — сокращение армии. Потому Штерн — снова комиссар полка, комиссар штаба 3-й стрелковой дивизии и 1-го конного корпуса. В 1923—1925 годах — комиссар карательной бригады и командир частей особого назначения Хорезмской группы войск, то есть карательных формирований. Затем снова политработа — начальник политотдела дивизии. А в 1929 году его подметили. Штерн становится подручным Ворошилова — порученцем. Их было двое: Р.П. Хмельницкий (о котором подробно рассказано в книге «День-М») и Г.М. Штерн.

И тут надо особо отметить один момент: Маршал Советского Союза Климент Ефремович Ворошилов всеми и всегда описывается как идиот с гармошкой и не более того. Так вот, у этого идиота с гармошкой комиссар Штерн семь лет служил на холуйской должности порученца. Из этого я делаю вывод, и попробуйте спорить: не мог Штерн умственным развитием сильно отличаться от Ворошилова. Во-первых, шибко грамотных на лакейских должностях адъютантов и порученцев не держат. А держат шибко понятливых, которые, как псы, без слов желания хозяина понимают. Эта работа — для бравого солдата Швейка. А во-вторых, стратегия — это поэзия. Стратег — всегда поэт. Как минимум в душе. Но не мог поэт семь лет канцелярией заниматься. Да еще и в дурацкой канцелярии Ворошилова.

Штерн с Ворошиловым жили душа в душу. Штерн мог бы и дальше всю жизнь оставаться при Ворошилове, как Хмельницкий, но понесло Штерна высоко вверх. Знать, угодил товарищу Ворошилову. Из порученцев — главным военным советником республиканского правительства Испании. Не знаю, что уж там главный военный советник товарищ Штерн испанцам насоветовал, но дело их тут же кончилось глубоким и полным крахом. А Штерн — начальник штаба Дальневосточного фронта. Еще в январе 1937 года он у Ворошилова в порученцах, а в мае 1938 года — начальник штаба фронта. Да не простого, а единственного в то время. Такого взлета не было ни у кого. Никакого опыта командирской работы Штерн не имел. Опыта штабной работы тоже не имел. Весь его опыт — комиссар-каратель-холуй-советник.

О том, как Блюхер со Штерном громили японских агрессоров на озере Хасан, поговорим в следующий раз. Блюхера за те победы запытали до смерти, а Штерна пронесло. Всегда, везде у нас начальник штаба за все провалы несет равную ответственность с командиром. Но Сталин убил командующего Блюхера, но миловал начальника штаба Штерна и даже повысил, поставив командующим фронтом.

Что это был за командующий, мы уже видели на примере той же дороги вдоль Великой сибирской магистрали. Штерн служил на Дальнем Востоке три года на должностях начальника штаба фронта, командующего 1-й армией, командующего Дальневосточным фронтом, но решительно ничего не сделал для того, чтобы войска имели возможность после дождя выходить из военных городков. Не сделал ничего для того, чтобы на огромном тысячекилометровом фронте обеспечить передвижение резервов в районы боевых действий. А его ждало новое повышение — начальник Главного управления ПВО НКО СССР. И тут случился конфуз, который было нельзя замять: 15 мая 1941 года германский военно-транспортный самолет Ю-52 пересек воздушную границу СССР в районе Белостока, прошел беспрепятственно над Минском, Смоленском и приземлился в Москве. Руководимая Штерном система ПВО проявила полнейшее разгильдяйство. Ни сам начальник Управления ПВО товарищ Штерн, ни руководимый им аппарат ничего о несанкционированном полете германского самолета не знали. Держать такого на столь ответственной должности, да еще накануне войны, было нельзя. И его взяли...

6

В области военной теории Штерн себя не проявил никак. На поприще военной практики баланс отрицательный. А вот на почве политической...

Штерн был ярым сторонником террора. Сразу после очищения в марте 1939 года состоялся XVIII съезд партии, который как бы подвел итог совершенному и наметил новые задачи. Но об очищении как таковом на съезде уже не говорили. Говорили о предстоящей войне. Об очищении молчали все чекисты, все партийные вожди, члены ЦК и Политбюро, об очищении, понятно, молчали товарищи полководцы. Промолчал и сам товарищ Сталин. А товарищ Штерн молчать не мог, он говорил о великой пользе очищения и причислял себя к его организаторам, вдохновителям и исполнителям: «...мы с вами уничтожили кучку всякой дряни...» Товарищу Штерну было чем гордиться. Он к этому делу руку приложил.

Вскоре, правда, и сам оказался в этой самой кучке...

7

Бывает, найдешь камешек и не знаешь: алмаз это или нет? Как проверить? Да чиркнуть по граниту. Если процарапает бороздку, значит, алмаз. А если рассыплется сам, значит, не алмаз, а окаменевший экскремент динозавра.

Та грунтовая дорога вдоль Великой сибирской магистрали — это и есть кусочек гранита, на котором мы проверяем качество наших полководцев: алмаз или экскремент? И нельзя тут никак забыть самого товарища Тухачевского. У начальника Штаба РККА Тухачевского весь Дальний Восток висел на ниточке, которую любой мог перерезать. Чеховский злоумышленник мог гайку отвинтить... А товарищ Тухачевский, возглавлявший мозговой трест Вооруженных Сил, мозг армии, об этом не догадывался. На Дальнем Востоке полки и дивизии по тревоге не способны выйти из военных городков, а начальнику Штаба РККА товарищу Тухачевскому и дела до того не было. Он готовил прожекты выпуска 100 тысяч танков. А зачем иметь 100 тысяч танков, если они все равно после дождя из военных городков выйти не смогут? Зачем иметь все эти танковые армады, если после взрыва одного туннеля их нельзя будет перебросить в район боевых действий? Зачем эти танки иметь, если их нельзя будет снабжать и обеспечивать боеприпасами и топливом?

Но о таких пустяках стратег Тухачевский не задумывался.

А зря. Все великие катастрофы как раз из-за пустяков и случались.

8

И вот мудрейшие академики рассказывают нам, что Сталин был кретином, ибо ему сильные полководцы с аналитическим умом были вовсе не нужны. Сталину требовались дураки кавалеристы. Нам рассказывают, что Сталин загубил гениальных полководцев, а вместо них поставил неумных, неграмотных, необразованных людей.

Однако вот вам обратный пример. В отличие от маршала Блюхера, который никогда нигде не учился, генерал армии Апанасенко, занявший после очищения пост командующего Дальневосточным фронтом, блистательно закончил высшие академические курсы, затем — Военную академию им. Фрунзе. Причем лучше всех.

В отличие от Штерна, который никогда не командовал ни отделением, ни взводом, ни ротой, ни батальоном, ни полком, ни бригадой, ни дивизией, ни корпусом, Апанасенко прошел все ступени служебной лестницы. Все до одной, ничего не пропустив. Причем дивизиями он командовал более десяти лет, три года — корпусом, три года был заместителем командующего Белорусским военным округом и три года — командующим Среднеазиатским военным округом. Так что к должности командующего фронтом он был подготовлен и теоретически, и практически.

Возразят: так это же один только пример.

Нет, это не один пример. Будут другие.

Но если бы это был и единственный пример, то и тогда одно исключение опровергает все правило. Ведь речь идет не о пустяках, а о нашем втором фронте, которого удалось избежать. Дело не в том, что Сталин вместо стратега-алкоголика Блюхера и стратега-комиссара Штерна прислал на Дальний Восток умного, опытного, грамотного, решительного, упорного и настойчивого командующего Апанасенко. А дело в том, что умный генерал Апанасенко в свою очередь привел за собой умных людей. Это Апанасенко отыскал где-то, оценил по достоинству, возвысил и привез с собой в Хабаровск начальника Оперативного управления генерала Казаковцева, который увидел слабину. Во времена правления Блюхера и Штерна таких генералов в штабе Дальневосточного фронта попросту не было, там держали гениев, которые не понимали самых простых вещей и Блюхеру со Штерном ничего не подсказали.

Удивительная вещь: до очищения Дальний Восток был небоеспособен.

Стоило убрать пару «сильных военачальников,. обладавших аналитическим умом», а вместо них назначить кавалериста из 1-й Конной армии, и сразу войска получили возможность выйти из военных городков после дождя, то есть получили возможность воевать. И сразу появилась возможность перебрасывать стратегические резервы туда, где они могут потребоваться, то есть появилась возможность использовать законы тактики, оперативного искусства и стратегии не только в кабинетной тиши, но и на полях возможных сражений.

Глава 20

СМЕНА

Об уме правителя первым делом судят по тому, каких людей он к себе приближает.

Николо Макиавелли. Государь

Никто не сомневается, что Россия способна рождать Зейдлицев, Муратов, Роммелей — многие русские генералы в 1941—1945-м, бесспорно, были на этом уровне.

Генерал-майор *В. фон Меллентин.*
Panzer Battles

1

Генерал-майор Григоренко продолжает свой рассказ про командующего Дальневосточным фронтом. Вот еще отрывок из его книги:

«Начало войны по-особому высветило облик Апанасенко. Не могу сейчас утверждать, в какой день от начала войны, но, несомненно, в самом начале ее, пришло распоряжение отгрузить немедленно на Запад весь мобзапас вооружения и боеприпасов. Смородинов, который долгое время был руководящим мобработником Генштаба, возмутился: «Какой же дурак отбирает оружие у одного фронта для другого. Мы же не тыловой округ, мы в любую минуту можем вступить в бой. Надо идти к Апанасенко. Только его одного «там» могут послушать».

Как только Апанасенко понял, в чем дело, он не стал слушать дальнейших объяснений. Голова его быстро налилась кровью, и он рыкнул:

— Да вы что! Там разгром. Вы поймите, РАЗГРОМ! А мы будем что-то свое частное доказывать? Немедленно начать отгрузку! Вы, — обратился он к начальнику тыла, — головой отвечаете за быстроту отгрузки. Мобилизовать весь железнодорожный подвижной состав и с курьерской скоростью выбросить за пределы фронта. Грузить день и ночь. Доносить о погрузке и отправке каждого эшелона в центр и мне лично...

...Пришло распоряжение немедленно отправить восемь полностью укомплектованных и вооруженных дивизий в Москву. Темпы отправки были столь высокими, что войска из лагерей уходили на станции погрузки по тревоге. При этом часть людей, находившихся вне части, к погрузке не поспевали, в некоторых частях был некомплект вооружения и транспорта. Москва же требовала полного укомплектования, а Апанасенко был не тот человек, который мог допустить нарушения приказа. Потому была организована проверочно-выпускная станция — Куйбышевка-Восточная — резиденция штаба 2-й армии. На этой станции был создан резерв всех средств вооружения, транспорта, средств тяги, солдат и офицеров. Командиры убывающих дивизий и полков через начальников эшелонов и специально назначенных офицеров проверяли наличие некомплекта в каждом эшелоне. По телеграфу это сообщалось во 2-ю армию. Там все недостающее подавалось в соответствующие эшелоны. Персонально ответствен за это перед Апанасенко был начальник штаба армии. Каждый эшелон с проверочно-выпускной станции должен был выходить и выходил фактически в полном комплекте...

...Ни у кого не спрашивая, Апанасенко на месте убывших дивизий начал формировать новые дивизии. Была объявлена всеобщая мобилизация всех возрастов до 55 лет включительно. Но этого все равно было недостаточно. И Апанасенко приказал прокуратуре проверить дела лагерников и всех, кого можно, освободить и отправить в войска...

...Шла сверхскоростная отправка восьми дивизий на спасение Москвы. Потом приказали отправить еще четыре, потом по одной, по две отправили еще шесть. Всего 18 дивизий, из общего числа 19, входивших в состав фронта. Не отправлена одна только 40-я, да и то, видимо, потому, что вынимать ее из Посьета было очень трудно. Вместо каждой отправляемой на фронт Апанасенко приказывал формировать второочередную. За эти формирования

Апанасенко тоже заслуживает памятника. Ведь все формирования он вел по собственной инициативе и под свою ответственность при неодобрительном отношении ряда ближайших своих помощников и при полной безучастности и даже иронии центра. Центр знал о формированиях, но был убежден, что формировать что-либо на Дальнем Востоке без помощи центра невозможно: людей нет, вооружения нет, транспорта нет, и вообще ничего нет. Поэтому центр, зная об организационных потугах Дальневосточного фронта, делал вид, что ему об этом ничего не известно. Пусть, мол, поиграются там в мобилизацию. Но Апанасенко все нашел... В общем, несмотря на совершенно невероятные трудности, взамен ушедших были сформированы второочередные дивизии. Их было сформировано даже больше на две или три. Когда новые формирования стали реальностью, у Генштаба наконец «прорезался голос». Были утверждены и получили номера все вновь формируемые дивизии. Причем центр настолько уверовал в серьезность новых формирований, что забрал в действующую армию еще четыре дивизии, уже из числа второочередных.

Таким образом, за время с июля 1941-го по июнь 1942 года Дальний Восток отправил в действующую армию 22 стрелковые дивизии и несколько десятков маршевого пополнения. Теперь мы знаем уже, что в течение первого года войны между японцами и немцами шла серьезная перепалка. Немецкая разведка утверждала, что Советы «из-под носа» японцев уводят дивизии и перебрасывают их на Запад. Японская же разведка настаивала на том, что ни одна советская дивизия не покинула своих мест дислокации. Трудно даже представить, как развернулись бы события на Дальнем Востоке, если бы там командовал человек-исполнитель. Он бы отправил все войска, как того требовала Москва, и ничего бы не сформировал, поскольку самовольные формирования запрещены категорически. Одной оставшейся дивизией, тремя штабами армий и одним штабом фронта, даже вместе с пограничниками, не только оборонять, но и наблюдать огромной протяженности границу Дальнего Востока невозможно. Апанасенко проявил в этом деле государственный ум и большое мужество».

2

Так уж повелось считать, что Москву спасли сибирские дивизии. Это были мощные, хорошо подготовленные, полностью укомплектованные соединения, они прибывали откуда-то издалека, по Великой сибирской магистрали, потому их и называли сибирскими. Но это были не сибирские, а дальневосточные дивизии. Самые знаменитые из них — 32-я и 78-я.

32-я (позже — 29-я гвардейская) стрелковая дивизия полковника В.И. Полосухина, прибыв с Хасана, разгружалась под огнем и вступила в бой прямо на Бородинском поле. Если бы Апанасенко чуть-чуть промедлил с погрузкой...

78-я (далее — 9-я гвардейская) стрелковая дивизия полковника А.П. Белобородова (впоследствии — генерал армии) прибыла с реки Уссури и вступила в бой под Истрой.

Лишняя соломинка ломает хребет верблюду. Вся наука о войне сводится к тому, чтобы в нужный момент ту самую соломинку иметь и на соответствующий хребет возложить. Апанасенко эти соломинки подал Сталину. В самый нужный момент.

3

А вот еще рассказ, и все о нем же, о генерале Апанасенко. И все то же время — осень 41-го. И все та же тема — отправка войск с Дальнего Востока на спасение столицы.

Свидетельствует Е.А. Борков, который во время войны был первым секретарем Хабаровского крайкома:

«По аппаратной сверхсекретной связи мне позвонил Сталин. Поздоровавшись, говорит: «У нас тяжелейшая обстановка между Смоленском и Вязьмой... Гитлер готовит наступление на Москву, у нас нет достаточного количества войск, чтобы спасти столицу... Убедительно прошу тебя, немедленно вылетай в Москву, возьми с собой Апанасенко, уговори быть податливым, чтобы не артачился, я его упрямство знаю».

За годы моей работы на Дальнем Востоке да и в других местах Сталин никогда мне не звонил. Поэтому я был чрезвычайно удивлен, когда услышал в телефонной трубке его голос... Мы давно привыкли к тому, что его слово для нас закон, он никогда ни у кого ничего не просил, а приказывал и требовал. Поэтому я был удивлен тональностью, меня будто бы не то что информировали, а докладывали о положении на западе страны. А потому, когда Сталин произнес из ряда вон выходящее «уговори Апанасенко быть податливым», — это меня уже буквально потрясло... В конце он еще раз повторил: «Вылетайте немедленно самым быстроходным военным самолетом...»

Прибыли в Москву первого или второго октября в полночь. На аэродроме нас ожидали. Посадили в машину и привезли прямо в Кремль. Привели в приемную. Сопровождающий нас генерал зашел в кабинет доложить о нашем прибытии, тут же возвратился, широко открыл дверь и промолвил: «Товарищ Сталин просит вас зайти».

Хозяин кабинета тепло поздоровался за руку, поздравил с благополучным прибытием и пригласил сесть за длинный стол, покрытый зеленым сукном. Он сначала не сел, молча походил по кабинету, остановился против нас и начал разговор: «Наши войска на Западном фронте ведут очень тяжелые оборонительные бои, а на Украине полный разгром... Украинцы вообще плохо себя ведут, многие сдаются в плен, население приветствует немецкие войска».

Небольшая пауза, несколько шагов по кабинету туда и обратно. Сталин снова остановился возле нас и продолжал: «Гитлер начал крупное наступление на Москву. Я вынужден забирать войска с Дальнего Востока. Прошу вас понять и войти в наше положение».

По моей спине побежал мороз, а на лбу выступил холодный пот от этой ужасной правды, которую поведал нам вождь партии и государства... Речь уже шла не только о потере Москвы, а может быть, и гибели государства... Сталин не пытался узнать наше мнение, он разложил свои бумаги на столе и, показывая пальцем на сведения о наличных войсках нашего фронта, обращаясь к Апанасенко, начал перечислять номера танковых и механизированных дивизий, артиллерийских полков и других особо важных соединений и частей, которые Апанасенко должен немедленно отгрузить в Москву.

Сталин диктовал, Апанасенко аккуратно записывал, а затем тут же, в кабинете, в присутствии хозяина, покуривавшего люльку, подписал приказ и отправил зашифрованную телеграмму своему начальнику штаба к немедленному исполнению.

По всему было видно, что наша короткая, четкая, деловая встреча подходит к концу. На стол поставили крепкий чай. Сталин спрашивал о жизни дальневосточников. Я отвечал. И вдруг последовал вопрос к Апанасенко: «А сколько у тебя противотанковых пушек?» Генерал ответил немедленно. Я сейчас не помню цифру конкретно, но помню, что он назвал какую-то мизерную в сравнении с тем, что уже тогда имела Красная Армия. «Грузи и эти орудия к отправке!» — негромко, но четко скомандовал Сталин. И тут вдруг стакан с чаем, стоящий напротив Апанасенко, полетел по длинному столу влево, стул под генералом как бы отпрыгнул назад. Апанасенко отскочил от стола и закричал: «Ты что? Ты что делаешь?!! Мать твою так-перетак!.. А если японец нападет, чем буду защищать Дальний Восток? Этими лампасами?! — и ударил себя руками по бокам. — Снимай с должности, расстреливай, орудий не отдам!»

Я обомлел. В голове хоть и пошло все кругом, но пронзила мысль: «Это конец. Сейчас позовет людей Берии, и погибнем оба». И здесь я снова был поражен поведением Сталина: «Успокойся, успокойся, товарищ Апанасенко! Стоит ли так волноваться из-за этих пушек? Оставь их себе».

Прощаясь, Апанасенко попросился в действующую армию — на фронт.

«Нет, нет, — дружелюбно ответил Верховный Главнокомандующий. — Такие храбрые и опытные, как ты, нужны партии на Дальнем Востоке».

Этот рассказ записал и прислал мне Герой Социалистического Труда Федор Трофимович Моргун, который более 15 лет был первым секретарем полтавского обкома КПСС, затем первым председателем Госкомприроды СССР. Этот рассказ теперь опубликован в его книге «Задолго до салютов» (Полтава, 1994. С. 67—71).

К этому нужно добавить, что действие происходило в октябре 1941 года. До того, как Япония ввязалась в войну против США. В тот момент от Японии можно было ожидать чего угодно. Осень 1941 года для нашего Дальнего Востока — это был действительно угрожаемый период.

Два самых трудных года, 1941-й и 1942-й, Дальневосточным фронтом командовал генерал армии Апанасенко. Лично я не сомневаюсь в том, что в случае нападения Японии на наш Дальний Восток японские генералы в лице Апанасенко получили бы достойного противника. Даже не имея достаточно войск, боевой техники и боеприпасов, Апанасенко сумел бы сделать жизнь завоевателей не самой приятной...

Генерал Апанасенко сумел вырваться в действующую армию только в 1943 году. На решающий фронт. На Курскую дугу. Он был смертельно ранен в боях под Белгородом во время Курской битвы. Генерал армии Апанасенко Иосиф Родионович скончался 5 августа 1943 года в день, когда столица нашей Родины Москва впервые салютовала войскам, одержавшим выдающуюся победу, решившую исход войны.

4

И вот теперь марксистско-гитлеровские агитаторы рассказывают нам, что Сталин истребил лучших из лучших, что вокруг него остались только полуграмотные придурки, лишенные инициативы тупицы и угодливые лизоблюды. Но давайте представим ситуацию: в 1937 году был арестован Апанасенко, приговорен к смерти и ждет своей участи в камере. Мы знаем о нем совсем немного, но можно ли представить, чтобы этот буйвол писал бы Сталину письма с признаниями в любви? Письма типа: «Я умру со словами любви к вам!» Да ни черта подобного! Если бы его посадили в камеру смертников, то он бы крыл Сталина матом, как это случилось с ним однажды, он бы зубами грыз решетки и замки. Не знаю, смог бы он загрызть двух-трех палачей, но уж сапоги бы он им лизать не стал.

5

Сразу после войны немецкие генералы завалили книжный рынок мемуарами. В конце 50-х годов эти мемуары волной хлынули и в нашу страну: Вестфаль, Блюментрит, Цейтцлер, Циммерман, Мантейфель, Гудериан, Гот, Рендулич, Типельскирх, Кессельринг, Шнейдер, Меллентин.

Признаюсь: мемуары немецких генералов мне нравились куда больше, чем мемуары советских. Советский генерал вспоминал о том, как последней гранатой рядовой Иванов подорвал немецкий танк, как последним снарядом сержант Петров уничтожил атакующих гитлеровцев, как под шквальным огнем политрук Сидоров поднял бойцов в атаку, как лейтенант Семенов направил свой горящий самолет на скопление танков... И рассказывали наши генералы о том, что говорил, умирая, рядовой Иванов: он просился в партию. И сержант Петров тоже просился. И все другие.

А у немцев никто почему-то подвигов не совершал, героизма не проявлял. В их мемуарах нет места подвигам. Для них война — работа. И они описывали войну с точки зрения профессионалов: у меня столько сил, у противника, предположительно, столько... Моя задача такая-то... Выполнению задачи препятствуют такие-то факторы, а сопутствуют и облегчают ее такие-то. В данной ситуации могло быть три решения, я выбрал второе... По такой-то причине. Вот, что из этого получилось.

Мемуары немецких генералов — это вроде бы набор увлекательных поучительных головоломок. Каждый писал на свой лад, но все — интересно. А мемуары наших генералов вроде бы писались одной и той же группой главпуровских машинисток, которые только переставляли номера дивизий и полков, названия мест и имена героев. У нашего солдата почему-то всегда не хватало патронов, снарядов, гранат, и все генеральские мемуары — про то, как наши ребята бросаются на танк с топором, сбивают самолет из винтовки и прокалывают вилами бензобак бронетранспортера. Все у нас как бы сводилось к рукопашной схватке, к мордобою, вроде и нет никакого военного искусства, никакой тактики.

У нас в мемуарах — школа мужества.

У немцев — школа мышления.

Скоро, однако, возникло сомнение: уж очень все они умные, господа германские генералы, а Гитлер в их описаниях — полный идиот. Коль так, как же эти умные люди позволили идиоту собой командовать?

Впервые эта мысль мне в голову пришла, когда читал генерал-полковника Курта Цейтцлера. Он был начальником Генштаба во время Сталинградской битвы. Гитлера он описывает как полного кретина: «Первая часть моего доклада была изложена в форме, доступной для человека, не сведущего в военных вопросах» (Роковые решения. М.: Воениздат, 1958. С. 159). Начальник Генштаба составлял доклады для своего Верховного главнокомандующего как для человека с улицы, который не знает разницы между корпусом и бригадой. Проще говоря, генерал-полковник Цейтцлер составлял доклады для Гитлера, как для идиотика. Чтобы понятно было... Далее Цейтцлер на многих страницах описывает свои гениальные решения (действительно интересные) и реакцию на них тупого, упрямого ефрейтора.

Вот тут-то и подумалось: а ведь у вас, герр Цейтцлер, был выход. В таких случаях начальник Генштаба должен сказать своему любимому вождю или фюреру: воюйте как вам нравится, но я за все это ответственности перед моей страной и историей не несу. Увольте, батенька. Пошлите на любую должность, хоть на корпус, хоть на дивизию, а то и расстреляйте, если нравится, но за свою глупость извольте сами отвечать.

Так нет же. Не сказал так мудрый Цейтцлер. И другие генералы помалкивали. Потому за всю гитлеровскую дурь все они несут полную ответственность.

А вот пример из нашей истории. Немцы охватили Киев и огромные пространства вокруг него гигантскими клещами: севернее под Конотопом — 2-я танковая группа Гудериана, южнее под Кременчугом — 1-я танковая группа Клейста. Ситуация ясна — клещи сомкнутся в тылах Юго-Западного фронта, и в котле окажутся пять советских армий. Что делать? Мнение начальника Генерального штаба генерала армии Г.К. Жукова: пять армий немедленно выводить из-под Киева. Как выводить? — не понимает товарищ Сталин. А как же Киев? У Жукова сомнений нет: Киев сдать!

Сталин — на дыбы: как это сдать? Сталин настаивает: Киев удерживать. А Жуков знает: все равно не удержим. Лучше отдать просто Киев, чем отдать Киев и полтора миллиона солдат, его защищающих. Сталин настаивает: защищать! И тогда Жуков требует отставки: вам виднее, воюйте как знаете, но я за это ответственности ни перед народом, ни перед историей не несу. Готов идти куда угодно, воевать хоть ротным командиром, хоть полковым, готов командовать корпусом, армией, фронтом, а ваших преступных приказов выполнять не намерен. И Жукова сняли. И тут же разразилась жуткая катастрофа. Две германские танковые группы сомкнулись под Лохвицей...

Но уже без Жукова.

Почесал затылок товарищ Сталин, после того посылал Жукова туда, где в данный момент решался вопрос жизни и смерти. А в 1942 году Сталин назначил Жукова своим заместителем.

6

А вот та же ситуация, тот же момент и то же место — Киев. В германском главном командовании конфликт: что делать — идти прямо на Москву или повернуть на Киев? Откровенно говоря, и то и другое смертельно. Если германские войска пойдут прямо на Москву, то все их тылы останутся открытыми, и тогда из-под Киева будет нанесен удар, который отрежет германские войска от баз снабжения. А если германские войска повернут на Киев, то будет потеряно время и на Москву придется наступать по грязи и снегу, а к этому германские войска не готовы. Так что же делать? Гитлер считает необходимым повернуть на Киев. Гудериан не согласен. Потом он будет настаивать, что это была роковая ошибка, которая и привела к краху. Если так считаешь, протестуй! Веди себя, как в этот день и час ведет себя Жуков: пусть вожди воюют, если знают толк в этом деле, а меня увольте!

Но мудрый осторожный Гудериан выполняет приказ, не протестуя. Я люблю Гудериана. Его книги всю жизнь со мной. Умный был мужик. Но кроме ума генералу нужны характер, воля и храбрость. Мемуары всех германских генералов пронизаны идеей: Гитлер был дураком и заставлял нас выполнять дурные приказы. Было именно так. Но генерал только тот становится великим и непобедимым, кто дурных приказов не выполняет. Храбрость солдата в том, чтобы идти на вражьи штыки, чтобы выполнять приказ, который ему отдан. А храбрость генерала в том, чтобы думать головой и выполнять только те приказы, которые ведут к победе.

Как часто генералы, политики, историки Запада бахвалятся: у нас думающий солдат! А у вас Ванька-дурак, он думать не обучен.

У вас, господа, думающий солдат? Это великолепно. А у нас думающие генералы, они к тому же и храбрые. Им хватало смелости иметь свое мнение и его отстаивать. Германский генерал выполнял любой приказ. И это отнюдь не сила. Это слабость. А наши генералы любого приказа не выполняют. Вот это — сила!

Если генерал имеет гениальную голову, но выполняет идиотские приказы фюрера, который ведет страну к катастрофе, то грош цена той гениальной голове. Что от нее толку? Такая голова годится только на то, чтобы после войны написать великолепные мемуары. А на войне от той головы проку нет. Если генерал выполняет глупые приказы, значит, он не генерал, значит, он просто солдафон.

Удивительная все-таки вещь. Сталин генералов истреблял перед войной, но все равно находились такие, которые, как Апанасенко, как Жуков, могли, рискуя жизнью, послать в известном направлении самого гения всех времен и народов.

Самое страшное для правителя — оказаться в ситуации, когда все вокруг поддакивают, когда все соглашаются с любыми решениями правителя и восхваляют их. Любой самый умный человек в этой ситуации теряет ориентировку, любой мудрец теряет способность замечать свои ошибки. Потому повторяет их и умножает.

Именно в этот тупик привела Гитлера его кадровая политика.

Гитлер перед войной своих генералов не стрелял, но они почему-то оказались запуганными до полного солдафонства...

Вот вам и польза очищения: если бы Гитлер перед войной своим генералам устроил ночь длинных ножей, если бы перестрелял несколько тысяч немецких генералов, то, глядишь, после очищения и у него появилась бы хотя бы парочка генералов, которые могли не только думать, но и возражать фюреру.

7

Не одни только Апанасенко и Жуков могли спорить со Сталиным. Были и другие. Генерал армии К.К. Рокоссовский мог спорить не только со Сталиным одним, но со Сталиным и его окружением. Ситуация: май 1944 года, готовится самая мощная операция Второй мировой войны и всей человеческой истории — Белорусская наступательная. Сталин и два его заместителя, Жуков и Василевский, все обдумали, все взвесили, все спланировали. Теперь вызывают по одному командующих фронтами и ставят им задачи. Очередь генерала Рокоссовского. А у Рокоссовского свое собственное решение, лучшее, чем решение Сталина—Жукова—Василевского. Но уж очень необычное.

Спорить со Сталиным — смертельный риск. А тут — не один Сталин, он тут со своими ближайшими помощниками и советниками. И все — заодно. Но генерал армии Рокоссовский приказа трех маршалов — Верховного Главнокомандующего и двух его заместителей — выполнять не намерен.

Что ж, строптивому генералу предлагают выйти в другую комнату и подумать над своим поведением.

Генерал Рокоссовский выходит. Думает. Есть о чем думать. Он уже прошел через пыточные застенки, уже сидел в камере смертников. Не хотелось бы снова.

И вот его снова вызывают в сталинский кабинет и вновь ставят задачу...

Но нет. Рокоссовский такую задачу выполнять не будет. Снимайте. Сажайте. Сорвите погоны. Отправьте рядовым в штрафной батальон. Казните. Выполнять не будет.

Опять ему предлагают выйти и подумать. Опять выходит. Опять думает. Можно ведь и не рисковать. Можно сталинско-жуковский приказ выполнить. Исход войны уже решен, речь только о цене и сроках победы. Можно не сопротивляться, а потом после смерти Сталина написать мемуары: дурной Сталин ставил дурные задачи, а у меня в той ситуации было решение, которое Сталин не понял и не оценил...

Долго думает Рокоссовский. Подумали? Заходите. Ну что? Будем выполнять приказ Верховного Главнокомандующего?

Нет. Не будем.

Ну и черт с тобой! Действуй как знаешь.

8

И Рокоссовский действует.

Действует блистательно.

Свидетельствует генерал-лейтенант Зигфрид Вестфаль: «В течение лета и осени 1944 года немецкую армию постигло величайшее в ее истории поражение, превзошедшее даже сталинградское. 22 июня русские перешли в наступление на фронте группы армий «Центр»... Эта группа армий была уничтожена. В связи с разгромом группы армий «Центр» в Прибалтике оказалась отрезанной группа армий "Север"» (Роковые решения. С. 257—258).

Свидетельствует генерал-полковник Гейнц Гудериан: «Разгром начался 22 июня. В первый день 25 немецких дивизий попросту исчезли... Не только группа армий «Центр», но и группа армий «Север» попали в катастрофу» (Panzer Leader. S.352).

Свидетельствует генерал-майор В. фон Меллентин: «22 июня русские праздновали третью годовщину нашего вторжения в Россию грандиозным наступлением четырех фронтов в составе 146 стрелковых дивизий и 43 танковых бригад... По непонятной причине Честер Вилмот в своей книге «Сражение за Европу» забыл эту операцию. А она была одним из самых грандиозных событий войны, по своему размаху и значению несравнимо более важным, чем высадка союзников в Нормандии. С 1 июня по 31 августа 1944 года потери германских войск на Западном фронте составляли 293 802 человека, на Восточном за тот же период — 916 860 человек» (Panzer Battles. S. 339).

Это тот самый момент войны, когда западные союзники выразили сомнение в точности советских сводок о количестве захваченных пленных. И тогда Верховный Режиссер приказал немецких пленных показать всему миру. И мощные колонны германских солдат (не отощавших, из лагерей, а свеженьких, с полей сражений) погнали по улицам Москвы. Во главе колонн — немецкие генералы и целые полки офицеров, за ними несметные полчища солдат. Замыкали шествие вот уже три года бездействующие, а тут вдруг со всей Москвы мобилизованные поливальные машины. За годы войны Москва отвыкла от такой роскоши. Все — для фронта, все — для победы. Потому бензин — фронту. Потому давно не чистили московские улицы машинами и машинами не поливали. Но для такого случая Верховный Режиссер приказал выделить бензин из неприкосновенного резерва Ставки ВГК. Как для боевой операции. Сталин приказал мыть и чистить московские улицы вслед за колоннами пленных завоевателей.

Чтобы не осталось на улицах столицы грязи и вони их подошв.

И позади колонн шумели струи очищения. И нескончаемой вереницей подтягивались все новые и новые голубые цистерны с водой, как бы с новым боекомплектом, и выстраивались в движущуюся очередь, чтобы немедленно вступить в дело, сменив предшественников, израсходовавших боезапас.

Уже на второй день Белорусской наступательной операции Сталин понял, что решение Рокоссовского было не просто великолепным, но гениальным. Уже через неделю после начала Белорусской наступательной операции 29 июня 1944 года генерал армии Рокоссовский получил бриллиантовую звезду Маршала Советского Союза. Но и этого Сталину показалось мало, и 30 июля Маршал Советского Союза Рокоссовский получает свою первую Золотую Звезду Героя Советского Союза. Сталин не дал ему Золотой Звезды ни за Смоленск, ни за Москву, ни за Сталинград, ни за Курск. (Хотя и следовало бы.) Но блеск Рокоссовского в Белорусской операции (вопреки Сталину, Жукову и Василевскому!) затмить было уже нельзя. Это кандидат командовать Парадом Победы.

Рокоссовский во время подготовки Белорусской наступательной операции, во время ее проведения, во всех остальных оборонительных и наступательных операциях — это мудрость, инициатива, храбрость.

Маршальская звезда — за талант полководца, за стратегическую широту мышления, за победы над Гитлером и его фельдмаршалами.

Звезда Героя — за личную солдатскую храбрость... перед оскалом тигриной сталинской ярости.

Это героизм высшего порядка.

Всегда, и в начале войны, роковым летом и трагической осенью 1941 года, и в ее победном конце, в Красной Армии находились генералы, которые имели голову на плечах и достаточно мужества в сердце, чтобы отстаивать свою точку зрения даже перед Сталиным.

У Гитлера были генералы очень высокого выбора, но таких генералов, как у Сталина, у Гитлера не было ни в начале, ни в конце войны.

Ни одного.

Германия проиграла потому, что сталинские генералы по уровню подготовки стояли неизмеримо выше, чем гитлеровские генералы.

Мужество — одна из основных составляющих этого уровня.

Глава 21

БОЯЛСЯ ЛИ СТАЛИН ГИТЛЕРА?

Уже опять к границам сизым
составы тайные идут,
и коммунизм опять так близко,
как в девятнадцатом году.

Михаил Кульчицкий. 1939 год

1

Наши легенды о войне запутаны и скручены в клубок. Ложь питается ложью и порождает ложь. Легенда о том, что в годы очищения были истреблены лучшие полководцы Красной Армии, неразрывно связана с другой легендой: Советский Союз был к войне не готов — если гениев истребили, заменив их безграмотными тупицами, то о какой уж там готовности речь?

А из этого, весьма естественно, вытекает еще одна выдумка: Сталин боялся Гитлера.

Эти мифы, переплетаясь, поддерживают друг друга. Стоит какому-нибудь марксисту или гитлеровцу вспомнить одну из этих легенд, и толпа тут же вспомнит другие легенды. Стоит только потянуть одну ниточку, и за ней тянется весь грязный клубок коммунистических сочинений. Только произнесет социалистический агитатор имя Тухачевского, и тут же толпа без дополнительных команд вспоминает про неготовность Красной Армии и про перепуганного Сталина. А стоит вспомнить 1941 год, и тут же сознание толпы рисует гениального Тухачевского, который предупреждал...

Общий знаменатель вымыслов: Сталин боялся Гитлера.

В этих трех словах сконцентрирована вся грязь, вся ложь о войне. Эти три слова венчают все выдумки марксистско-гитлеровской пропаганды.

Из этой короткой фразы следует, что Сталин был слабее Гитлера и глупее. Умный человек не может бояться дурака, а сильный не может бояться слабого. Из этой фразы следует, что Красная Армия была слабее Вермахта, что наши генералы были глупее гитлеровских, что Советский Союз был хуже подготовлен к войне, чем Германия, что выиграли войну не мы, а кто-то другой. Могли ли перепуганные кретины внести достойный вклад в разгром гитлеровских полчищ?

На годовщины и юбилеи войны Россию не приглашают. А за этим стоят вполне понятные всему миру обстоятельства. Нам говорят: вы же были к войне не готовы, у вас же армия была обезглавлена, у вас же во главе армии и государства стояли трусливый Сталин и безграмотные неопытные идиоты. Ваши Константины Симоновы, Александры Некричи, Михаилы Шолоховы по приказу вашей же коммунистической партии сами на весь свет раструбили про загубленных гениев, про неготовность, про перепуганного Сталина. Так зачем же вас приглашать? Если вы что-то и сделали в войне, так это с перепугу...

И наши агитаторы почему-то находят особое удовольствие повторять вновь и вновь: Сталин боялся, ужасно боялся, он весь дрожал... Нашим агитаторам почему-то нравится это выпячивать и смаковать.

Вот «Военно-исторический журнал» (1995. № 4). На две страницы заголовок аршинными буквами: СТАЛИН ИСПЫТЫВАЕТ... СТРАХ ПЕРЕД ВЕРМАХТОМ. Так и написано в заголовке, через многоточие. Сей журнал издает Министерство обороны РФ. Спросим господина министра, спросим Главпур, в котором ничего, кроме названия, не изменилось: товарищи дорогие, да откуда же вы такое взяли?

А наши марксисты не скрывают: так сказал Геббельс! Вот читайте! А раз Геббельс так сказал, Министерство обороны России обязано повторять. Не так ли?

Наше Министерство обороны публикует в своем журнале дневники Геббельса. В этом нет ничего плохого. Но только при условии, если министр обороны, возглавляемое им министерство и подчиненная им редакция четко обозначают свою позицию, свое отношение к публикуемому материалу. А позиция в данном случае может быть только одной: посмотрите на Геббельса! Как он глуп! Насколько же он нас недооценил! Вы только посмотрите, куда его заносит!

Такую ли позицию занял министр обороны Российской Федерации?

Отнюдь нет.

Министерство обороны, Институт военной истории, «Военно-исторический журнал», «Красная звезда» десятилетиями вдалбливают в наши головы вымыслы про неготовность, неготовность, неготовность. И про обезглавленную армию. И про трусливого Сталина. Вот они и желанное подтверждение нашли: дневники Геббельса 1941 года. У министра обороны России, у возглавляемого им министерства, Генерального штаба, у наших официальных военных историков — полная солидарность с позицией Геббельса. Все, что они говорят сейчас, и все, что писал Геббельс в 1941 году, — по смыслу, по духу и букве полностью совпадает.

«Военно-исторический журнал» публикует сочинения гитлеровского министра пропаганды как весьма серьезный и ценный источник информации. Более того, самую главную мерзость, которую Геббельс писал малыми буквами, Министерство обороны России выносит в заголовок и печатает огромными буквами.

Фраза не получается достаточно короткой, и тогда ее сокращают, не стесняясь многоточия в заглавии, из двух частей склеивают вопящий заголовок так, как это делают издатели бульварных газет:

СТАЛИН ИСПЫТЫВАЕТ... СТРАХ ПЕРЕД ВЕРМАХТОМ

2

А вот запись в дневнике Геббельса 29 апреля 1941 года на страницах нашего «Военно-исторического журнала» (1996. № 1. С. 42—43):

РОССИЯ ДЕРЖИТСЯ ОЧЕНЬ СМИРНО, ЧУВСТВУЯ СЕБЯ ОКРУЖЕННОЙ.

И опять: Геббельс писал это для себя мелкими буквами. А наши товарищи пишут это огромными буквами, снова внося в заголовок и разворачивая на две страницы: читайте про запуганную, окруженную Россию! Спешите видеть!

А ведь это бред! Окружить Россию? Да кому же это под силу? Товарищ министр обороны России, да учили ли вы в школе географию? Да показывала ли вам учительница Марь Иванна Россию на карте? Да представляете ли вы размеры России? И кто же это бедную Россию окружил в 1941 году? Уж не Адольф ли Гитлер с тремя тысячами устаревших, допотопных, примитивных танков? Уж не сверхмощные ли союзники Гитлера — Финляндия с Румынией — охватили Россию по периметру, зажав в клещи?

Так зачем же вы такое публикуете, да еще и в заголовках?

И сидит наш родной Генеральный штаб мощью во много тысяч генералов и полковников. Товарищи дорогие, кто-нибудь из вас может Россию на карте показать? Если может, так оцените же обстановку. Оцените размеры нашей страны, а теперь постарайтесь найти на карте мира Германию. Несмотря на все ее завоевания, она на карте мира в 1941 году — всего лишь лоскуток, который к тому же уже горел под задницей Гитлера. Так почему же вы, господа генералы и полковники, молчите, когда выходит ВАШ журнал с такими заголовками? Это Германия весной 1941 года была окружена и блокирована. Это Германия была уже отрезана от многих источников стратегического сырья, без которых ведение войны невозможно. А Советский Союз — самая богатая страна мира, нашим богатствам завидуют все. Кроме того, еще в 1939 году мудрый Сталин тайно заручился безоговорочной, бесплатной, безграничной помощью Америки. Почему об этом не пишет Министерство обороны России? Почему наши генералы-марксисты с атрофированным национальным чувством правду о войне выворачивают наизнанку в угоду гитлеровцам? Почему наш Главпур и подчиненные ему военные историки описывают гитлеровцев мудрыми, сильными, уверенными в скорой, неизбежной победе, а нас рисуют окруженными со всех сторон, слабыми, хилыми, глупыми, отсталыми, дрожащими от страха?

Любой редактор бульварной газетки, публикуя какую-нибудь гадость, старается выбрать заголовок так, чтобы ложь была похожа на правду. Хоть немного. А наш министр обороны клевещет на Россию и даже не заботится о том, чтобы клевета выглядела правдоподобно. Министерство обороны России заинтересовано только в том, чтобы обеспечить тираж своего журнала. Все равно какой ценой. Знают товарищи в Министерстве обороны: чем грязнее клевета на свою страну, тем лучше.

Товарищ министр, а вот некий Адольф Гитлер считал всех нас низшей расой. Вы и это будете публиковать? Вы и это в заголовок вынесете?

3

А Геббельс не унимается. Запись в тот же день 29 апреля 1941 года: «Русские проявили в Финляндии невероятное дилетантство, и с ними мы скоро покончим».

Наше Министерство обороны и это повторяет. И с этим соглашается.

Товарищи российские генералы, простим тупоголовым гитлеровцам такие записи, история наказала их за глупость и спесь. Но вы-то понимаете, что Геббельс ошибся? Вот вам повод над ним посмеяться. Так почему же вы не смеетесь? Почему эту гадость вы публикуете без улыбки и смеха? Предсказания Геббельса опровергнуты мужеством наших народов, доблестью нашей армии. А вы продолжаете верить предсказаниям Геббельса, которые не сбылись?

А Геббельс захлебывается. Запись 4 мая 1941 года: «1 мая в Москве был военный парад с пламенными речами и дифирамбами великому Сталину. Внимательные люди без труда услышали в них страх перед грядущим. Русские пытаются воздействовать на нас с помощью фантастических цифровых данных о себе. Бедняги, лишившиеся ума!»

И Министерство обороны России так и повторяет о нашем народе: бедняги, лишившиеся ума. Без комментариев. Раз Геббельс сказал такое про русский народ, разве министр обороны России возразит? Разве Главпур имеет что-либо против этого?

7 мая: «Сталин и его люди продолжают пребывать в бездействии, как кролики перед удавом...» И т.д., и т.д.

Геббельс совершил чудовищную ошибку, недооценив нашу страну, наш народ, нашу армию и ее Верховного Главнокомандующего. Но потом Геббельс раскаялся. Гитлер ошибся, но под закат своей презренной жизни осознал ошибку. Да что там под закат! Уже в 1942 году Гитлер запел другие песни. Уже в июле 1941 года у него наступило просветление. Война быстро и многому научила и Гитлера, и Геббельса. Они поняли, что заблуждались. Они поумнели.

А товарищи из нашего Министерства обороны, Главпура, «Военно-исторического журнала» так ничего и не поняли. Наши генералы, политруки и пропагандисты так и повторяют про парализованных ужасом трусливых русских кроликов, застывших в страхе перед немецким удавом.

В 1941 году Гитлер и Геббельс такое говорили от недостатка ума. Это ясно всем. Но только не нашим генералам и не главпуровским агитаторам. Весь этот бред Геббельса, всю эту блевотину наши генералы публикуют из номера в номер.

Но вот что удивляет. Есть два сорта дневников Геббельса. Одни — ДО ТОГО. А другие — ПОСЛЕ.

В дневниках 1941 года Геббельс, который ошибался. Это не просто брехун, но брехун в заблуждении. Дневники 1941 года — это глупость Геббельса, которой он сам в тот момент не сознавал. Вот именно этого заблуждающегося Геббельса марксисты-ленинцы почему-то интенсивно публикуют и пропагандируют.

А дневники 1945 года — это дневники прозревшего Геббельса. В этих дневниках правда о нашей армии, нашем народе, правда о наших полководцах и Верховном Главнокомандующем. Именно с этих дневников я и начал свою книгу. А Министерству обороны России и лично министру правда о нашей стране почему-то не нравится. Прозревшего Геббельса почему-то наше Министерство обороны не публикует.

Почему?

4

Официальная пропаганда Министерства обороны России в описаниях глупости, немощи и трусости народов нашей страны перегнала ведомство Геббельса. Геббельс потом исправился, а Министерство обороны РФ и Главпур — нет.

Так не пора ли честным гражданам собираться под окнами Министерства обороны и требовать ответа от господ генералов о мотивах их поведения? И не пора ли судить наших официальных военных историков, которые описывают наш народ слабым, глупым и трусливым? И хотел бы я знать, почему закон о борьбе с фашизмом не применен против Министерства обороны России и всех засевших в нем марксистов-гитлеровцев с атрофированной совестью?

Господа генералы и офицеры, кому же вы служите? На какую разведку работаете? И кто, расскажите мне, будет защищать от нападок «Военно-исторического журнала» честь народа, страны и армии? Удивительная у нас страна: всем нам за державу обидно, но стоит министру обороны обозвать наших отцов и дедов, сокрушивших гитлеризм, запуганными кроликами, мы все тут же морды свои шапками утрем и больше нам за державу не обидно.

Братцы-товарищи! А ведь это наша великая, любимая и прекрасная Родина! Да поддержите же меня! Я ору на весь свет, что мы не дураки, что мы не трусы, не кретины, не бедняги, лишившиеся ума, и не запуганные кролики!

Русские офицеры, есть ли храбрец среди вас, кто не побоится выступить против главпуровско-геббельсовской клеветы?

Офицеры Украины, смелые есть?

Офицеры Белоруссии, почему молчите? Это и о вашей чести спор.

И всем вам, господа офицеры, вопрос на завал:

ЛЬЗЯ ЛИ, БРАТИКИ, ТАК ОТНОСИТЬСЯ К РОДИНЕ СВОЕЙ?

5

А вот в «Красной звезде» (19 сентября 1995) выступает режиссер Григорий Наумович Чухрай: МЫ НЕ ИЗ ПУГЛИВОГО ПОКОЛЕНИЯ. Это заголовок такой.

Григорий Наумович рассказывает: «Сегодня многие «умники» в печати рисуют время моего поколения как время страха и покорности. Это вранье. Не такие уж мы были пугливые... Встречи с Жуковым запомнились мне на всю жизнь. Вопросы мои бывали и примитивны, и глупы. Жуков обычно выслушивал их внимательно, с ответами не спешил, видимо, искал простую, понятную мне форму, помолчав, отвечал. Его ответ бывал точен, как формула. Меня интересовала личность Сталина. Я хотел показать ее в моем фильме.

— И все-таки, — спрашивал я, — чем объяснить поступки Сталина перед войной и в первые месяцы войны?

Георгий Константинович смотрит в пол. Я думаю: бестактный вопрос (тогда ведь далеко не все было ясно и известно о начале войны). Наверное, он не хочет об этом говорить.

Георгий Константинович поднимает глаза на меня и произносит четко: "Сталин боялся войны. А страх — плохой советчик"».

Ах вот оно что! Поколение Чухрая — не из пугливых. Сам Чухрай — ужасно храбрый. Жуков, понятно, тоже себя трусом не считает. Выходит у Чухрая и Жукова, что один только Сталин боялся.

Григорий Наумович, здорово это вы придумали: Сталин — трус, а я, Чухрай, — не из пугливого поколения. Я храбрее Сталина.

А между тем... Григорий Наумович, на честность Жукова в данном случае полагаться не приходится. Во время XX съезда КПСС Жуков был вторым человеком в государстве после Хрущева. Если не первым. Все хрущевские «разоблачения» Сталина были возможны только с согласия Жукова и при активной жуковской поддержке. И когда Хрущев рассказывал, что Сталин руководил войной по глобусу, первый заместитель Сталина по руководству войной товарищ Жуков почему-то не возразил. Куда же в тот момент девались хваленые жуковские прямота и храбрость? И когда Хрущев врал про то, что в Красной Армии было мало танков и самолетов, что не хватало даже винтовок, Жуков почему-то помалкивал. Мало того, сидя в президиуме, в ладоши бил. Если самолетов и танков было мало, то следовало сказать, сколько именно их было. Если не хватало винтовок, то следовало назвать их число. Но этого Хрущев почему-то не сделал. И Жуков стремления к правде не проявил. В мемуарах своих количество наших танков и самолетов так почему-то и не вспомнил, прикинувшись слабоумным. И количество винтовок не назвал.

При Сталине Жуков был сталинцем. При Хрущеве вдруг заделался отъявленным хрущевцем-антисталинцем. Это он Хрущева к власти привел, это он дал зеленый свет всем хрущевским «разоблачениям». Без согласия Жукова не было бы вовсе никакого XX съезда КПСС, из мерзости и вони которого наш народ так еще и не выбрался. А после Хрущева Жуков вдруг снова стал сталинцем, хрущевские вымыслы про глобус опроверг, а вымыслы про сталинскую трусость поддержал и усилил. Потому как линия такая была задана Идеологическим отделом ЦК КПСС: про глобус опровергать, а про сталинскую трусость подтверждать.

Если бы мемуары Жукова вышли при Хрущеве, то это были бы одни мемуары, а при Андропове это были бы совсем другие мемуары. При Брежневе Жуков писал одно, а при Горбачеве писал бы другое.

6

И Хрущев, и Геббельс, и Некрич, и Жуков, и Чухрай рассказывают нам, что Сталин боялся Гитлера.

А мы усомнимся. Мы обратим внимание на нестыковку.

Нам 50 лет рассказывают о тысячах предупреждений, которые по всем каналам стекались к Сталину. Сталин предупреждениям о германском нападении не верил. Это вне сомнений.

Давайте же попробуем стыковать два положения красной пропаганды:

1) СТАЛИН БОЯЛСЯ, ЧТО НА НЕГО НАПАДУТ.

2) СТАЛИН НЕ ВЕРИЛ, ЧТО НА НЕГО НАПАДУТ.

Одно из двух:

— или я верю, что на меня нападут, потому боюсь, потому сижу за печкой, притих, как мышка;

— или я не верю, что на меня нападут, потому никого не боюсь, сижу на печке, бренькаю на балалайке.

В какую же марксистскую голову пришло такое: СТАЛИН УЖАСНО БОЯЛСЯ ТОГО

САМОГО НАПАДЕНИЯ, В ВОЗМОЖНОСТЬ КОТОРОГО ОН КАТЕГОРИЧЕСКИ ОТКАЗЫВАЛСЯ ВЕРИТЬ!

Но в какую-то голову такое ударило. Да не в одну. И кричат инженеры человеческих душ десятилетиями: не верил в нападение, но боялся его.

Нам рисуют Сталина: смертельно запуган, все действия продиктованы страхом. И тут же нам рисуют того же Сталина, в те же дни и часы: беззаботный вождь никак не реагирует на надвигающуюся угрозу. В «Военно-историческом журнале» Сталин и весь наш народ — запуганные кролики, а то вдруг: «Сталин спокойно спал в ту трагическую ночь 22 июня. Он был уверен, что война не начнется» (1989. № 6. С. 42).

Да у того же Жукова в мемуарах: он-де докладывал Сталину о готовящемся нападении, а Сталин не верил в возможность нападения, но боялся его. Немцы напали, Жуков ночью не может Сталина разбудить. Разбудил, доложил, что напали, а Сталин все равно в нападение не верит, но боится, что нападут.

Если у вас под окном крутые братки топоры точат, чтобы изрубить вас на кусочки, будете ли вы спокойно спать? Тот, кто нападения боится, тот не спит богатырским сном. Тот от каждого шороха просыпается. Тот сообщению о нападении сразу верит, ибо боится и ждет его...

Вот наш главный диверсант времен войны, профессор, полковник И.Г. Старинов в книге «Мины ждут своего часа» рассказывает, как доложили командующему Западным особым военным округом генералу армии Д.Г. Павлову о том, что по ту сторону границы что-то затевается, а Павлов в ответ, имея в виду Сталина: «Без паники! Спокойствие! Хозяин все знает!»

И описывает выдающийся британский историк Джон Эриксон Сталина как человека, который сохраняет олимпийское спокойствие и на предупреждения не реагирует: не паниковать! Описывает с издевкой: до чего же глуп Сталин, его предупреждают, а он в нападение не верит! И тут же Джон Эриксон описывает перепуганного Сталина, который верит в неизбежное германское нападение и до полной паники нападения боится. И описывает это с презрением: до чего же труслив Сталин!

Джон, ну выбери же что-либо одно, расскажи нам, что Сталин верил в нападение и потому боялся или не верил и потому не боялся. А то у тебя получается: верил — не верил.

Вспомним, как выглядел перепуганный котенок, которого собака загнала в угол: хвост трубой, шерсть дыбом, коготками собачью морду готов разодрать, свою кошачью жизнь защищая... А вот тот же ленивый котик-муркетик пригрелся на солнышке, глазки блаженно прикрыл, мурлыкает беззаботно...

Но это две разные ситуации. Два разных состояния. И спутать их невозможно, и невоможно совместить. Одно исключает другое. А нам описывают Сталина и смертельно испуганным — хвост трубой, шерсть дыбом, — и беззаботно мурлыкающим... Одновременно.

Описания запуганного Сталина и описания предельно спокойного Сталина, который всем рекомендует не паниковать, часто мирно уживаются на одной странице. В одном предложении. В одном броском заголовке: боялся, что нападут, но не верил, что нападут!

Один мой очень уважаемый критик в звании генерал-полковника доказывал, что Сталин был смертельно запуган, а в качестве подтверждения приводил знаменитую резолюцию Сталина, наложенную на агентурном донесении меньше чем за неделю до германского нападения: «Т-щу Меркулову. Можете послать ваш «источник» из штаба германской авиации к еб-ной матери. Это не «источник», а дезинформатор. И.С.».

Сокращение в тексте не мое. Это товарищ Сталин так сокращал, чтобы не обидеть наркома государственной безопасности товарища Меркулова. И эту резолюцию мне приводят как подтверждение сталинского страха...

Скажем маленькому мальчику, что волк к нему крадется. Что мальчик будет делать? Спрячется под одеяло или пошлет нас?.. Если спрячется, значит, боится. А если пошлет, значит, не верит он в наших волков и не боится их.

Товарища Сталина предупреждает источник особой важности, нарком госбезопасности бьет тревогу, а беззаботный товарищ Сталин их к еб-ной матери шлет. Вот и состыкуйте сталинскую резолюцию со сталинским страхом неизбежного и скорого нападения.

У меня не стыкуется.

Григорий Наумович Чухрай, да вы же психолог! Да вы же знаток души человеческой. Вы — чародей. Ведь вся страна слез не прятала, когда в заключительных кадрах «Чистого неба» Урбанский разжал ладонь с Золотой Звездой. Григорий Наумович, да поддержите же меня! Не мог Сталин бояться нападения, в возможность которого не верил. Скажите слово свое, Григорий Наумович! Мне не поверят, но вам-то народ верит.

7

Теперь оценим слова маршала Жукова о том, что действия Сталина были продиктованы страхом.

Что же это за действия такие?

У Сталина от Балтики до Черного моря была линия укрепленных районов — «Линия Сталина». Не о том речь, плохие укрепления или хорошие, — любые укрепления лучше, чем никаких. И не о том речь, что укрепления на старой границе разоружили и разрушили, а на новой границе не построили. Если бы укрепления на новой границе и построили, зачем же укрепления на старой границе ломать? Две линии обороны ведь лучше, чем одна. Но Сталин свои укрепления разоружает и уничтожает. Если вы боитесь бандитов, то будете ли со страха ломать кирпичную стенку вокруг своего дома? Вспомним «Капитанскую дочку» Пушкина. Захудалая крепость в степи. Укрепления — только от волков спасаться. И вот идет злодей Пугачев. Страх. Ужас. Паника. От страха люди могут укреплять крепость. И они это делали. Они могут ничего не делать, парализованные страхом. Но можно ли себе представить, чтобы они от страха начали свои укрепления, пусть жалкие, хилые и дряхлые, ломать?

Если вам ночью страшно в пустой темной квартире, вы не пробовали со страху дверь входную высадить? Здорово маршал Жуков придумал: Сталин боялся Гитлера, потому в страхе ломал свои укрепления.

Тогда возникает вопрос к самому Жукову: а куда же он смотрел? Перепуганный Сталин разрушает оборону государства прямо накануне германского нашествия, почему начальник Генштаба Жуков не протестовал? Или тоже перепугался и с перепугу помогал Сталину ломать оборону?

Так ведь не только укрепления Сталин уничтожал. Партизанская война — оружие слабой стороны. Тот, кто не готов сразится в чистом поле, прячется в лесу, а ночью режет глотки спящим врагам. Если Сталин боялся

Гитлера, то следовало в мирное время создать партизанские базы в лесах — пусть враги придут, пусть узнают, что такое затяжная партизанская война в Брянских лесах, в болотах Белоруссии.

У Сталина партизанские отряды, базы, секретные укрытия и тайные хранилища оружия были созданы, но он прямо накануне вторжения приказал все это ликвидировать. Допустим, от страха. Допустим, Сталин — трус, а Жуков — храбрец. Так почему же храбрый начальник Генштаба Жуков этому не препятствовал?

Германская армия была привязана к дорогам. Вне дорог она действовать не могла. Взорвать все мосты от западной границы до Днепра и на Днепре — и никакого блицкрига не будет. Все мосты были заминированы и готовы к взрывам. Но вот прямо накануне войны их в массовом порядке и повсеместно разминируют. От страха?

Великая река Днепр — оборонительный рубеж. На Днепре — флотилия. Мосты взорвать, а флотилия, действуя из-за островов, из проток левого берега не позволит наводить переправы. Дотянуть до зимы, а зимой немцы воевать не готовы. Но в 1940 году Днепровская флотилия (база — в Киеве) была расформирована. Как раз командующим Киевским военным округом до назначения в Генштаб был Жуков. Не иначе расформировали флотилию по причине сталинского страха. А корабли бывшей Днепровской флотилии перебросили на Дунай и Припять, где они усилить нашу оборону не могли никак, но зато могли действовать в наступательной войне вплоть до Берлина и Вены. Если все это Сталин со страху натворил, то почему Жуков ему не возражал?

Тактическое снабжение германской армии осуществлялось автомашинами и гужевым транспортом, стратегическое — железнодорожным. Армия требует сотни тысяч и миллионы тонн предметов снабжения. Ни машинами, ни телегами этого из Германии под Воронеж и Черкассы перебросить нельзя. Только по рельсам. Следовало снять рельсы в приграничных районах на глубину 100—200 км от границы и вывезти за Днепр. И все. И не надо после того Гитлера бояться. Не было в Германии такого запаса рельсов. Нехватка в этом вопросе. А если бы и были, так восстановление железнодорожных направлений под огнем Красной Армии и партизан потребовало бы много времени. Блицкриг был бы невозможен, а на длительную войну у Германии не было ресурсов.

Со страху можно было бы и на все 500 километров от границы рельсы снять.

Но Красная Армия рельсы не снимала. Наоборот, по настоянию Жукова, по приказу Сталина велось интенсивное железнодорожное строительство в приграничных районах, усиливались мосты, повышалась емкость разъездов, прокладывались новые магистрали. Допустим, Сталин это сделал из-за ужасающей трусости. А Жуков — по какой причине? Да еще и десять железнодорожных бригад Жуков сформировал на приграничных направлениях для быстрой перешивки железных дорог Западной Европы на широкий советский стандарт. При полном понимании Сталина. При его поддержке.

И если так уж Сталин боялся, то следовало войска держать подальше от границ. А их по приказу Сталина и Жукова тайно гнали к границам. Геббельс писал про парализованных страхом кроликов, а в этот самый момент Второй стратегический эшелон Красной Армии тайно выдвигался за линию старой государственной границы СССР. Ни Гитлер, ни Геббельс ничего об этом не знали. Мудрейшая гитлеровская разведка не заметила самой мощной операции по переброске войск во всей человеческой истории. Если бы тайное выдвижение семи армий было продиктовано сталинским страхом, то следовало этим армиям занимать оборону по левому берегу Днепра и зарываться в землю. Им следовало восстанавливать укрепления на старой границе, которая существовала до 1939 года, рыть окопы, траншеи, противотанковые рвы, возводить блиндажи и огневые точки. Но они оборону не занимали... Со страху?

И следовало авиацию на приграничных аэродромах не держать огромными массами, тогда бы она не попала под первый удар. А

Жуков ее согнал на приграничные аэродромы чудовищными толпами.

И если уж во всем виноват сталинский страх, то следовало запасы продовольствия, боеприпасов, угля, жидкого топлива держать за Днепром, а то и за Волгой, но по приказу Сталина и Жукова все это везли из-за Волги и из-за Днепра прямо к границам.

И воздушно-десантные корпуса нам были совершенно не нужны в оборонительной войне, но их формировали весной 1941 года по приказу Жукова с разрешения Сталина. Это от сталинского страха? И карты Лотарингии гнали вагонами к границам. И разговорники... И сапоги... И много, много еще всего.

9-й стрелковый корпус готовился к высадке в Румынии. Это тоже проявление сталинского страха? А 14-й стрелковый корпус готовился форсировать Дунай в нижнем его течении. (И успешно форсировал в первые дни войны.) Пограничники проволоку от страха резали...

Действия Сталина Жуков объяснил легко и просто: все это от страха. Все это оттого, что Сталин Гитлера боялся.

Согласимся.

Теперь осталось объяснить те же действия самого Жукова.

Не о Сталине речь.

Тот, кто поверил марксистско-гитлеровским выдумкам про сталинский страх, тот верит и всем остальным выдумкам: про неготовность Советского Союза к войне, про обезглавленную армию, про загубленных стратегов. И если уж сложилась такая безвыходная ситуация: ни танков, ни самолетов, ни командиров, — то не только Сталин, но и весь народ должен был бояться Гитлера. Вот почему каждый, кто поверил в сталинский страх, эту веру немедленно распространяет на всех нас, на весь народ, на всю страну, обзывая беднягами, лишившимися ума, и обезумевшими от ужаса кроликами.

Глава 22

ИМЕЛ ЛИ СТАЛИН ОСНОВАНИЯ БОЯТЬСЯ?

В Германию потянулись первые бесконечные потоки русских пленных. С тех пор поток этот уже не прекращался. Все время и в поездах, и по шоссе двигались нескончаемые транспорты русских пленных. Но толку от этого было мало. Вместо каждой побитой армии русские тотчас же выставляли новую армию. Гигантские владения царя, казалось, были неисчерпаемы по части людей. Сколько времени могла еще выдержать Германия такое состязание? Не придет ли такой день, когда Германия, несмотря на только что одержанную победу, останется уже без новых войск, в то время как русское командование снова и снова двинет на фронт новые армии? Что же будет тогда?

Адольф Гитлер. Майн кампф

1

Нас настолько приучили к мысли о потрясающем превосходстве Гитлера и его армии, что мысль о сталинском страхе воспринимается нами без протеста.

Однако почему Сталин должен был бояться Гитлера?

На затяжную войну у Германии не было ресурсов. Это знали и понимали все, включая самого Гитлера и его генералов. Им оставалась только молниеносная война — блицкриг.

Но блицкриг против Советского Союза был невозможен потому, что Советский Союз — это более 10 тысяч километров с запада на восток. Если бы Гитлер мог захватывать по тысяче километров в месяц, а это даже теоретически невозможно, то и тогда надо было рассчитывать на год войны.

Блицкриг против Советского Союза был невозможен и потому, что для европейских армий из двенадцати месяцев для ведения боевых действий на нашей территории благоприятны только четыре — с 15 мая до 15 сентября. (Если не будет дождя.) Если бы и можно было за эти месяцы захватить всю страну, то что делать, когда наступит осень, а за ней зима? В Россию войти легко, а выйти трудно. Вход — рубль, выход — два. Великий военный мыслитель генерал-майор Карл Клаузевиц, пруссак на русской службе, участник Смоленского и Бородинского сражений, предупреждал, что если кому-то и удастся захватить Россию, то контролировать ее не удастся. Однажды Бонапарт блицкригом взял Москву... Долго ли он ее удерживал?

Блицкриг против Советского Союза был невозможен, ибо в июне 1941 года Красная Армия МИРНОГО времени имела в своем составе 5,5 миллиона бойцов и командиров. Не считая войск НКВД. Если бы каждый месяц

Гитлер убивал и брал в плен по миллиону советских солдат (а это невозможно), то и тогда война растягивалась на полгода, то и тогда следовало планировать завершение на декабрь. То и тогда следовало рассчитывать на снег, на мороз, на метель. То и тогда следовало готовить бараньи тулупы.

Но ведь это не все. Даже в сверхкритических условиях лета 1941 года советская система мобилизации сработала безотказно, и за первую неделю войны до 1 июля 1941 года было дополнительно призвано в ряды РККА еще 5,3 миллиона человек (СВЭ. Т. 5. С. 343). Это уже десять с гаком, почти одиннадцать миллионов. Если бы и дальше Гитлер уничтожал в месяц по миллиону (а это ему было не по силам), то тогда война растягивалась на год. А наша мобилизация продолжалась в июле, августе, сентябре... «Наши силы неисчислимы», — говорил товарищ Сталин. А разве не так? А разве сам Гитлер этого не понимал? Разве он сам именно об этом не писал в «Майн кампф»?

Мобилизационный ресурс Советского Союза — 10 процентов населения. Прикинем. Этот ресурс в ходе войны был полностью использован. И даже с перебором. Так сколько же времени требовалось на истребление такой армии? Какому же недоумку ударила в голову идея разгромить такую армию? Да еще и в три месяца?

2

Германия была не готова к войне. Сталин это знал.

Когда речь заходит о «готовности» Гитлера к войне, недобитая гитлеровская мразь предпочитает отмалчиваться. А ведь при желании и на гитлеровской «готовности» можно найти пятнышки. Гитлер задолго до 1939 года настроил против себя Америку и весь остальной мир. Это является признаком готовности к войне? Посмотрим на союзников Гитлера, а потом на союзников Сталина и ответим на вопрос: кто же лучше подготовился?

Гитлер перед всем миром предстал как агрессор, завоеватель, грабитель и убийца. А сталинская пропаганда представила Советский Союз невинной жертвой. Это отнюдь не второстепенные вопросы: кем тебя считает мир — злодеем или защитником угнетенных, чего желает тебе население планеты — погибели или победы. На стороне Сталина были симпатии всего мира, всех стран, всех народов, всех правительств. Советскому Союзу, Красной Армии, Сталину желали успеха и пролетарии, и буржуины. А Гитлеру чего желали?

Было исключение: Гитлеру желали успеха народы Советского Союза. Гитлеровцев встречали музыкой, цветами, улыбками, хлебом-солью в Риге, Вильнюсе, Таллине, Киеве... Но Гитлер и его мудрейшие генералы повели себя так, что после них вся Европа встречала цветами Сталина и НКВД.

Гитлер с самого начала попал в ситуацию, в которой выиграть было вообще невозможно. С Францией он разделался легко, но как воевать с Британией, не имея превосходства на море и в воздухе? И вот Гитлер бросается на Советский Союз. Нам объясняют, что ему требовались земли на Востоке. Удивительно: Гитлер разгромил Францию, но у него нет сил разгромленную Францию захватить целиком. Тем более у него нет сил захватить бесхозные французские колонии. У Гитлера не хватало войск для оккупации Голландии. Надо было иметь в Голландии две дивизии, а Гитлер мог выделить только одну. Но Голландия — совсем крошечная страна, а ее колонии необъятны. Перед Гитлером лежали никем не контролируемые колониальные владения Голландии... И бельгийского Конго... Но он их почему-то не захватывает. Вместо этого Гитлер полез воевать за новые земли на Востоке. Перед ним — беззащитный юг Франции с курортами, с виноградниками, с подвалами вина, с прекрасными дорогами, с ядреными бабами, черт побери, а он ринулся покорять архангельские топи и астраханские камыши. Это от большого ума или как? И вот Сталина обвиняют в глупости: как это он не догадался, что Гитлеру в 1941 году потребуются Конотоп, Кобеляки и Арзамас с Ахтыркой? В 1941 году Гитлер уже не мог контролировать то, что успел нахватать, у него уже задымила под ногами Югославия, Гитлер был по рукам и ногам связан войной против Британии (за которой стояла «нейтральная» Америка), у Гитлера войска уже были разбросаны от Северной Норвегии до Северной Африки, а флот вел боевые действия в акваториях от Гренландии до берегов Аргентины и мыса Доброй Надежды. Какому аналитику могла ударить в голову мысль, что он еще и на Россию попрет, новые земли захватывать?

3

Две с половиной тысячи лет назад великий китаец Сунь Цзы дал завет-запрет всем полководцам всех грядущих поколений: на два фронта не воюй! Никто не должен воевать на два фронта. А Германия особенно. Из-за своего географического положения и отсутствия ресурсов в войне на два фронта Германия обречена на поражение. Вторая мировая война еще раз это подтвердила. Все великие немцы предупреждали от войны на два фронта, а Бисмарк считал, что Германии не следует воевать и на одном фронте, если на этом фронте Россия.

Готов ли был Гитлер воевать на два фронта?

Так почему же Сталин должен такого варианта бояться? Так почему же никто над Гитлером не смеется? Почему никто не смеется над гениальными гитлеровскими министрами, дипломатами и генералами?

Откроем всем доступный документ — дневник начальника Генерального штаба сухопутных войск Германии генерал-полковника Ф. Гальдера, — и нашему удивлению не будет предела. Впечатление, что вся германская подготовка к войне стояла на трех китах: авось, небось и как-нибудь. Вот записи из служебного дневника, очень немногие из поистине необъятного материала.

9 августа 1940 года: «Поток бумаг увеличивается в такой степени, что грозит совершенно нас задавить».

29 сентября: «Автомобилей недостаточно даже для удовлетворения самых необходимых потребностей частей РГК».

7 октября: «Война в воздухе на два фронта невозможна».

21 октября: «Хаос в организации перевозок».

18 ноября: «Пробки на железных дорогах. 547 эшелонов простаивают на Востоке и в Берлине».

26 ноября: «Конные упряжки для противотанковых орудий. У нас нет передков... Обеспечить наши войска в Болгарии горным снаряжением невозможно... Нет ни одного снегоочистителя... Поддержать строгий контроль над крупными городами (Франции) невозможно... Имперские железные дороги в будущем не смогут работать с таким напряжением, как сейчас».

27 ноября: «Операции по охвату на бесконечных просторах России не будут иметь успеха».

Вся теория блицкрига — это глубокие танковые охваты. Германские стратеги ясно понимают, что на бескрайних просторах России такие охваты желанного результата не дадут. А ничего иного они не придумали. И вот они планируют эти самые охваты, которые заведомо успеха иметь не будут.

3 декабря: «Положение с горючим — плохое. Положение с автопокрышками — очень плохое».

4 декабря: «Слишком мало артиллерии».

13 декабря: «Захват Москвы не имеет большого значения (мнение Гитлера)... Военно-воздушным силам предстоит война на два фронта».

Вернемся к записи 7 октября: «Война в воздухе на два фронта невозможна». Это они понимают и решают начать эту самую войну на два фронта. Не только Гальдер, но и сам Гитлер понимает, что захват Москвы не означает конец войны. Но весь гитлеровский план сводится к тому, чтобы захватить Москву, а там, может быть, все само собой развалится. А если не развалится, тогда что делать?

14 декабря: «Боевая подготовка запущена».

23 декабря: «Положение с резиной трудное».

16 января 1941 года: «Зенитные дивизионы сухопутных войск. 40 дивизионов. Специальный личный состав для них придется еще готовить. Это осуществимо только к осени».

Вот она — готовность. Войну против Советского Союза планируют завершить до осени. А потом, после победы, комплектовать зенитные дивизионы наводчиками, вычислителями, командирами орудий, взводов и батарей.

28 января: «К концу февраля наши запасы каучука будут исчерпаны. 25 тысяч тонн каучука закуплено французами, но японцы не допускают его вывоза...»

У них Япония в союзниках числится. Каучук в те годы ничем заменить было нельзя. Каучук в Германии должен кончиться за четыре месяца до начала боевых действий против Советского Союза. Через подставных лиц Германия приобрела где-то немного каучука, только Япония-союзничек не позволяет его вывозить.

Тот же день, 28 января: «Горючее: положение серьезное. Можно рассчитывать на обеспечение горючим в период сосредоточения и развертывания и на два месяца операций... Автопокрышки. Положение очень серьезное...»

Россию господа гитлеровские генералы планируют разгромить за три месяца. Только у них бензина запасено на два месяца.

И еще в тот же день, 28 января: «Операция «Барбаросса». Смысл кампании неясен. Англию мы этим нисколько не затрагиваем. Наша экономическая база от этого нисколько не улучшится. Если мы будем скованы в России, то положение станет еще более тяжелым... Рискованность операции “Барбаросса”».

Итак, им не ясно, зачем они лезут в Россию. Сталин обладал железной логикой, и когда его предупреждали о возможном германском вторжении, он спрашивал: «А зачем?» Сталин никак не мог понять, зачем немцы придут в Россию. А логики, оказывается, никакой и не было. Начальнику гитлеровского Генштаба, который планирует войну, тоже не понятно, зачем он лезет в Россию.

Рассуждая логически, можно вычислить ходы противника. Но никакой гений не может рассчитать действия идиота, у которого логика отсутствует, у которого действия не обусловлены причиной.

1 февраля: «Итальянские войска производят неблагоприятное впечатление: нет ни воли, ни возможности к сопротивлению».

8 февраля: «Крестьянские повозки: выделить 15 тыс. с упряжью и возчиками из Польши».

18 февраля: «Положение с горючим неясное и трудное».

13 марта: «С автобензином и дизельным топливом очень туго. Без русских поставок мы сможем на имеющихся запасах в случае крупного наступления продержаться два — два с половиной месяца».

17 марта: «На Румынию рассчитывать нельзя. Венгрия ненадежна. Она не имеет никаких причин для выступления против России». (Высказывания Гитлера.)

3 апреля: «Управление имперских железных дорог сообщило о катастрофическом положении на дорогах».

5 апреля: «Вопрос о пулеметных батальонах решить невозможно».

7 апреля: «Следует признать, что группировка русских войск вполне допускает быстрый переход в наступление, которое было бы для нас крайне неприятным».

11 апреля у Гитлера истерика: «Хойзингер, по-видимому, сумел ослабить нервный припадок».

23 апреля: «Роммель совершенно не соответствует возложенной на него, как на командующего, задаче».

26 апреля: «Недостаток запасных автомашин. В распоряжении генерал-квартирмейстера нет ничего».

5 мая: «Войска плохо переносят ночные холода. Положение с боеприпасами напряженное».

Речь о германских войсках в Болгарии. Им холодно в мае, на болгарских курортах... И вот их в Россию потянуло.

7 мая: «Запасные части. Требования удовлетворены лишь на 10—15 %... Роммель самым диким образом распыляет свои войска».

11 мая: «Положение в Северной Африке безрадостное. Нарушив приказ, Роммель создал обстановку, с которой мы не сумеем справиться в материально-техническом отношении. Командование войсками в Северной Африке явно Роммелю не по плечу».

15 мая: «Положение на железных дорогах неудовлетворительное».

17 мая: «ОКВ только что потребовал вторую дивизию для Голландии. У нас ее нет».

Чем же вы, господа, Россию собираетесь оккупировать?

20 мая: «Моторизованные соединения для операции «Барбаросса» укомплектованы к сроку не будут... Положение с горючим: в июне — достаточно. В июле будет не хватать 10 %».

21 мая: «Очень большая потребность в обмундировании».

22 мая: «17-я танковая дивизия имеет в своем составе 240 типов машин».

29 мая: «Нехватка горючего! Резерв офицерского состава ограничен».

31 мая: «Положение с автотранспортом в частях разведывательной авиации очень тяжелое».

13 июня: «Осенью запасы горючего будут исчерпаны».

И это мы должны называть готовностью к войне?

4

Однако истинная «готовность» Гитлера проявилась после 22 июня 1941 года. Гальдер продолжает.

4 июля 1941 года: «Штаб танковой группы Гота доложил, что в строю осталось лишь 50 % штатного количества автомашин».

9 июля: «Наши потери в танках незначительны, однако людские потери велики».

12 июля: «Эффективность советских снарядов хорошая, моральное действие — сильное. Много новейших, неизвестных нам до сих пор артсистем».

13 июля: «Потери в танках в среднем составляют 50 %».

См. запись от 9 июля.

17 июля: «Войска сильно измотаны».

20 июля: «Упадок духа у наших руководящих инстанций. Особенно ярко это выразилось в совершенно подавленном настроении главкома».

23 июля: «В отдельных соединениях потери офицерского состава достигли 50 %».

1 августа: «В резерве главного командования дивизий — 0».

7 августа: «При нынешнем положении с горючим проведение крупных операций невозможно».

Планировали разгром Советского Союза за три месяца, зная, что горючего заготовлено только на два месяца. А оно кончилось через полтора месяца.

5

Это я цитирую совсем немного из дневника одного генерала. Весь дневник — крик о вопиющей неготовности Германии к войне. Полистаем страницы воспоминаний, которые оставили З. Вестфаль, Г. Блюментрит, К. Цейтцлер, К. Типпельскирх, В. Пихт, Э. Миддельдорф, В. Меллентин, Л. Рендулич, Г. Гот и многие другие. Во всех книгах — вопль: Германия к войне совершенно не готова. Г. Гудериан изрек даже такое: «Наше командование превзошло в безрассудном упрямстве Карла XII и Наполеона I» (Итоги Второй мировой войны. М.: ИИЛ, 1956. С.123). Г. Теске: «Великая германская империя» располагала в 1939 году гораздо меньшим парком паровозов и вагонов, чем кайзеровская империя в 1914 году» (Там же. С. 402).

Германские генералы запланировали использовать для разгрома Советского Союза 320 железнодорожных эшелонов с боеприпасами. Ф. Гальдер свидетельствует, что за пару недель боев на территории Советского Союза германские войска тратили больше того, что было запланировано на всю войну. Запись в рабочем дневнике Гальдера 16 августа 1941 года: «Расход боеприпасов. За период с 1 августа доставлено такое количество боеприпасов, которое предусмотрено всем планом “Барбаросса”».

А вот запись в том же дневнике 24 ноября 1941 года: «Необходимо перемирие».

Русская зима еще впереди... Гальдер считает, что у Сталина нет никаких резервов. Об этом он делает запись 2 декабря 1941 года. Германская разведка, как всегда, ошиблась. У Сталина резервы были, и он 5 декабря 1941 года бросил свежие дивизии, корпуса и армии в грандиозное контрнаступление. Но еще до этого Гальдер осознал необходимость перемирия.

А вот запись 12 декабря 1941 года: «Положение с производством танков. Оно в настоящее время таково, что мы вообще дальше не сможем вести войну».

И вот мне не ясно: почему марксисты и гитлеровцы не цитируют всего этого? И вот некто Г. Городецкий при активном участии Министерства обороны России, при открытой и демонстративной поддержке Службы внешней разведки России выдал книгу, и в ней о германской «готовности» к войне — ни единого плохого слова, а о нас — идиотах — ни единого доброго слова: русские — трусы, тупицы. Германские генералы решили завоевать Советский Союз, вот бы Городецкому над Гитлером посмеяться! Но нет, не смеется. Завоевать Россию могли азиаты, а европейцам это не по плечу. Россию легко взять обманом, а силой ее не возьмешь. Ни в какие сроки. Завоевать Россию в три месяца? Это ли не бред? И почему же вы, товарищ Городецкий, процент дураков среди гитлеровских гениев не вычисляете? Чем объяснить вашу любовь к Гитлеру и его битым стратегам?

6

Не спорю, блицкриг был осуществлен в Польше и во Франции. Но какими средствами Гитлер намеревался осуществить блицкриг против Советского Союза?

Блицкриг — танковая война. У Гитлера — 3410 устаревших танков, а у нас территория — 22,4 миллиона квадратных километров. Один немецкий танк на 6568 квадратных километров нашей территории. Не густо. Из 22 миллионов квадратных километров 17 миллионов вообще не пригодны для действия танков, а на остальных площадях действия германских танков возможны только летом, иначе они застревают в непролазной грязи и снегу. И бензина у Гитлера на полтора месяца. Это каким же идиотам приснился блицкриг при таком раскладе? И почему же Сталин должен был бояться такого блицкрига и гениальных стратегов, которым такое взбрело в голову? Это в расчете на что они планировали завершить за три месяца? Да и каких три месяца? Не было у них трех месяцев. Начал Гитлер 22 июня, три месяца истекают 21 сентября. Это уже грязь непролазная. А вообще сентябрь может быть дождливым и с первого дня. Было ли это предусмотрено в гитлеровских планах? В 1812 году снег выпал 15 октября по старому стилю. Но и по-новому стилю снег у нас может быть в октябре. Был ли принят в расчет такой поворот событий? Да ведь и танки сами по себе не сила. Танк, который вырвался далеко вперед, уязвим. Танк должен быть поддержан пехотой, танки надо снабжать. А дело обстояло так: «В 1941 году немецкая армия все еще состояла главным образом из чисто пехотных дивизий, которые передвигались в пешем строю, а в обозе использовались лошади». Это сказал германский генерал Гюнтер Блюментрит (Роковые решения. С. 74). А вот статистика: на 22 июня у Гитлера на Восточном фронте в обозах — 750 000 лошадей (Goralski R. World War II Almanac. P. 164). За каждым немецким танком шел обоз в 220 лошадей. С телегами. Это на телегах они собирались осуществлять блицкриг? Это на телегах они собирались скакать до Владивостока? За три месяца? Кстати о лошадях. В каком американском фильме мы увидим немца в телеге? В фильмах немцы в танках. А историческая правда в том, что танков у них было в 100 раз меньше, чем телег. Из 190 дивизий, брошенных Гитлером против Советского Союза, только 17 были танковыми. А в них было собрано все, что попадалось под руку. Представим себе, как можно обеспечить запчастями дивизию, если в ней собрано 240 типов разных машин: легковых, грузовых, автобусов, военных, гражданских из Бельгии, Франции, Греции, Югославии и т.д. Кому под силу это ремонтировать, да еще в полевых условиях, за сотни километров от ремонтных баз? Во всех 13 германских моторизованных дивизиях не было ни одного танка. В единственной кавалерийской дивизии — тоже ни одного. А все остальное — пехота, пехота, пехота. С телегами.

Когда Сталину докладывали, что такое воинство собирается нападать, то Сталин в это просто не верил. И Сталин прав. Никакой логикой решение напасть на Советский Союз не объяснить. На затяжную войну у Гитлера не было ресурсов, потому он решился на блицкриг, на который у него тоже не было ресурсов. Он начал блицкриг при катастрофической нехватке автомобильных шин, при нехватке топлива и боеприпасов. В. Молотов говорил перед самым нападением: «Надо быть идиотом, чтобы на нас нападать». Вячеслав Михайлович просто не мог предположить, что они и вправду идиоты. С любой точки зрения, при любом раскладе нападение на Советский Союз было для Гитлера самоубийством в самом прямом смысле. Даже в самом лучшем из всех возможных вариантов начала войны все равно Гитлер кончил самоубийством. До какого же уровня морального разложения нужно опуститься тем гитлеровским придуркам, которые даже после такого позорного конца продолжают кричать: все равно Гитлер умнее! Все равно он мог победить! За три месяца!

Решение напасть на Советский Союз — дурацкое решение. Сам Гитлер признал, что не зима виновата, а неготовность германской армии к зиме. «Застольные разговоры Гитлера», запись 29 мая 1942 года: «Одежда наших солдат, уровень их оснащения и моторизации ни в коей мере не соответствовали условиям той зимы... Генеральный штаб сухопутных войск не заготовил в свое время запасы морозостойкого горючего и зимней одежды». Так сказал Гитлер. Почему, господа городецкие и штейнберги, вы не цитируете эти слова? Даже Гитлеру стало ясно, что степень моторизации Вермахта не соответствовала тем непосильным задачам, которые перед ним поставили. Генерал Г. Блюментрит заявил после войны: «Приняв решение напасть на Россию, Германия проиграла войну». Генерал-фельдмаршал фон Рундштедт заявил в мае 1941 года: «Война с Россией — бессмысленная затея, которая не может иметь счастливого конца» (Роковые решения. С. 76). Но лучше всех сказал сам Гитлер, причем задолго до прихода к власти: «Уже один факт заключения союза между Германией и Россией означал бы неизбежность будущей войны, исход которой заранее предрешен. Такая война могла бы означать только конец Германии» (Майн кампф. Ч. 2 Гл. XIV). Как в воду смотрел! Сам такое написал, и сам же со Сталиным подписал пакт и тем самым обеспечил поражение Германии в войне и свое самоубийство!

Вдумаемся: если подписать пакт со Сталиным, то после этого можно уже и не воевать, уже сам факт подписания ведет Германию к катастрофе и поражению. Какое озарение!

И вот современные гитлеровцы, забыв предостережения своего фюрера, продолжают орать, что все у Гитлера было правильно, что можно было победить при недостаточной моторизации войск, на телегах... Они кричат, что во всем виновата зима...

7

Чтобы воевать, надо иметь оружие. Такова война... 3410 немецких танков. Все танки легкие. Все устаревшие. Ни одного тяжелого танка. Есть средние, но это просто легкие танки, на которые навешали дополнительной брони. Защищенность от этого повысилась, зато понизились ходовые качества: скорость, маневренность, проходимость — именно то, что требуется для маневренной войны на необъятных просторах. У Гитлера ни одного плавающего танка, ни одного с противотанковым бронированием, ни одного с правильной компоновкой, ни одного с мощной пушкой...

А у Сталина 23 106 танков (не считая НКВД), включая лучшие в мире образцы, в которых сосредоточены высшие достижения танкостроения того времени: мощные длинноствольные пушки, широкие гусеницы, противоснарядное бронирование, дизельные двигатели и т.д. И у Сталина — почти неограниченные возможности производства таких машин. Плавающих танков у Сталина больше, чем у Гитлера всяких.

У Сталина была дальняя бомбардировочная авиация (ДБА), у Гитлера ее не было.

В 1940—1941 годах Германию уже бомбила британская стратегическая авиация. И Сталин готов был к этому делу подключить свою ДБА. А Гитлер планировал «выбомбить» Британию из войны, но ничего из этого не вышло, так как стратегической авиации у него не было. После этого он решил захватить Европейскую часть СССР до линии Архангельск — Астрахань, а все, что восточнее, задавить дальними бомбардировщиками. Проблема заключалась в том, что у Гитлера таких бомбардировщиков не было.

Ни одного.

Но и оружие само по себе ничего не решает. Нужны солдаты, нужны офицеры и генералы.

Немецкого солдата я ценю очень высоко.

Немецкого офицера — тоже.

А с генералами Германии не везло. Германские генералы сами выбрали себе противника — Советский Союз, сами выбрали место, время и способ боевых действий. Война началась по их сценарию. И плохо для них кончилась. Кого же в этом винить?

Сталин в 1941 году уже имел полное представление о том, что высший командный состав Германии к войне не готов, что германские генералы руководить войной не способны. Блицкриг в Польше, молниеносный разгром Франции, захват почти всей Европы могли обмануть слабонервных журналистов. Но для настоящего стратега картина представлялась совершенно иначе. Германские генералы только кричали про блицкриг, но никакого блицкрига у них не получалось. Молниеносными были только отдельные операции, а вся война еще с осени 1939 года приняла затяжной, то есть смертельный для Германии, характер.

***

«Готовность» Германии к войне заслуживает особого исследования. Но результат войны на вопрос о готовности дает однозначный ответ.

По расчетам Сталина, нападение на СССР означало бы самоубийство для Гитлера и его империи. И это был правильный расчет. И он полностью подтвердился результатами войны. Причем для самого Гитлера нападение на СССР означало самоубийство в буквальном смысле.

Просто Сталин не верил, что Третий рейх решится на самоубийство таким экзотическим способом.

Не в том вопрос, боялся Сталин Гитлера или нет. Не было у Сталина оснований бояться. Сталин считал Гитлера и его генералов умными людьми, а умные люди на такую авантюру не пошли бы. Да еще и при таком раскладе. Да имея Британию за спиной. А потенциально — и Америку. Умные люди на два фронта воевать не стали бы. Умные люди не выдумали бы блицкриг на телегах. Умные люди не могли планировать разгром уральских и сибирских промышленных центров дальними бомбардировщиками, не имея дальних бомбардировщиков.

Тут надо другой вопрос ставить. Вопрос, на который никто не ответил. На который никто не пытался ответить. Никто этот вопрос даже и не поставил: ЗАЧЕМ ГИТЛЕР НАПАЛ НА СССР?

Чего ему не хватало?

Жизненного пространства?

Или ума?

Глава 23

О СТАЛИНСКОЙ ПАНИКЕ

> Сталин производил на нас неизгладимое впечатление. Его влияние на людей было неотразимо. Когда он входил в зал на Ялтинской конференции, все мы, словно по команде, вставали и, странное дело, почему-то держали руки по швам.
>
> Он обладал глубокой мудростью и чуждой всякой панике логикой. Сталин был непревзойденным мастером находить в трудные минуты выходы из самого безвыходного положения.
>
> В самые трагические моменты, как и в дни торжеств, Сталин был одинаково сдержан, никогда не поддавался иллюзиям. Он был необычно сложной личностью. Сталин был величайшим, не имеющим себе равных в мире диктатором.
>
> *У. Черчилль*

1

Никита Хрущев рассказал историю о том, что в 1941 году Сталин, узнав о германском нападении, страшно испугался, уехал в свою подмосковную дачу-крепость, полностью отошел от дел, никого к себе не вызывал, ни с кем не встречался, никого не принимал, не интересовался делами на фронте, на телефонные звонки не отвечал. Сталин находился в состоянии глубокой апатии. Это было полное самоустранение от выполнения всех государственных и партийных обязанностей. В состоянии крайней депрессии Сталин находился больше недели, и только 1 июля члены Политбюро заставили его вновь взять бразды правления в свои руки...

Эту легенду подхватили некоторые историки и повторили ее в тысячах книг, статей, в миллионах выступлений... Эта легенда служит самым главным доказательством сталинской «неготовности» к войне; дескать, он-то лучше всех знал, что армия к войне не готова, что армия обезглавлена, он боялся войны, хотел ее оттянуть, а узнав о нападении, окончательно перепугался и спрятался...

Эта легенда каждое десятилетие обретает как бы новую жизнь. Недавно в Британии вышла книга, в которой описаны параллельно биографии Гитлера и Сталина. Ну и понятно: Сталин страшно боялся, а когда Гитлер напал, то он и подавно перепугался до смерти. Толпа забывает вчерашние сенсации поразительно быстро. Потому такая книга для нового поколения обывателей — вроде открытия. В лондонских автобусах, на вокзалах, в метро повторяют: а вы знаете, что когда напал Гитлер...

Книга сразу стала мировым бестселлером. Пройдет немного времени, книгу забудут, но найдется новый открыватель, легенду повторит, и снова это будет звучать великим историческим открытием, и снова будут охать сэры и мистеры: а вы знаете, когда напал Гитлер...

Спорить бесполезно. Обиваю пороги издательств, предлагаю свои книги о войне, а в ответ: русские были совершенно не способны воевать, к войне они не готовились, армия была обезглавлена, Сталин это знал лучше других, не случайно, узнав о нападении, он перепугался и спрятался...

А между тем...

В страхе НИКТО так себя не ведет.

Теоретически Сталин мог бояться германского нападения до того, как оно совершилось. Но после того, как оно началось, Сталин должен был успокоиться.

2

Так уж мы устроены: боимся того, что должно свершиться. А то, что уже свершилось или свершается в данный момент, уже не так страшно или вообще не страшно. Вспомним, как ведут себя люди в кинотеатре во время демонстрации фильма ужасов. Зал затихает в страхе, когда на экране подозрительно скрипят лестницы и хлопают двери, опасность рядом, но мы не знаем, в чем она заключается, что она собой представляет, и это страшно. Но вот на экране появляется злодей (или резиновая акула, или еще какое чудище), и зал оживился, ужас больше не имеет той остроты, ибо зрителям теперь известно, в чем он заключается.

Знаменитый подводник капитан 2 ранга Петр Грищенко, который среди советских подводников имел самый большой боевой счет, описывает это состояние так: «Опасность, которая нас подстерегает, страшна только до того момента, пока она неизвестна. А как только она становится ясной — вы мобилизуете все силы на борьбу с ней. Здесь уж не до переживаний» (Схватка под водой. М.: Молодая гвардия, 1983. С. 123).

Не менее знаменитый летчик-испытатель Марк Галлай летал на ста двадцати четырех типах летательных аппаратов. О нем говорили, что он может летать на всем, что летает, и немножечко — на всем, что теоретически не должно летать. Галлай описывает состояние летчика в момент встречи с опасностью (а в работе летчика-испытателя опасность часто бывает смертельной): «Все моральные силы летчика мобилизованы на встречу с любой неожиданностью. Какой именно — он не знает (если бы знал, то она перестала бы быть неожиданностью, да и вообще была бы исключена). Когда наконец она раскроет себя, летчик, сколь это ни парадоксально, сразу успокаивается» (Через невидимые барьеры. М.: Молодая гвардия, 1965. С. 98).

Вспомним книги нашего детства. Вот Робинзон Крузо идет по своему острову и вдруг видит отпечаток босой человеческой ноги. Сам Робинзон босиком не ходил, и отпечаток явно больше его собственного. В дикой панике и ужасе он прячется в своей пещере. (Следует описание ужаса на две страницы.) На острове присутствует опасность, но Робинзон не знает, какая именно. Потом он узнает, что это всего-навсего людоеды, несколько десятков, они режут своих пленников, жарят на костре и пожирают их. Одним словом, ничего страшного.

У Вальтера Скотта в «Айвенго» это состояние описано несколько раз в разных ситуациях. Например, рыцари-вымогатели поймали купца Исаака из Йорка и готовятся кипящим маслом, раскаленными щипцами и прочими экзотическими инструментами и способами заставить его поделиться доходами. «Однако теперь, перед лицом действительной опасности, он был гораздо спокойнее, нежели раньше, когда находился во власти воображаемых ужасов».

И в той же книге: «Любители охоты утверждают, что заяц испытывает больший страх, когда собаки гонятся за ним, нежели когда он попадает им в зубы».

3

От книг детства перейдем к книгам нашей юности и в них найдем то же правило: когда самое страшное уже случилось, человек забывает свои страхи и успокаивается. Вот описание ареста в книге Александра Солженицына «В круге первом»: «Арест выглядел грубовато, но совсем не так страшно, как рисуется, когда его ждешь. Даже наступило успокоение — уже не надо бояться... Странно, но сейчас, когда молния ареста уже ударила в его жизнь, Иннокентий не испытывал страха. Наоборот, заторможенная мысль его опять разрабатывалась и соображала сделанные промахи».

Люди, ждавшие ареста, принимают арест с облегчением. Это рассказывают и те, кого арестовывали коммунисты, и те, кого арестовывали фашисты, — первая ночь в камере — это сладкий успокаивающий сон, до того было много бессонных ночей в ожидании. Теперь неизвестность позади, можно спать спокойно.

Давайте поднимем тексты, которые принято считать классическими, и найдем, что Шекспир, Пушкин, Байрон, Гоголь, Диккенс, Достоевский, Гете, Толстой, Шиллер, Ремарк, Сенкевич, Золя, Цвейг — все говорят об одном: когда случилось самое ужасное — человек успокаивается. Это относится и к немцам, и к русским, к французам и американцам, к полякам, болгарам, евреям, китайцам, индийцам, к эвенкам и чукчам. Так может быть, грузин в таких случаях ведет себя иначе? Великий грузинский поэт Шота Руставели еще в XII веке утверждал, что грузины ведут себя как все. Но оставим литературу.

Эксперимента ради я опрашивал людей возле онкологической клиники. Каждый день в приемной люди ждут результатов: может, рак, может, нет. Люди в приемной сидят в обнимку со страхом, страх — в их глазах, страх гуляет над их головами. А потом человека вызывают к врачу и объявляют: да, рак. Неизвестность прошла. Все человеку теперь ясно. И он успокаивается.

А еще я опрашивал людей, получавших смертные приговоры. Результат тот же. Самое страшное для всех — ожидание приговора: пятнадцать или вышак? А потом: встать, суд идет, именем Российской Советской... к высшей мере наказания — расстрелу. Спрашивал прошедших через это: ну и как? Отвечали: воспринимается с облегчением; пошумишь для порядка, но быстро приходит успокоение. Эдуард Кузнецов: «Свое новое положение приговоренного к смерти осознаешь быстро и привыкаешь к этому легко». Сам я в камере смертников не сидел, смертный приговор получил заочно. Меня вызвали в британское министерство иностранных дел и передали пламенный привет от Военной коллегии Верховного суда СССР. Поделюсь впечатлением: ночь после приговора спал сладким сном и видел счастливые сны, наступило полное облегчение и спокойствие, которое сопутствует мне уже многие годы. В жизни моей с того момента исчезли многие заботы и страхи.

4

Ожидание смерти страшнее самой смерти. Потому Геринг за три часа до казни покончил с собой. Чтоб не ждать.

И Сталин, и сталинские суды знали, что сам приговор не так страшен, как ожидание. Например, судьба Николая Бухарина была предрешена Сталиным лично, и ни один судья не посмел бы возразить. Но! Сталинский суд «удалился на совещание» и «совещался» **семь с половиной часов.** А потом граждане судьи появились, и один из них долго-долго читал почти бесконечный приговор, перечисляя множество ненужных деталей. Ну а в конце — как принято: вышак. В зале вместо публики сидели товарищи в сером. Тридцать три года спустя один из них, теперь уже заслуженный ветеран, выступал у нас в академии. О суде он рассказывал весело: мол, талантлив был Верховный Режиссер, умел представления устраивать — комедия с вынесением приговора смотрелась лучше публичной порки...

И на войне так же. Спросите каждого фронтовика, и вам ответят: ждать страшно, а в бою страх проходит, ждешь боя как облегчения. Генерал-лейтенант артиллерии Г.Н. Ковтунов: «Хотя это может показаться парадоксальным, мы ждали, когда противник перейдет к активным действиям» (ВИЖ. 1981. № 7. С. 58). Есть свидетельства нетерпения маршала Жукова перед началом Курской битвы: ему хотелось, чтобы кончилось ожидание и чтобы немцы нанесли удар. У Владимира Высоцкого все возможные переживания человека выражены в песнях, и это тоже: «Мы ждем атаки до тоски...»

Так говорят и солдаты, и офицеры, и генералы. Да не только генералы. Цитирую запись из дневника доктора Геббельса от 16 июня 1941 года. До начала германского вторжения остаются считанные дни. В высшем руководстве Германии — нервное ожидание: «Фюрер живет в неописуемом напряжении. Это всегда так, пока боевые действия не начались. Он говорит, что, как только битва начнется, он станет совершенно спокоен. Я это наблюдал бесчисленное количество раз».

В момент, когда Гитлер напал, сталинский страх (если он был) должен был пройти. Сталин должен был успокоиться. Подтверждение этому — вся мировая литература, вся человеческая история и сама человеческая (и звериная) натура.

Сталин должен был успокоиться — это подтвердит любой психолог. Да вы это и без психолога знаете.

Есть особая порода сильных людей, которых принято называть врожденными лидерами. Сталин был самым ярким представителем этого типа. Таким людям присущи суровость и властность в любой нормальной обстановке, а когда ситуация ухудшается, они не проявляют признаков паники и трусости, но, наоборот, становятся веселыми и радостными. Именно эта особенность отличает их от простых смертных и привлекает к ним других людей. Таким, например, был авиаконструктор генерал-полковник авиации А.Н. Туполев. Вот как его обычно описывают: «А наш Дед всегда, когда что-нибудь не слава Богу, очень спокойный — не шумит, не ругает никого... Ну а когда все в порядке, тогда покрикивает, шумит, разносит...» (Галлай М. Третье измерение. М., 1979. С. 72).

Вот именно таким был и Сталин. Референт Сталина по вопросам авиации, авиаконструктор, генерал-полковник авиации А.С. Яковлев свидетельствует: «Во время войны я заметил в Сталине такую особенность: если дела на фронте хороши — он сердит, требователен и суров; когда неприятности — он шутит, смеется, становится покладистым» (Цель жизни. М., 1968. С. 503).

Так вот: не мог Сталин испугаться после того, как война уже началась. Поведение Сталина в первые дни войны, мягко говоря, нестандартное. Он вел себя так, как никто себя в страхе не ведет. Более того, он не похож и на самого себя. Свидетельство генерал-полковника Яковлева не единственное. Их много. В первые, самые страшные дни войны Сталин должен был улыбаться, шутить, смеяться.

Но он молчит. Он ни с кем не разговаривает, ничем не интересуется.

Чем же объяснить сталинское поведение?

Чем угодно.

Кроме страха.

5

Страх на короткое время оказывает парализующее воздействие, но страх быстро воплощается в интенсивную деятельность. Испуганный человек много и быстро говорит, он озирается, оглядывается, все тело подвижно, а руки как бы ищут для себя занятие. Испуганный человек теребит в руках шапку, крутит пуговицы, грызет ногти, поглядывает на часы, постоянно что-то ищет в карманах. Все это — свидетельства напряженной работы мозга. Страх — это одно из проявлений инстинкта самосохранения. Страх резко увеличивает физические силы, повышает четкость и ясность мышления. В страхе человек способен предпринять то, что без страха ему кажется невозможным. В страхе человек может выдумать то, до чего без страха не додумаешься. Если Александр Керенский переоделся медсестрой и на санитарной машине бежал из Зимнего дворца, мы скажем, что это страх. Если бы Сталин приклеил бороду и сбежал в Тибет или Парагвай, то мы бы сказали: это страх. Но проявлений страха в поведении Сталина не было.

После 1991 года архивы чуть-чуть приоткрылись, и исследователи получили доступ к тетрадям, в которых регистрировались посетители сталинского кабинета с 1927 по 1953 год. Выяснилось, что Сталин в первые дни войны работал, причем работал так, как мало кто на этой планете. Запись 21 июня 1941 года: «Последние вышли в 23.00». Но это вовсе не означает, что рабочий день Сталина завершился. После того как последние посетители вышли, он еще мог работать с документами сам, он вел телефонные разговоры, он работал не только в своем кабинете, но и в кремлевской квартире, и на дачах.

22 июня 1941 года прием посетителей начат Сталиным в 5.45. Он продолжался 11 часов без перерывов. Посетители: Молотов, Берия, Тимошенко, Мехлис, Жуков, Маленков, Микоян, Каганович, Ворошилов, Вышинский, Кузнецов, Димитров, Мануильский, Шапошников, Ватутин, Кулик...

Далее у Сталина на целую неделю — один сплошной рабочий день с перерывами. Прием посетителей начинается то в 3.20 ночи (23 июня), то в 1 час ночи (25 июня) и завершается ночами, то в 1.25 (24 июня), то в 2.40 (27 июня), то в 00.50 (28 июня). Прием посетителей продолжается по пять, шесть, двенадцать часов. Иногда рабочий день Сталина длится 24 часа с небольшими перерывами. Но повторяю — мы знаем только то, что в моменты перерывов в его кабинете нет посторонних. Но это еще не означает, что он в это время не работает.

А вот после этой недели в журнале регистрации посетителей два дня пропущены: 29 и 30 июня.

Хрущев рассказывал, что немцы напали, а Сталин испугался и убежал. Теперь выясняется, что после того, как немцы напали, Сталин работал семь дней на пределе человеческих возможностей и за этим пределом. А потом вдруг...

Если Сталин и боялся Гитлера, то после нападения он не мог испугаться еще больше. Выясняется, что он и не испугался в первый день войны, он работал, а в интенсивной работе забывается все. Эмоции отходят...

Если Сталин не испугался в первый момент, то мог ли он испугаться на восьмой день?

6

Загадка сталинского поведения в первые дни войны меня терзала давно. Разгадку я нашел в Третьяковской галерее. Можете со мной соглашаться, можете возражать, но лично меня найденный ответ удовлетворяет.

Итак, Третьяковка. Обычно я приходил к вечеру. Так повелось: в Бородинскую панораму поутру не пробиться. А за пару часов до закрытия...

И в Третьяковку тоже.

Я люблю второй этаж. Больше всего — пейзажи. Во мне не состоялся великий пейзажист. Сознавая загубленную потенцию, часами ревниво рассматриваю чужие холсты: осинки, березки, елочки. На каждом пейзаже местечко высматриваю, куда бы лучше противотанковую пушку всобачить. Чтоб скрыть ее напрочь от вражьего глаза.

А самая моя любимая картина — «Ночь на Днепре» Куинджи. Картину эту никогда не встречал в репродукциях. Ее невозможно копировать: черная ночь, 41 оттенок черного цвета, зеленая луна, того цвета, каким бывает огонь светофора в ночном тумане, и лунная дорожка по Днепру, и отблески по черным облакам. Какая ночь! Какой простор! Какая мощь! Самый момент Днепр форсировать. И еще лучше в такую ночь снять тихонечко 3-ю гвардейскую танковую армию с Букринского плацдарма и под соловьиные трели перегруппировать ее на Лютежский плацдарм. Чтоб никто не дознался. А потом с Лютежского, откуда появления танковой армии противник не ждет, внезапным ударом... Ах, Куинджи!..

А самая моя любимая скульптура — «Крестьянин в беде» М.А. Чижова. Сидит мужик на пепелище, рядом — мальчик. Если вникнуть в суть, то отойти от скульптуры не получается. Скульптура белого мрамора, пепелище предельно скупо обозначено. Но трагедия проступает так остро, что сознание дорисовывает и восстанавливает все, что не мог скульптор уместить на небольшом постаменте: всю жизнь мужик пахал как вол, выстроил дом, поднялся на ноги и вот... И головешки белого мрамора воспринимаются как черные... И горе аж сочится из холодного камня... Мальчик трогает отца за плечо... Он еще не понял всей глубины несчастья...

Иногда я приходил в Третьяковку и долго из дальнего угла рассматривал две скорбные фигуры...

А однажды брел по залам, мысленно прятал пушки противотанковые за пригорочки, двигал танковые армии с плацдарма на плацдарм и вдруг внезапно оказался у той самой беломраморной чижовской статуи. Чуть было плечом ее не снес. Поднял глаза... обомлел:

ТАК ЭТО ЖЕ СТАЛИН!!!

7

Давайте же вернемся в тот страшный июнь 1941 года: жаркое лето, где-то далеко идет война, а в Подмосковье в лесной тиши пахнет сосновой смолой, за окном шмели жужжат. Сталин, забыв о времени, сидит в простой своей комнате на солдатской кровати, оперев лоб на ладонь. Ему не интересно, что происходит на фронтах, что происходит в его стране и мире. Он никуда не хочет бежать. Это тихое самоубийственное отчаяние. Всю свою жизнь он отдал идее. Он — великий служитель. Он истребил всех своих врагов, чтобы подчинить великую страну и поднять ее на величайшее дело. Он истребил миллионы людей, чтобы заставить остальных выполнять свои приказы, он очистил армию от врагов народа и подчинил ее своей неукротимой воле. Он отдал все, что имела страна, военной промышленности. Он поддержал в свое время Гитлера, помог ему подняться на ноги. Он толкнул Гитлера в войну и ждал, когда война разорит Европу. Он истратил тысячи тонн золота за немецкую, французскую, британскую, американскую, итальянскую, швейцарскую технологии. Он перестроил промышленность на режим военного времени, он лично контролировал создание танков и самолетов для грядущей войны, он выпустил их в достаточных количествах и сосредоточил у границ. У границ он собрал гигантские запасы боеприпасов, топлива и всего, что нужно для победоносной войны на чужой территории: автострадные танки, штурмовую авиацию, планеристов и десантников... И вот когда великое предприятие готово...

Гитлер его сорвал.

Все, что есть у Сталина, ориентировано на захват, ничего — на оборону. И сталинское уединение — не проявление страха. Просто рухнуло все, чем он жил.

Сталин — на пепелище.

Сталин — величайший кораблестроитель, у которого утонул самый лучший, самый роскошный, самый большой, самый быстрый в мире непотопляемый «Титаник», который не должен был и не мог утонуть.

Сталин — космический конструктор, у которого грохнула на старте самая мощная в мире ракета, угробив не только космодром, множество людей и все космические планы, но и сам смысл жизни конструктора.

Сталин — игрок, которому всегда везло, который никогда никому не проиграл ни рубля. Вся жизнь — игра. Вся жизнь — выигрыш. А ставки в игре все круче. Каждый раз — ва-банк. И уже на Сталина смотрит мир, как на игрока в казино, сгребающего груды золотых монет и ассигнаций. На какой бы номер он ни поставил — всегда в выигрыше. Какую бы карту из колоды ни выдернул — всегда козырный туз. Какую бы комбинацию карт ему ни бросили — всегда 21. Он уже выиграл себе самую большую и богатую страну мира, он выиграл беспрекословное подчинение всех людей в этой стране. И вот последняя игра. Теперь на карту поставлен весь мир. Сталин к игре готов. Он так сдал карты, что все козыри — в его руке.

И вдруг его бьют козырным тузом.

Тем самым, который украден из его колоды.

И отыграться нельзя.

Слишком велики ставки.

Проиграно все.

Сталин всегда обманывал всех своих врагов и наносил им внезапные смертельные удары. И вот первый раз в жизни в самом главном деле кто-то разгадал сталинский замысел. И ударил первым.

И все сорвалось.

Погибло все. Уже ничего сделать нельзя.

В первые мгновения Сталин просто не верит, что Гитлер напал. У Сталина просчитаны все ходы и все варианты: Гитлер не должен был напасть.

Затем, не щадя себя, Сталин работает за пределом возможностей, точно как мужик, который тушит дом, не жалея живота своего. Сталин всю первую неделю войны гонит войска в наступление. Им бы дать сигнал на оборону. Но нет! Наступать, наступать, наступать! Советские самолеты сгорели на аэродромах, наступать без авиационной поддержки — самоубийство. Но Сталин бросает войска в самоубийственные атаки.

И вот 28 июня сообщение: Западный фронт окружен. 4-я танковая армия разгромлена, 3-я, 10-я и 13-я — в кольце.

Вот только тут Сталин наконец понимает, что освобождение Европы сорвалось окончательно. И ничего уже исправить не удастся. Социалистическое государство способно разгромить кого угодно, но оно не способно конкурировать с нормальными странами в мирном соревновании, потому с 22 июня 1941 года Советский Союз был обречен на гибель. На распад. Рано или поздно. Он мог выжить, только истребив все вокруг себя и обратив в свое состояние.

Иначе — развал.

Советский Союз мог существовать только при одном условии: если народ не будет иметь возможности сравнивать свою жизнь с жизнью окружающих стран. Потому главная идея Сталина: уничтожить капиталистическое окружение. Потому все сталинские тома столь просты, логичны и понятны: полная победа социализма — в одной стране, но окончательная — только в мировом масштабе. Этим пронизаны все речи Сталина, все выступления, все планы.

Но это понимал и Гитлер: «Большевизированный мир сумеет удержаться лишь в том случае, если он охватит все» (Майн кампф. Ч. 2. Гл. XIII).

22 июня 1941 года Гитлер нанес коммунизму самоубийственный, но смертельный удар. Как бы после того ни развивались события, покорить весь мир Сталину уже было невозможно. А это равносильно гибели.

Сталин понял, что погибло все. И он уходит от дел. Как тот мужик, который не спасает последний сарай, когда уже сгорели и дом, и конюшня, и амбар.

Через два дня, 30 июня 1941 года, в комнату Сталина входят Берия, Молотов, Маленков... Их много, и входят они молча, точно палачи в камеру смертника. В глазах Сталина испуг. В своем горе он забыл о себе, он забыл о том, что надо спасаться. Они застали его врасплох. Он не готов к смерти.

Но они пришли не за этим. Мировой коммунизм их волнует меньше. Освобождение сорвалось, и это теперь для них не важно. Сейчас им нужно спасать свои шкуры и головы, а для этого им нужно спасать страну. Сталин нужен им как символ, как знамя, вокруг которого в бою собираются остатки разбитого полка. Они говорят о спасении страны, но это Сталина совсем не интересует. Ибо без захвата Европы, без расширения границ Советский Союз все равно рано или поздно погибнет. Он все равно развалится.

До 22 июня 1941 года все было так логично и просто: Маркс — основоположник великого учения. Ленин превращает мечту в реальность. В одной стране. А Сталин — вершитель величайшего из деяний мировой истории. Сталин обращает в республики СССР Германию, Австрию, Францию, Испанию, Китай, Корею, Вьетнам, Грецию, Турцию, Ливию, Тунис, Индию, Италию...

А как с Америкой? Америку удушить химическим оружием индивидуального поражения — посадить на иглу.

Но все сорвалось. Государство, которое оставил Ленин, государство — очаг Мировой революции Сталин просрал. Он это знает. И именно этим словом Сталин описал членам Политбюро сложившуюся ситуацию.

Они не поняли.

А Сталин знал, что, как бы ни сложилась ситуация, всей Европы ему не видать. Потому в 1945 году он и отказался принимать Парад Победы. Это была победа для всего народа, для страны, да только не для Сталина. В 1945 году Сталин чувствовал себя как Бонапарт после Бородинского сражения: вроде бы и победил, и дорога вперед открыта, да только так надорвал силы в том сражении, что победа радости не несет. Все равно — впереди поражение. Гитлер Европу сокрушил, как хотелось Сталину, но Сталин этим в полной мере воспользоваться не смог.

В 1941 году все значение германского нападения мог оценить только Сталин. В 1941 году члены Политбюро не поняли или поняли не до конца, что означает гитлеровское вторжение для дальнейшей судьбы Советского Союза.

А оно означало — смерть.

Политбюро — это тот мальчик на пепелище, который не понимает всей глубины и губительности случившегося. Он трогает отца за плечо: очнись!

Политбюро заставляет Сталина вернуться на вершину власти, и Сталин, безразлично махнув рукой, возвращается, зная, что дело, которому он отдал жизнь, погибло.

Бристоль, 1997 — 1998 гг.

Продолжение в следующей книге

СОДЕРЖАНИЕ

Издательство АСТ представляет самое полное собрание сочинений Виктора Суворова

"...был лишь офицер Главного разведывательного управления МО СССР Владимир Резун, свято веривший, что служит своему народу и своей стране, воруя западные секреты. Воспитанный в семье фронтовика, узнав страшную правду о "священной войне", он остался на Западе, обрек себя на жизнь с клеймом "предателя" , без малейшей надежды увидеть своих родных, друзей — все это, чтобы только донести до людей открывшуюся ему правду" — вот что сказал о Суво-рове один из самых известных российских диссидентов, Вл. Буковский.

Виктор Суворов, он же Владимир Резун, предлагает в историко-детективных романах свою версию начала Второй мировой войны, обнародует ранее неизвестные факты о деятельности советских спецслужб.

Смертный приговор В. Суворову в нашей стране до сих пор не отменен...

"Освободитель. Аквариум"

Армия — зеркало, в котором отражается страна. *"Освободитель"* — книга об армейской жизни в нашей стране. Мало что изменилось в армейской системе. Многое изменилось в стране. Стоит сравнить понимающему...

В Москве на Хорошевском шоссе стоит девятиэтажное стеклянное здание, окруженное, как забором, невысокими кирпичными строениями. На нем нет вывески, скромная проходная пропускает по утрам и вечерам поток людей. Это знаменитое и таинственное Главное разведывательное управление, в народе — *"Аквариум"*.

"Контроль"

Жила-была девочка Настя, сама себя определившая из дворян в пролетарии. Работала она на заводе, не имела ни семьи, ни дома, занималась парашютным спортом... И попалась на глаза Холованову — Дракону, к Сталину приближенному, им обласканному. Стала Настя уже не Настей, а Жар-Птицей. Сделали ей клетку огромную — создали условия для работы умненькой девочке, — и начала она заговоры коварные распутывать. А тут ёще Кощееву смерть — сталинский чемоданчик "Контроль-блок" — украли враги негодные. Но и здесь Настя справилась. А как отблагодарили ее Сталин с Драконом верным вы узнаете, дочитав до конца эту жуткую сказочку...

“Ледокол. День “М”

“Ледоколом Революции” нарекли советские лидеры Адольфа Гитлера. Лишь он мог сделать Европу уязвимой, расчистив путь мировому коммунизму. Пользуясь открытыми публикациями, военными мемуарами, материалами газет и журналов, Суворов создал документальный триллер, увлекательный, как самый “крутой” детектив.

Зачем Советскому Союзу понадобилась всеобщая воинская обязанность? Почему сверхсовременное техническое оснащение армии и великолепное вооружение не годились для обороны? Кто уничтожил советское партизанское движение в момент начала Второй мировой войны и почему? Какую непоправимую ошибку совершил Гитлер?

Странные и зловещие вопросы, не правда ли? Каждая страница “Ледокола” — это ответ, та самая страшная правда, которая скрывалась от нас за семью печатями. Но прочтите книгу и печати будут сняты!

Во второй части трилогии о войне — “День “М” — Суворов убедительными фактами доказывает, что 19 августа 1939 года — это день, когда Сталин начал Вторую мировую войну. Осенью 1939 года уже были созданы плакаты, песни и проекты памятников “воинам-освободителям”, советских солдат спешно переобували в кожаные сапоги (не топтать же землю Европы в кирзе!), женщин сажали на тракторы, подростков гнали на военные заводы. Все это происходит задолго ДО нападения Гитлера. Ему оставалось лишь спасать себя.

Гитлер опередил Сталина на две недели. Вот почему “День “М” так никогда и не наступил.

“Последняя республика”

Разве Сталин проиграл Вторую мировую войну? Странный вопрос, не правда ли? Перед вами заключительная часть трилогии о войне — “Последняя республика”. Итак, победа в сталинском понимании — захват как минимум всей Германии, Франции, Италии, Испании и их колоний. Этого не произошло, и началось разложение, которое привело советский коммунизм к неизбежному распаду.

Однако фашистский меч ковался в СССР. На чью голову? Суворов сопоставил все, что говорил Ленин, писал Гитлер и делал Сталин, — и получил потрясающие результаты, с которых теперь снят гриф “Совершенно секретно”.

Прочитав эту книгу, вы узнаете о загадочной судьбе Дворца Советов, где в огромной голове Ленина собиралось заседать правительство; о пирожках с детским пальчиком внутри; о прорыве неприступной “линии Маннергейма”; о странных различиях немецких и русских разговорников... Был или не был готов Советский Союз к войне? Что бы ни утверждали историки, и нам, и детям нашим необходима совершенно иная версия Виктора Суворова, подкрепленная неопровержимыми фактами и цифрами...

Суворов Виктор

ОЧИЩЕНИЕ

Зачем Сталин обезглавил свою армию?

Художественный редактор О. Н. Адаскина
Компьютерный дизайн И. А. Герцев
Технический редактор Н. Н. Хотулева

Подписано в печать с готовых диапозитивов 09.02.00.
Формат 84×108[1]/32. Печать высокая с ФПФ.
Бумага типографская. Гарнитура Академия.
Усл. печ. л. 25,20. Тираж 5000 экз.
Заказ 289.

Гигиенический сертификат
№ 77.ЦС.01.952.П.01659.Т.98. от 01.09.98 г.

Налоговая льгота — общероссийский
классификатор продукции ОК-00-93, том 2;
953000 — книги, брошюры

ООО «Фирма «Издательство АСТ»
Лицензия ЛР № 066236 от 22.12.98 г.
366720, РФ, Республика Ингушетия,
г. Назрань, ул. Московская, 13а
Наши электронные адреса:
WWW.AST.RU
E-mail: AST PUB@AHA.RU

При участии ООО «Харвест». Лицензия ЛВ № 32
от 27.08.97. 220013, Минск, ул. Я. Коласа, 35-305.

Ордена Трудового Красного Знамени полиграфкомбинат
ППП им. Я. Коласа. 220005, Минск, ул. Красная, 23.